Texto de acordo com as normas do novo acordo ortográfico da língua portuguesa (Decreto Legislativo Nº 54 de 1995).

Editora – Catia Mourão
Idealização de capa – Jéssica Gomes
Designer de capa – Décio Gomes
Diagramação – Catia Mourão
Revisão – Halice FRS e Kel Costa

CIP-BRASIL. CATALOGAÇÃO NA PUBLICAÇÃO
SINDICATO NACIONAL DOS EDITORES DE LIVROS, RJ

M89s

Mourão, Catia, 1970-
A sociedade secreta / Catia Mourão. - 1. ed. - Rio de Janeiro : Ler, 2018.
308 p. : il. ; 23 cm.

ISBN 978-85-68925-62-1

1. Romance brasileiro. 2. Literatura erótica brasileira. I. Título.
18-50891 CDD: 869.3
CDU: 82-31(81)

Meri Gleice Rodrigues de Souza - Bibliotecária CRB-7/6439

01/07/2018 11/07/2018

Foi feito o depósito legal.
Direitos de edição:

Ler
EDITORIAL

A SOCIEDADE SECRETA

Catia Mourão

1ª edição
Rio de Janeiro – Brasil

As máscaras escondem nosso verdadeiro Eu e nos permitem ocultar muitos mistérios, por trás de uma fachada de superficialidade. Mas até quando podemos manter um segredo?

Sumário

Prólogo

Senhora V

Essa história começa há dezesseis anos, quando minha única preocupação era ser aceita no curso de Literatura da Universidade.

Vanessa, Verônica, Vivian... não importa. Nomes são apenas rótulos impostos pela sociedade, algo que usamos para sermos identificados, para nos distinguir dos demais. Ultimamente, passei a ser conhecida como *Senhora V* e, para ser sincera, prefiro assim.

Nasci em uma família de classe média alta, na cidade de New Bern, Carolina do Norte. Filha de pais protestantes, conheci meu marido — o Senhor F — quando ingressei na universidade, aos dezenove anos.

De pele clara, cabelos e olhos negros, ele ostentava um porte atlético e um sorriso que não ocultava suas intenções. Dirigia um modelo esportivo, mantinha os olhos sempre ocultos por trás de um par de lentes *Ray Ban* e usava suéteres assinados por *Ralph Lauren*.

Eu era mais uma, entre tantas estudantes vindas de uma cidade pequena, porém, com muito *potencial* para conseguir um bom casamento, graças às curvas voluptuosas que adquiri ao passar pela puberdade. E não demorou muito para que o *Senhor F* notasse minha presença pelos corredores e pátios frequentados pelos alunos. Assim como não demorou para que eu descobrisse que não era a única a desfrutar do privilégio de sua companhia após as aulas.

Mas eu era, de longe, a mais frequente, a *garota fixa* e, portanto, não deveria me importar com as outras. Isso bastava.

Dois meses após a formatura, cruzei a opulenta nave da igreja, adornada com sofisticação, e saí de lá de braços dados com o mais novo e bem-sucedido executivo da área de telecomunicações.

Claro que a posição de seu pai e o nome da família ajudaram o Senhor F a galgar rapidamente muitos degraus, mas era preciso reconhecer seu mérito, ele realmente tinha se dedicado para chegar ao topo.

Seu sorriso havia mudado. Já não se parecia mais com o do estudante que se formou apenas dois anos antes de mim. Refletia ainda mais segurança e isso era muito perturbador.

Mudamos para uma casa de três andares, com direito a deck particular e uma lancha de 60 pés, que contava com uma suíte refrigerada, cama de casal e teto solar, além de uma cozinha totalmente equipada que jamais era usada, a não ser para preparar drinks a bordo.

Minha vida com o Senhor F carecia de *emoção*, já que agora era preciso uma dedicação ainda maior para galgar, sozinho, os próximos degraus de sua brilhante carreira. Mas isso era fartamente compensado pelos pequenos mimos, cravejados de pedrinhas brilhantes, com os quais ele constantemente me presenteava.

E como era de se esperar, um ano após o casamento eu engravidei e segundo a sociedade na qual estávamos inseridos, a partir dali, sim, minha vida teria sentido.

O Senhor F estava muito satisfeito com os rumos de nossa família e o futuro ainda mais promissor que se desenha à nossa frente, e quando nosso único filho nasceu — crianças merecem mais do que uma inicial para defini-las, então vamos chamá-lo de Cris — ele me presenteou com um mimo um tanto maior que o habitual e voltou a se dedicar à carreira, dessa vez assistido de perto por sua nova secretária: uma jovem ruiva, de seios fartos e longas pernas, que passou a ser sua companhia frequente.

Conforme Cris crescia a carreira do Senhor F se tornava mais sólida e, logicamente, isso exigia cada vez mais de seu tempo. As viagens se tornaram uma constante e, com o passar dos anos, mais longas. As belas secretárias variavam. Algumas eram louras, como eu, outras morenas, mas nunca permaneciam mais de um ano ou dois no serviço. Até que, estranhamente, deixaram de existir. As viagens se tornaram mais raras e foram substituídas por reuniões intermináveis, sempre à noite e no meio da semana, e mantinham o Senhor F incomunicável por várias horas.

Foi mais ou menos nessa época que, como pais atentos à necessidade de oferecer uma boa educação ao nosso filho, enviamos Cris para uma escola de período integral, já que havia alcançado a idade adequada.

Segundo o Senhor F, eu deveria ficar feliz, pois agora teria mais tempo para me dedicar à minhas tarefas pessoais.

Não demorei muito para entender ao que ele se referia. Afinal, em poucos meses eu já fazia parte do *Clube de Senhoras para as Causas Sociais*, que se reunia quinzenalmente para discutir os preparativos do próximo chá beneficente ou de alguma outra atividade dedicada ao auxílio dos mais necessitados.

Também assistia a aulas de maquiagem, decoração, arte... Fiz até um curso de sommelier. O tempo restante era preenchido na academia. Foi lá que conheci a *Senhora J*.

No início, não passávamos disso: meras conhecidas. Cumprimentávamo-nos com um sorriso e, às vezes, tomávamos um suco na cantina, enquanto aguardávamos o horário da massagem ou o início de alguma outra atividade.

Aos poucos, nossa relação foi se estreitando e a Senhora J se revelou muito mais do que uma das mulheres com as quais eu interagia. Tornamo-nos amigas e, por fim, confidentes.

Capítulo 1

Senhora V

— Você perdeu muito tempo da sua juventude, querida. Está com quê? Trinte e dois?

— Trinta e cinco — corrigi.

— Precisa fazer alguma coisa antes que acorde um dia, se olhe no espelho e descubra que chegou aos cinquenta, e que passou a vida inteira sem saber quem realmente é. Precisa se aventurar um pouco.

— Talvez isso funcionasse há alguns anos, mas agora...

— Bobagem! Cris está crescido e você mal o vê entre o jantar e os jogos no computador. E seu marido... Há quanto tempo vocês não transam?

— Para ser sincera, não lembro quando foi a última vez que dormimos no mesmo quarto.

— Está vendo?! É exatamente disso que estou falando.

— Faz tempo que isso já não me incomoda. Nem sei se realmente me incomodou algum dia.

— Afinal, quantos amantes você teve?

— Nenhum — respondi num fio de voz. — Essa é a vida do meu marido, não a minha.

— Pois você deveria arranjar um. Pelo amor de Deus! Olhe-se no espelho. Você é linda! Merece um daqueles homens bem bonitos, jovens e cheios de disposição.

— Amantes são perigosos — declarei, convicta —, podem destruir nossa reputação. Não estou dizendo que não gostaria de viver um pouco de emoção, mas levei a vida inteira construindo o que sou hoje e não estou disposta a pôr tudo a perder por uma aventura.

— E se existisse uma alternativa? Uma que permita realizar todas as suas fantasias, até aquelas imensuráveis. Um lugar onde seja possível testar seus limites, sem risco de ser exposta.

— É tentador, mas sabemos que algo assim não existe.

— Talvez sim — a Senhora J murmurou.

Analisei atentamente a expressão em seu rosto, antes de me atrever a perguntar:

— Mas, afinal, do que estamos falando?

— Que talvez exista um lugar onde isso é possível. Você só não o conhece... ainda.

— Por que tenho a impressão de que você não está brincando?

— Porque não estou — ela respondeu, olhando diretamente em meus olhos, como para confirmar suas palavras.

— Acho que ainda não entendi.

A Senhora J inclinou levemente o corpo para frente e baixou o tom de voz, como quem confidencia o mais importante dos segredos.

— Eu conheço um lugar assim. É uma espécie de clube, muito exclusivo, criado para pessoas como nós que querem um pouco de emoção, mas precisam preservar sua privacidade e o bom nome. É muito seguro, o anonimato é absoluto. Eu mesma frequento há mais de três anos e se não contasse você nunca desconfiaria.

Minha expressão deve ter denunciado o que estava passando em minha cabeça, pois ela logo emendou:

— Eu sei, eu sei, parece loucura! Mas acredite em mim. Quando experimentar a *Sociedade* você vai entender o que estou falando.

— Experimentar? — indaguei, incrédula. — Você não disse que era absolutamente sigiloso, frequentado apenas por pessoas selecionadas?

— E é! Acontece que uma vez por ano temos permissão de apresentar um candidato para se tornar um novo membro do *clube.* Alguém de nossa inteira confiança, e claro, do mesmo padrão social. Requisito básico, lembra-se? Se todos têm algo a perder, fica mais fácil garantir a privacidade do grupo.

— Mas, se é assim, então para que admitir novos *sócios?*

— Renovação, querida! Tudo funciona muito bem, mas tem sempre alguém nos deixando. Mudanças de cidade, novos casamentos... situações diversas que fazem com que, de tempos em tempos, algum membro se desligue.

Sei que vai parecer clichê, mas aquela conversa despertou minha curiosidade.

— E como acontece essa *seleção* de novos membros? — perguntei interessada.

— Os encontros da *Sociedade* são quinzenais e nem todos participam com frequência. Alguns apenas uma vez ao mês, outros vão esporadicamente. Mas todos, sem exceção, são informados sobre a localização e a data de cada uma das reuniões, e a festa para receber os possíveis novos membros é uma ocasião especial.

— Uma festa?

— Sim, uma festa! O que pensou que fosse? — A Senhora J riu.

— Sei lá! Acho que imaginei outra coisa.

— É tudo muito elegante, requintado. O membro antigo indica um candidato, que recebe um convite formal com instruções para acesso a festa. Uma vez lá dentro, poderá interagir com qualquer um dos presentes. Bebemos, dançamos e fazemos outras coisinhas também. É muito divertido! Mas seu comportamento será avaliado e se for aprovada receberá a chave, para que tenha acesso a todas as reuniões da *Sociedade*.

— Chave?

— Sim, igual a esta — a Senhora J declarou, puxando a corrente que sempre trazia ao redor do pescoço, exibindo uma delicada e reluzente chave, confeccionada em ouro maciço.

— Já tinha notado o pingente, mas pensei que fosse apenas isso. Não fazia ideia que tinha algum significado especial — declarei, envolvendo a peça em meus dedos. O desenho era mesmo muito bonito.

— Gosto de usá-la como uma joia. A dos homens é de ouro branco, ou talvez seja platina, não sei exatamente, mas isso não importa. Enfim, depois que você recebe uma dessas passa a ser parte da *Sociedade* e tem acesso irrestrito a todos os prazeres que sua mente puder conceber.

— Não sei se quero participar disso.

— Sei que, no primeiro momento, recusar parece o mais correto a fazer. Comigo também foi assim. Mas, pense sobre o assunto e se decidir conhecer a *Sociedade*, avise-me. A festa será no próximo mês.

Não era minha intenção arranjar um amante. Claro que eu já tinha pensado nisso várias vezes, mas há muito havia descartado a possibilidade. Existiam outras maneiras de me divertir. Solitárias, admito, mas muito seguras para alguém na minha posição.

Ainda assim, as palavras da Senhora J não saíram da minha cabeça durante todo o trajeto de volta e quanto mais eu me aproximava de casa, mais tentadoras elas soavam.

Naquela noite, sozinha em meu quarto, retirei o vibrador que mantinha na gaveta da mesinha junto à cama e me entreguei ao jogo habitual. Liguei o aparelho e o coloquei direto entre as pernas. Sentia-me afogueada, por conta de toda aquela conversa sobre a tal *sociedade secreta*.

Depois de deixá-lo vibrar por alguns minutos, pressionado contra a pele sensível de meu clitóris, comecei a roçá-lo na vagina. Queria enfiar bem devagar, sentir cada centímetro me penetrando, mas não aguentei esperar e logo ele estava todo dentro de mim.

Iniciei um vai e vem cadenciado, que em pouco tempo ganhou uma força proporcional a minha excitação. Enfiava lá no fundo e retirava quase todo, só para arremetê-lo novamente, cada vez mais forte.

Desde que descobri os prazeres do sexo, sempre gostei que me fodessem com violência. Nada daquelas frescuras de me besuntar com cremes ou brincadeiras de colocar só a cabecinha. Eu gostava de sentir tudo e, de preferência, de forma bem intensa.

Virei-me de bruços, usando o travesseiro para abafar meus gemidos, e voltei a introduzir o vibrador até o fim. Deixei-o parado lá dentro, aproveitando a pressão do colchão e, então, o gozo veio.

Fiquei quieta por mais alguns minutos, desfrutando daquela deliciosa sensação antes de retirá-lo e me entregar a um sono repleto de imagens criadas por minha mente fantasiosa, de corpos nus, entrelaçados na penumbra de uma alcova, banhada apenas por uma luz vermelha e difusa.

Capítulo 2

Senhor F

Pode não parecer, mas eu amo a Senhora V. Mais do que isso, eu a admiro! Admiro sua beleza e sensualidade, a elegância de seus modos, a forma discreta como conduz sua vida privada, o cuidado que dedica ao nosso filho, Cris...

V é uma mulher realmente formidável!

Mas seus valores tradicionais e a criação que recebeu, tornaram-na recatada demais para entender e satisfazer minhas *necessidades especiais*, o que, infelizmente, nos distanciou.

Não estou me queixando. Um homem não pode ter tudo, do contrário, corre o risco de se tornar soberbo. E eu sempre soube que nosso casamento seria assim.

Desde os tempos da faculdade a Senhora V fingia ignorar minhas *escapadas*. Ela sabia que ocupava uma posição especial em minha vida e que ninguém mudaria isso, e se comportava como se esse pequeno inconveniente não fizesse diferença.

Sua atitude parece fria?

Durante muito tempo eu mesmo pensei assim, mas hoje sei que não.

Confesso que, muitas vezes, desejei que ela demonstrasse alguma emoção. Que se rebelasse contra minha conduta, deixando claro que se importava. Não que isso mudasse a situação. Provavelmente, eu sustentaria minha posição e manteria meus hábitos. Mas isso nunca aconteceu e, aos poucos, os hábitos se fortaleceram, até que minha vida dupla se solidificou.

O trabalho garantia a possibilidade de me ausentar por vários dias, o que facilitava bastante as coisas. E claro, eu sempre me assegurava de estar acompanhado por uma bela e *dedicada* secretária. De preferência, com a mente aberta o suficiente para embarcar em minhas pequenas e prazerosas aventuras.

Mas nunca permiti que isso afetasse minha relação com V. Na primeira insinuação a respeito de meu casamento ou de uma vida além das quatro paredes que preservavam minha privacidade, eu as dispensava com uma generosa restituição por *serviços prestados.*

E foi assim que garanti a satisfação de minhas necessidades especiais, até o dia em que um amigo me apresentou à *Sociedade Secreta* e tudo mudou.

Aquilo era perfeito! Eu podia desfrutar do que mais desejava sem ter de sacrificar a convivência com minha família.

Passei a comparecer as reuniões da *Sociedade* com frequência. Era quase um habitué. E claro, tinha minhas preferências, como qualquer outro.

De vez em quando, procurava uma mulher entre os novos membros para variar o cardápio. Em outras ocasiões, como ontem, assumia o papel de mero espectador, optando por apreciar uma entre tantas cenas dignas dos mais ardentes filmes pornôs, que se desenrolavam sem pudores para os olhos cobiçosos de quem estivesse interessado.

Mas, o que aconteceu na noite passada... Eu realmente não estava preparado para aquilo.

Naquele momento eu soube que precisava fazer alguma coisa. Minha mente deu algumas voltas, trazendo à tona várias cenas que nos levaram até ali. Mas para que vocês entendam é preciso contar a história desde o início...

Capítulo 3

Senhor F

Sylvia, minha secretária há pouco mais de um ano, bateu à porta da minha sala e, como de costume, girou a maçaneta e entrou. Usava um *tailleur* vermelho de corte reto, levemente ajustado ao corpo, que não era sóbrio o suficiente para ocultar suas curvas.

Aquela mulher tinha um corpo delicioso e as pernas mais longas que eu já tinha visto.

— Tranque a porta! — ordenei, levantando-me e circulando a mesa.

— Ainda não terminamos o expediente — ela argumentou, indecisa.

— Que se foda! Se eu não comer você agora vou ficar maluco.

Peguei sua mão e arrastei-a até a mesa de reuniões, na sala anexa, e comecei a livrá-la das roupas. Ao abrir o fecho frontal do sutiã rendado que ela usava, um farto par de seios saltou ante meus olhos. A pele branca, desenhada pelo biquíni, em contraste com o dourado do bronzeado que ela ostentava, deixava-a ainda mais sexy.

Agarrei os dois, unindo-os para aproximar os mamilos, de modo que eu pudesse lamber ambos ao mesmo tempo. Suguei cada um deles até me fartar. Então, virei-a de costas, inclinando seu corpo sobre a mesa, sentindo meu pau latejar dentro da calça.

Nem me dei ao trabalho de tirar a minúscula calcinha que ela usava. Apenas afastei-a para o lado, retirando a peça do caminho, e abri o zíper, liberando meu pau, que já estava a ponto de romper o tecido.

Rocei-o na entrada macia de seu ânus e brinquei um pouco por lá, mas não era isso que eu desejava no momento. Eu o direcionei até sua boceta e deixei que ele deslizasse para dentro dela, enterrando-o lentamente, o sentindo ser envolvido, pouco a pouco, por sua carne quente e úmida.

Estiquei o braço e agarrei seu longo cabelo negro, enlaçando-o em minha mão, e comecei a mover o quadril para frente e para trás até ouvir seus primeiros gritinhos abafados.

Aquele som era música em meus ouvidos e embalado por ele, meti ainda mais forte, puxando-a pelo cabelo para fazer com que erguesse um pouco o tronco em minha direção. Quando senti que estava prestes a gozar, retirei o pau e fiz com que ela se voltasse para mim.

Masturbando-me para não perder o ritmo, pressionei sua cabeça com a mão livre até que se ajoelhasse à minha frente e voltei a enterrar meu pau, dessa vez em sua boca. Como uma vadia em uma atuação digna de um Oscar Pornô, ela o abocanhou até o talo, chupando-o avidamente, e não parou até que eu liberasse a última gota de esperma em sua garganta.

Rugi alto, ciente de que, àquela hora, não haveria ninguém do lado de fora para ouvir.

— Vem cá, gostosa — disse, erguendo-a do chão. — Adoro quando você se porta como uma puta!

Ela me olhou e riu, passando um dedo no canto dos lábios para limpar o resto de gozo que tinha escorrido e, em seguida, o lambeu.

— Vista-se! Vamos sair para comer alguma coisa. E depois, quem sabe, repetimos a dose em algum lugar mais confortável.

Trinta minutos depois, dispensei o serviço de manobrista e estacionei nos fundos do restaurante. Dei a volta no carro para abrir a porta de Sylvia e aproveitei para observar o ambiente.

O local era estratégico, bem afastado do centro da cidade, em um bairro raramente frequentado pelas pessoas do meu círculo. Era pouco provável que alguém conhecido nos visse e ainda havia um motel no outro quarteirão, o que era perfeito, pois eu pretendia comê-la de novo antes de dispensá-la e ir para casa.

Entramos e ocupamos uma mesa no fundo do salão. O garçom se aproximou com o cardápio. Nada sofisticado, mas o aroma que vinha da cozinha parecia apetitoso. Fizemos o pedido e ele se afastou.

— Não sei você, mas eu estou faminto.

— Deve ser porque anda se exercitando muito — ela brincou.

— E a noite ainda não terminou — respondi, deixando a sugestão no ar, quando ele retornou com as bebidas.

Depositou o balde com a garrafa de vinho em um tripé ao nosso lado, serviu as primeiras taças e se foi.

— Podíamos passar a noite toda juntos! — Sylvia exclamou. — Tenho mil ideias que gostaria de pôr em prática com você.

— Sem essa, querida! Sabe que isso não vai acontecer. É melhor mudarmos de assunto.

— Tudo bem! Mas não pode me culpar por tentar — ela sorriu, fazendo um biquinho em seguida, e roçou a perna na minha por baixo da mesa.

Achei que o problema estava resolvido, mas me enganei.

— Há quanto tempo estamos nessa? — ela perguntou.

— Não sei. Tem alguém contando? — respondi, tentando levar na sacanagem e agradeci a interferência providencial do garçom que retornou com os pratos.

Durante o jantar foi tudo tranquilo. Sylvia voltou a ser a mulher agradável e despreocupada de antes. Brincou, fez piadas sexys e me provocou um pouco, atiçando minha libido. Cheguei a esquecer de seu deslize e estava decidido a esticar a noite, mas ela voltou a insistir:

— Você costuma vir aqui com sua mulher?

E pronto! Lá se foi meu apetite.

— Eu não a traria aqui se frequentasse o lugar com minha família.

Àquela altura, meu tesão havia desaparecido e tudo que eu queria era me livrar dela.

Mais uma com o prazo vencido, lamentei internamente.

Uma pena! Ela era muito gostosa e eu a manteria ainda por um bom tempo, se não fosse o inconveniente de ter de me esquivar a todo o momento. Mas eu já conhecia os indícios e sabia muito bem onde ela pretendia chegar.

Desisti da ideia do motel e terminei o jantar desanimado, pensando na melhor desculpa para dispensá-la sem criar uma situação constrangedora.

Por sorte, eu tinha mesmo uma reunião na manhã seguinte e Sylvia sabia, já que era responsável por minha agenda.

Em outras circunstâncias isso não me deteria. Mas, por agora, seria a desculpa perfeita para colocá-la em um táxi depois do jantar e mandá-la para casa.

Passava um pouco das dez, quando estacionei na garagem de casa. Na sala, apesar de não ser tão tarde, o silêncio reinava em meio à escuridão completa.

Estanquei diante do vulto.

Puta que pariu! E isso agora?

À minha frente, V caminhava devagar, descendo a escada e cruzando a sala em direção à cozinha. Usava uma camisola branca tão curta que suas nádegas surgiam por baixo do tecido conforme se movia.

Por instinto, soltei a chave do carro sobre o aparador no momento exato em que ela entrou no único facho de luz que cortava o ambiente, vindo do jardim através da janela. O ruído a sobressaltou e ela se virou em minha direção.

A claridade do luar transformou o tecido fino da camisola em uma simples película, uma silhueta que não escondia as formas delineadas de seu corpo. Seus seios ressaltados através da peça transparente.

Devagar, percorri seu corpo com os olhos, devorando cada pedacinho daquela visão, e me detive em seu quadril.

Fiquei paralisado, os pés pregados ao chão.

V estava nua. Não havia calcinha por baixo da camisola.

— Quem está aí? — ela perguntou.

Caralho!

Meu pau despertou na mesma hora. Discretamente, levei a mão até ele.

Calma, garoto!

— Sou eu, querida!

— Você me assustou! Por que ficou parado no escuro? Aconteceu alguma coisa?

Merda!

— Não, amor. Só estou cansado, o dia foi longo.

— Chegou tarde — ela disse, vindo em minha direção, afastando-se do clarão da lua que invadia a sala, para meu alívio. — Está com fome? Posso preparar alguma coisa...

Você não imagina o quanto? Pensei.

— Não precisa. Jantei com alguns acionistas antes de vir para cá — respondi, soltando o ar dos pulmões.

Ela parou a poucos centímetros de mim e esticou o braço para alcançar o interruptor. Segurei-o, detendo-a. A última coisa que eu precisava era de uma visão nítida e completa de seu corpo.

— Não! Deixe assim.

— Qual o problema com você?

— Um pouco de dor de cabeça, só isso — falei, finalmente me movendo.

Larguei a pasta sobre uma poltrona e ela veio atrás de mim.

— Eu estava indo buscar água. As garrafinhas do frigobar do meu quarto acabaram. Posso pegar um comprimido para você...

— Não se incomode com isso. Vou ficar bem, só preciso relaxar.

Achei que aquilo encerraria a conversa.

Não que eu não quisesse a companhia de V, mas tinha por regra não misturar as estações. Nunca passava a noite com ela depois de foder com outra e não seria hoje que eu mudaria isso. Muito menos, descontaria nela a frustração com Sylvia.

Alheia ao meu estado, V me pegou pela mão e me levou até a mesa, virando uma das cadeiras.

— Sente-se aqui! Vamos dar um jeito nisso — ela declarou, determinada.

Sem saída, sentei com as pernas abertas, abraçando o encosto da cadeira. Ela apoiou as mãos sobre meus ombros e começou a massageá-los.

Isso vai dar merda!

E como previ, ela se aproximou ainda mais, colando o antebraço em minhas costas para pressionar os pontos rígidos de minha coluna com o cotovelo.

— Você está muito tenso, querido. Relaxe!

Se ela soubesse o quanto eu estava tenso... Mas não era exatamente na coluna que se concentrava minha tensão naquele momento.

V deslizou as mãos por sobre meus ombros, exercendo uma pressão suave com os dedos e desceu em direção ao meu peito. O movimento fez com que ela se curvasse sobre mim. Eu podia sentir seus seios roçando em minhas costas e meu pau crescendo, proporcionalmente, dentro da calça.

— Pronto! — ela disse, voltando a apoiar as mãos em meus ombros. — Assim está melhor. Vou pegar a água e subir para dormir — completou, afastando-se.

— Uma ova que vai!

Virei-me abruptamente na cadeira, segurando sua mão e trazendo-a de volta para junto de mim.

Assustada com o movimento inesperado, ela deixou escapar um gritinho e eu a prendi entre minhas pernas.

Há quanto tempo eu não comia minha mulher?

Inclinei seu corpo, apoiando-o sobre meu braço e ergui suas pernas com a outra mão, colocando-a deitada em meu colo. Então, cobri sua boca com um beijo.

Seu peito arfou quando me afastei de seus lábios e segui beijando a pele perfumada de seu pescoço até alcançar o contorno do decote da camisola. Minhas mãos passeando em suas coxas.

Levantei-me, carregando-a e me aproximei da escada.

— Pensei que estivesse cansado demais para isso — ela protestou sorrindo, percebendo minha intenção.

Desisti. Depois do teatrinho que encenei, não podia, simplesmente, carregá-la escada acima até o quarto.

Olhei ao redor. A mesa seria perfeita, se fosse outra e não V em meus braços.

O sofá. Isso!

Caminhei até ele e a depositei com cuidado. Era confortável e ainda me permitiria uma bela visão, já que estava próximo à janela por onde a claridade entrava.

Curvei-me sobre ela, voltando a buscar sua boca.

Já fodi muitas mulheres, sexo selvagem ou não. Mas nenhuma delas despertava o que eu sinto por V. E, ao contrário de me desorientar, essa emoção me deixava ainda mais concentrado.

— Você é tão linda! — declarei, afastando nossos lábios.

Senti o calor percorrer minhas veias e deslizei a mão na parte interna de sua coxa, encaixando-me entre suas pernas, o desejo me consumindo.

Eu sabia que para V era preciso mais do que um desejo momentâneo para permitir que alguém a tomasse. Ela era delicada, especial e toda minha, e saber disso aumentava ainda mais meu tesão.

Ela estremeceu quando meus dedos deslizaram ao redor de seus seios. Enfiei o polegar por baixo do tecido, roçando em seu mamilo e ela arqueou o corpo em minha direção, implorando em silêncio para que eu o apertasse.

Passei a língua sobre o tecido e, então, o prendi entre os dentes.

Ela gemeu.

Afastei a boca, ergui-me e comecei a abaixar a alça da camisola, livrando-a da peça e deliciando-me ao desnudá-la, como se ela fosse um delicioso presente.

V se inclinou em minha direção, enfiando a mão por dentro da minha calça, tentando alcançar meu pau. Ajudei-a, abrindo o zíper e lhe dei espaço, permitindo que realizasse a tarefa de me acariciar com seus dedos macios. Ela o puxou para fora e observei as curvas suaves de seu rosto, em contraste com meu pau rígido, projetando-se entre nós.

Deixei escapar um rugido, quando ela se inclinou mais para frente e roçou os lábios, com delicadeza, na ponta do membro entumecido.

V me lançou um sorriso de vitória e o fez deslizar para dentro de sua boca, engolindo-o por completo. Então, usando a mão para impor ritmo ao movimento, começou a me chupar.

Meu desejo era empurrá-la de volta ao sofá e mergulhar o pau em sua boceta, mas me contive. Nem fodendo eu ia perder a chance de assistir aquela cena! V me chupando com tanta dedicação.

Quando ela parou, tomei seu rosto entre minhas mãos e o acariciei. Então, voltei a me inclinar sobre ela, buscando seus seios. Abocanhei um e comecei a sugá-lo, enquanto meus dedos deslizaram pelo outro, alcançando o mamilo, apertando-o, esticando até ela gemer novamente.

Senti meu pau latejando, implorando para penetrá-la, mas me concentrei em seu corpo. V é a única que consegue alcançar meu ser dessa forma, domar meus ímpetos e fazer com que eu me dedique primeiro a ela e só depois, a mim.

Ela enterrou os dedos em meu cabelo e percebi que sua respiração ficou suspensa por alguns segundos quando minha mão se afastou de seu seio, descendo pelo abdômen e mergulhando entre suas pernas.

V se abriu um pouco para me receber e aproveitei para enterrar os dedos em sua boceta, sentindo ela se curvar em minha direção, empurrando o seio que eu mantinha em minha boca.

Mordisquei seu mamilo para estimulá-la ainda mais e movi os dedos em seu interior. Ela voltou a gemer e agarrou meu cabelo com mais força.

Afastei-me um pouco para olhá-la. V parecia feita de cristal em minhas mãos, devorando-me com seus olhos brilhantes presos aos meus, como se meu olhar fosse capaz de reter sua alma.

Por um momento, não me atrevi a fodê-la. Ao menos, não com a força que eu gostaria. Soltei o corpo sobre ela e usando a mão, posicionei meu pau na entrada de sua cavidade úmida, deslizando para dentro dela, mais e mais fundo.

Saí um pouco e voltei a entrar, e ela me acompanhou. Senti seu quadril rebolando embaixo de mim e suas unhas arranhando minhas costas. A cada movimento, sua boceta pressionava mais o meu pau e eu o enterrava ainda mais fundo.

Com urgência ela buscou minha boca, a excitação crescendo em seus olhos, meu pau sendo comprimido por sua boceta. E não havia nada que eu desejasse mais, naquele momento, do que os lábios doces de V contra os meus enquanto fodíamos.

Devorei-a com um beijo longo, preenchendo minha mão com seu seio. Chupei seu pescoço, mordi sua orelha e pressionei meu quadril mais forte contra o dela, até sentir meu pau ser banhado por seu gozo. Só então, libertei o meu também.

Subi a escada, desfrutando o espetáculo da bunda de V rebolando à minha frente. Ao alcançarmos o corredor superior, ela fez menção de entrar em seu quarto.

— Espere! — pedi, passando o braço ao redor de sua cintura. — Durma comigo essa noite. Quero me aconchegar no corpo da minha mulher, entrelaçar as pernas...

Ela moveu a cabeça, concordando.

Rocei os lábios em sua orelha e soltei sua cintura, mas a abracei por trás e seguimos assim até a porta do meu quarto.

Transamos mais uma vez de madrugada e quando levantei na manhã seguinte, V ainda dormia.

Capítulo 4

Senhor F

A reunião da manhã seguinte me deu o tempo que precisava para providenciar a demissão de Sylvia sem ter de aguentar os lamentos que certamente viriam com a notícia. Quando terminou, ela já havia retornado do RH, onde foi comunicada sobre o *Corte de Pessoal* para ajustes financeiros da empresa e já tinha absorvido a informação.

— Infelizmente, não há nada que eu possa fazer para reverter sua demissão, mas não vou deixar que fique desamparada, querida. Já fiz contato com nossa concorrente em Chicago, recomendando-a. Tenho um amigo que me deve um favor e ele está esperando por você na próxima semana.

Sylvia fez beicinho e ensaiou uma queixa, deixando claro sua insatisfação com a ideia de ter de se mudar para tão longe. Mas me mantive firme, ressaltando as vantagens de viver em uma metrópole.

— Além disso, mandei fazer uma transferência extra para sua conta. Um presente para ajudar a organizar a casa nova.

— Você sempre foi muito generoso comigo. Vou sentir sua falta.

— Eu também, querida! — respondi, beijando pela última vez aquela boca carnuda, e ela se foi.

Tive de me virar sozinho pelo resto da tarde.

No dia seguinte, recebi a estagiária que o RH designou para cobrir Sylvia, enquanto selecionavam as candidatas para a vaga de secretária.

Quando a *Senhorita M* entrou em minha sala pela primeira vez, quase a mandei de volta. Jovem, magra demais para o meu gosto, com longos cabelos lisos e dourados, usando uma calça justa, que parecia um número menor que o seu tamanho, e uma camiseta nada apropriada para transitar pela presidência da empresa, ela mais parecia uma estudante em busca de informações para alguma tarefa escolar.

— Desculpe — ela disse, apontando para o jeans —, mas só fui informada de que ficaria à sua disposição quando cheguei aqui.

Meneei a cabeça, assentindo. Apesar do pedido de desculpa, ela não parecia nada constrangida em minha presença. Ao contrário, a frase soou automática, como algo ensaiado apenas para cumprir a formalidade.

— Veio do Departamento de Comunicação... — afirmei, percorrendo rapidamente as informações na tela do computador, que foram enviadas pelo RH.

— Sim — ela confirmou. — Relações Públicas, para ser exata.

— Bem, terá que servir — respondi, observando-a uma vez mais, duvidando de que pudesse representar alguma empresa com aquela aparência.

Ela continuava de pé, no meio da sala, olhando-me, indecisa sobre o que deveria fazer. Achei melhor pegar leve. Com sorte, aquela situação duraria poucos dias e logo eu estaria livre. Ela voltaria para seu setor e para o convívio de quem quer que esteja encarregado de orientar seu estágio.

— Já deve saber que essa posição é temporária. Três, quatro dias... Talvez, uma semana. Não mais do que isso.

Eu cuidaria do assunto pessoalmente, para garantir que esse prazo não se prolongasse.

— Eu fui informada — ela respondeu, parecendo um pouco mais segura.

— Vai ver que não sou difícil de lidar. Desde que mantenha minha agenda em ordem, não me deixe perder nenhum compromisso e se vista de forma adequada a partir de amanhã, não terá problemas.

Ao sair do elevador, na manhã seguinte, surpreendi-me com a mulher que ocupava a mesa à frente da minha sala. Quase não a reconheci.

Com o cabelo preso em um coque no alto da cabeça e um terninho discreto, a estagiária tinha adquirido a aparência de uma secretária perfeita. Ela levantou os olhos da tela à sua frente, ao me ouvir caminhar em sua direção.

— Bom dia!

— Bom dia! Venha até minha sala, por favor! E traga a agenda. Preciso alterar o horário da apresentação dessa tarde.

Sem aguardar, entrei na sala, deixando a porta entreaberta. Dois minutos depois ela entrou. Estava bem mais alta. Havia substituído o tênis por um par de saltos elegantes e caminhava com segurança.

— Preciso que inclua uma hora a mais em meu almoço e confirme o restaurante com o diretor de marketing. Entre em contato com a equipe da filial de Boston e informe que a apresentação vai atrasar por duas horas. Eles chegaram ontem. O departamento financeiro deve saber informá-la em que hotel estão hospedados.

— Só isso? — ela perguntou.

— Por enquanto, sim. E peça para me trazerem um café — completei quando se virou para deixar a sala.

A Senhorita M voltou a olhar em minha direção e esboçou um sorriso sarcástico antes de perguntar:

— Com ou sem leite?

Merda! Aquilo não ia funcionar. E era só o primeiro dia.

— Sem, por favor!

Ela se virou novamente em direção à porta e saiu, fechando-a atrás de si para retornar cinco minutos depois com o café.

— Não precisa fazer isso — falei quando colocou a pequena bandeja sobre minha mesa. — Temos uma copeira neste andar. Basta pedir a ela.

— Ela estava ocupada. Pelo visto, não foi o único que não tomou o café da manhã em casa.

Aquilo estava mesmo acontecendo ou eu ainda estava dormindo?

Tive vontade de repreendê-la, mas me contive.

Só mais alguns dias, disse para mim mesmo.

E então, para completar a manhã insana, ela piscou em minha direção. Fiquei indeciso entre chamar o RH e pedir que a substituíssem imediatamente ou cair na risada. Acabei escolhendo a segunda opção, mas alguma coisa me alertou para ser cuidadoso ao lidar com aquela garota ou a situação sairia de controle e bem rápido.

Capítulo 5

Senhorita M

Um ano antes...

— Se pensa que vou assistir minha candidatura ser arruinada por conta de suas aventuras inconsequentes, está muito enganada.

Meu pai estava furioso, mas eu sabia que ele tinha razão. Se ao menos aquela maldita foto não tivesse caído nas mãos de um tabloide sensacionalista, agora seu nome não estaria envolvido em um escândalo. E tudo por minha culpa.

Bastou um descuido e aquele fotógrafo idiota me flagrou, praticamente, chupando o Sam no banheiro da casa noturna.

Merda!

É claro que ele não perderia a oportunidade de vender a foto para um jornal bem vulgar.

— Se eu perder essa vaga para o Senado pode dar adeus a todas as suas mordomias, mocinha. E não conte com meu dinheiro para sustentar esse seu estilo de vida promís...

— George! — minha mãe o interrompeu, antes que ele concluísse a frase, deixando a palavra depreciativa no ar.

Não que eu merecesse que ela intercedesse por mim, mas foi providencial. Eu já me sentia mal o suficiente.

— Seu pai está nervoso, mas ele tem razão, querida. Estamos a poucos meses da eleição e ele precisa do nosso apoio. E quando digo apoio, quero dizer: nada de comportamentos inadequados. E isso inclui todos os membros da família.

Eu sabia que deveria dizer alguma coisa, mostrar o quanto também estava puta com o que havia acontecido.

É claro que eu tinha consciência de que um escândalo me envolvendo mancharia seu bom nome na política e não era minha intenção ser a responsável pelo fim da carreira de meu pai. Mas qualquer coisa que eu dissesse seria insuficiente para aplacar sua ira naquele momento.

— Ao menos, espere até depois da eleição — ele prosseguiu —, então pode fazer o que bem entender com sua vida! — vociferou e minha mãe o repreendeu com o olhar.

— Querida, se precisa de companhia masculina — ela intercedeu mais uma vez —, por que não arranja um namorado? Deve haver uma dúzia de rapazes de boa família interessados em você.

Se ela fizesse ideia do tipo de companhia que eu buscava não daria essa sugestão.

Fechei os olhos e levei as mãos às têmporas, tentando, em vão, aplacar a dor que ficava mais intensa a cada minuto.

— Eu não preciso de um namorado, mamãe. Mas não se preocupe. De agora em diante, manterei um comportamento exemplar — só não sei como ainda, pensei. — Não darei chance para que seu nome seja envolvido em outro escândalo, papai. Prometo!

Sem que eu pudesse evitar, uma lágrima rolou por minha face. Mas, naquele momento, eu não saberia dizer se ela era motivada pela dor de cabeça ou pela raiva que eu sentia do maldito fotógrafo.

— Agora, se me derem licença, vou para o meu quarto antes que minha cabeça exploda.

Sem esperar resposta, levantei do confortável sofá de couro da sala de estar e subi a escada, refugiando-me na suíte que eu ocupava no segundo andar da casa dos meus pais.

A adrenalina ao saber que poderia ser flagrada e a sensação de ser observada enquanto fodia com alguém praticamente desconhecido era irresistível, mas estava levando minha reputação para o ralo. Precisava encontrar um modo de controlar meus malditos impulsos e aquela atração absurda por sexo arriscado e sem compromisso, antes que fosse tarde demais. Mas isso teria que ficar para depois. No momento, eu precisava dormir por algumas horas.

Abri a gaveta e peguei o pote de analgésicos. Um não seria suficiente para que aquela dor infernal me deixasse. Ingeri dois comprimidos, bebendo um terço da garrafa de água mineral que retirei do frigobar que mantinha abastecido no quarto, e me joguei na cama com roupa e tudo, fechando os olhos para tentar relaxar.

Anoitecia quando despertei, sentindo-me um pouco melhor, mas as lembranças daquela madrugada infeliz ainda dominavam minha mente. Fui até a bolsa, que havia jogado sobre a cadeira ao entrar no quarto e procurei o cartão que o proprietário da casa noturna me deu antes que eu deixasse o lugar.

Por um momento, observei os números gravados com uma fonte elegante no pequeno retângulo de papel em minhas mãos.

Precisava ligar e agradecer pela ajuda. Se não fosse por sua interferência, ordenando que os seguranças colocassem o fotógrafo para fora e me auxiliando para que deixasse a boate de maneira discreta, usando o acesso restrito destinado ao seu uso exclusivo, a situação agora poderia ser ainda pior.

É claro que ele não foi tão solícito apenas para me resguardar de um escândalo ainda maior. Sua propriedade era uma das casas noturnas mais badaladas da cidade, constantemente frequentada por artistas e figurões do mundo esportivo e, obviamente, esse tipo de divulgação não seria nada saudável para seu negócio.

Deslizei a ponta do dedo sobre o relevo do papel onde se lia seu nome e num impulso, peguei o telefone e disquei os números que estavam logo abaixo.

Uma voz feminina atendeu e informou que ele estaria na boate por volta das vinte horas, antes que se iniciasse o movimento dos clientes.

— A senhora quer deixar algum recado?

— Não, obrigada! — respondi apressada, desligando em seguida.

Se me arrumasse rápido, conseguiria chegar à boate, conversar alguns minutos com ele e sair de lá antes que o lugar ficasse repleto de olhos curiosos.

Uma hora depois, parei o carro no estacionamento anexo ao prédio que abrigava a casa noturna. O manobrista ainda não estava em seu posto, o que foi providencial. Quanto menos gente me visse por lá, melhor.

Caminhei até a porta que dava acesso a boate, mas fui barrada por um funcionário ao tentar entrar.

— Estamos fechados. Só começamos a funcionar daqui a duas horas, moça — ele informou meio impaciente.

— Sei disso, por isso vim agora. Eu liguei ainda pouco, preciso falar com o proprietário e fui informada que ele estaria aqui.

O homem me olhou desconfiado.

— Espere aqui!

E então, fechou a porta na minha cara.

Achei melhor obedecer. Aguardei alguns minutos até que a porta foi aberta novamente e dessa vez ele me deu passagem.

— O *Senhor P* vai recebê-la. É só passar pela cabine do DJ e subir a escada. A porta fica no final do corredor.

Segui na direção que ele indicou e empurrei a porta moderna de madeira polida, que deslizou suavemente para o lado, ocultando-se por trás da parede.

Entrei num amplo escritório masculino, surpreendentemente claro, e decorado ao melhor estilo minimalista. Acomodado atrás de uma mesa grande de linhas retas, que dominava o ambiente — sobre a qual pairavam apenas um notebook, uma luminária e um copo de uísque —, P sorriu ao me ver.

Exibindo uma elegância desconcertante, ele se levantou e veio ao meu encontro.

— Não esperava encontrá-la tão cedo. Achei que ia parar de circular por um tempo até as coisas se acalmarem.

— É o que pretendo fazer, mas eu precisava agradecê-lo pessoalmente — respondi, aceitando a mão que ele estendia em minha direção.

— Lamento pela foto — ele declarou, depositando um beijinho fraterno em meu rosto antes de soltar minha mão. — Os seguranças o expulsaram, mas eu não podia ordenar que apreendessem o equipamento.

— Pelo jeito, você também leu os jornais.

— Precisava averiguar se o nome da *Casa* tinha sido mencionado.

— Eu sei... — respondi, cabisbaixa. — Criei problemas para você também, não é?

— De minha parte, está tudo bem. Não precisa se sentir constrangida. Mas imagino que seu pai não deve ter ficado nada satisfeito.

— Bem... Digamos que, aos seus olhos eu passei a ser a vadia oficial da família. Mas não posso culpá-lo, não é mesmo?

— Eu imagino que realmente não deve ser nada bom para a campanha, mas o que você fez não é assim tão grave. É uma questão de tempo. Logo as atenções se voltarão para uma nova fofoca e ninguém vai se lembrar do que aconteceu aqui.

— Não sou tão otimista quanto você, mas se está dizendo...

— Dirijo uma casa noturna frequentada por vários tipos de celebridade. Acredite, já vi coisas assim acontecerem o suficiente para saber como funciona. Mas você precisa ser mais cuidadosa. O banheiro de um local público não é exatamente o lugar ideal para a filha de um político eminente brincar de jogos sensuais.

— Mas é muito excitante — deixei escapar em um murmúrio e só depois me dei conta de que ele tinha ouvido o que eu disse.

— Como é?!

— Nada! Quer dizer... você tem razão. É que... Esquece, é bobagem!

— Acho que você precisa de uma bebida. É por conta da casa! — Ele piscou na minha direção, desfazendo o clima constrangedor. E então, caminhou de volta até a mesa. — O que prefere? Uísque, vinho...

— Uísque está bom. Com gelo, por favor!

Enquanto ele se ocupava ao telefone, pedindo a bebida, aproveitei para dar uma boa olhada no ambiente. Não que tivesse muito para ser visto.

Na parede lateral à mesa, um único armário, também de linhas retas, certamente era usado para guardar a papelada da casa noturna. E na parede oposta, duas confortáveis cadeiras estavam levemente inclinadas, dispostas de forma a permitir que seus ocupantes ficassem frente a frente ao sentar. Entre elas, uma pequena mesa de apoio, estilo Provençal, completava a decoração.

P retornou, trazendo o copo que ainda estava sobre a mesa, e pegando minha mão, conduziu-me até uma das cadeiras, ocupando a outra à minha frente. A porta se abriu e uma mulher jovem entrou carregando uma bandeja, na qual descansava uma garrafa de uísque, um copo igual ao que ele segurava e um balde pequeno com gelo.

— Obrigado, Natalie! Pode deixar aqui.

A mulher depositou a bandeja na mesinha entre nós e saiu, deixando-nos novamente a sós.

Tentei iluminar o rosto com um sorriso ensaiado, mas saiu forçado, e pela reação de P, o resultado em minha expressão foi desastroso.

— Ei! Não se sinta tão por baixo — ele incentivou, servindo uma dose e me estendendo o copo. — Em dois ou três dias ninguém se lembrará mais disso. É só dar um tempo, ok?

— Obrigada por tentar me animar! Mas você e eu sabemos que não será fácil assim. Os adversários de papai farão de tudo para garantir que as pessoas não esqueçam tão rápido. E ele vai me culpar por cada intenção de voto que perder de agora em diante. — Suspirei, baixando o olhar em direção ao copo na minha mão. — Tudo que eu queria era poder viver meu prazer livremente, sem a obrigação de me envolver com alguém. E olha no que deu!

— Bem, não há como negar que isso vai afetar a campanha de seu pai. Talvez ele perca alguns pontos nas pesquisas e você tenha que enfrentar comentários maldosos por algum tempo, mas isso não significa que tudo está perdido.

— A verdade é que ele tem razão. Meu estilo de vida está colocando tudo a perder. Mas não consigo me imaginar vivendo uma relação com algum mauricinho da universidade, ou pior, com o filho de algum correligionário de papai. Muito menos reprimindo meus desejos até me tornar um tipo de ser assexuado, sei lá.... Não é isso que eu quero. Esse tipo de coisa não me satisfaz. Você entende?

Ele me analisou atentamente.

— Acho que sei o que está tentando dizer.

— Você não parece chocado.

— Eu deveria?

— Não, é que... é a primeira pessoa que reage naturalmente. Todos esperam que eu siga o padrão, entende? Namoro, noivado, casamento, filhos. Tudo que torna uma mulher respeitável. É isso que esperam que eu seja. Qualquer coisa fora do padrão soa como se eu estivesse louca. E quando tento explicar que não quero nada disso, invariavelmente sou criticada ou recebo conselhos como se estivesse perdida, não soubesse o que estou falando. Mas eu sei exatamente o que quero e a limitação de uma relação estável é o último item na minha lista de prioridades. Se uma mulher precisa disso para ser respeitável, então acho que estou mesmo fadada a ser uma vadia.

P me olhou atentamente, como se estivesse analisando o que eu tinha acabado de dizer, ponderando a questão.

— Para a maioria das pessoas, a trajetória que você descreveu é a realização de uma vida.

— Pode ser, mas para mim parece mais uma condenação.

Ele deu um riso largo, pendendo a cabeça levemente para trás.

— O que foi? Falei algo engraçado?

— Não, de forma alguma. Mas, se é assim, o que você deseja para sua vida?

— Liberdade! Quero trabalhar, talvez montar meu próprio negócio no futuro, como você. — Acompanhei as palavras, movendo as mãos, como se quisesse mostrar o espaço no qual nos encontrávamos. — Conquistar minha independência.

— Só isso? Não me parece tão ruim assim.

— Essa parte até que é fácil. Mas também quero ter uma casa só minha, sair com quem eu quiser e transar com quem eu quiser sem me sentir culpada por isso. Quero aproveitar o que a vida tem para oferecer. Será que isso é tão errado?

Ele moveu a boca como se fosse dizer algo, mas foi interrompido por duas batidas leves à porta. Olhei na direção do som e vi Natalie, a jovem que trouxe a bandeja com o uísque, empurrar a porta e entrar.

— Desculpe interromper, mas estamos com um problema com o fornecedor de frutos do mar. A remessa que solicitamos para essa noite não foi entregue e não estou conseguindo falar com o escritório.

— Tudo bem, Natalie! — P tranquilizou-a. — Vou tentar o celular de Brian.

— Eu já tentei, está na caixa postal.

— Merda! — Ele deixou escapar, nitidamente irritado com aquele imprevisto. — É a segunda vez que ele me deixa na mão.

Natalie não expressou nenhuma reação, permaneceu em silêncio, mas não fez menção de sair. Na certa esperava por uma solução.

Eu não entendia nada sobre administrar uma casa noturna daquele porte, mas sabia que para servir as deliciosas patinhas de siri salteadas na *champagne* ou os suculentos camarões empanados com molho de especiarias que eu comi na noite do famigerado escândalo, era preciso ter siris e camarões.

— Como está nosso estoque? — ele perguntou, após pensar por alguns segundos.

— Quase nada, mal dá para a primeira hora — Natalie respondeu e outro palavrão ressoou na sala. — Vamos ter de mexer no cardápio. Donald já chegou?

— Acabou de chegar.

— Ótimo! Diga para ele preparar a lista de opções conforme o estoque e subir em dez minutos para decidirmos juntos.

— Ok! — ela respondeu simplesmente, acompanhando com um movimento de cabeça, e saiu em seguida, deixando-nos novamente a sós.

— Desculpe! Eu gostaria de continuar nossa conversa, mas como vê, preciso ajudar o *Chef* com o cardápio da noite.

— Tudo bem! Eu também preciso ir. Não quero estar aqui quando a casa abrir. Fora de circulação por uns dias, lembra? — disse, apontando para mim mesma.

— É claro — ele respondeu, voltando a sorrir. — Espere! Ainda tem aquele cartão?

— O que você me deu? Sim, está aqui. — Retirei o cartão da bolsa e estendi em sua direção. Ele o pegou e caminhou até a mesa. Rabiscou alguma coisa no verso e voltou.

— Tome. Esse é meu número privado. Ligue se quiser beber alguma coisa ou conversar.

Peguei o cartão da mão dele e voltei a guardá-lo.

— Eu envio meu número para você — falei, aproximando-me para depositar um beijinho em seu rosto e saí, deixando-o sozinho no escritório.

Como a casa ainda não estava aberta ao público, o estacionamento anexo permanecia quase vazio, havia apenas o meu carro e outros poucos veículos pertencentes aos funcionários que chegavam para o trabalho noturno.

Acenei para o manobrista que se organizava para receber os primeiros clientes, entrei no meu carro e dei a partida. Observei pelo retrovisor a fachada do prédio sumir à distância, enquanto relembrava a conversa que acabara de ter com aquele homem charmoso que, surpreendentemente, parecia entender meus anseios e necessidades.

Tá legal! Ele não era apenas charmoso. Era um gato! Lindo como um deus pagão. E se tivéssemos nos conhecido em outras circunstâncias, eu certamente não o deixaria escapar. Mas, estranhamente, aquilo não tinha importância diante da sua atitude e algo me dizia que poderíamos nos tornar grandes amigos.

Capítulo 6

Senhorita M

Quatro dias depois e eu estava de volta ao quarto que dividia com Rose no *campus* da UNC, em Chapel Hill.

— Você vai ter de me contar tudo sobre o bafão que eu li nos jornais e nem pense em pular os detalhes.

Rose era uma ótima aluna, melhor até que eu. Suas notas eram invejáveis! Mas era meio maluquinha e uma piriguete orgulhosamente assumida. Talvez, por isso, nos dávamos tão bem. Ela cursava Administração e eu, Relações Públicas, mas assistimos a algumas aulas juntas e nos tornamos melhores amigas. Rose estava sempre muito bem informada sobre tudo que se passava no *campus*, fosse em relação as aulas, as fofocas ou as festas.

— É verdade que você estava chupando um carinha no banheiro daquela boate super chique?

Pela sua empolgação, sabia que ela não me deixaria em paz até que contasse tudo nos mínimos detalhes e foi exatamente o que fiz pelos próximos trinta minutos.

— Você é mesmo louca! — ela exclamou ao final da minha narrativa. — Está ficando pior do que eu.

— Hum... Ainda não. Acho que preciso de mais uns dois ou três escândalos como esse para alcançá-la.

Rimos juntas, relembrando nossa piada pessoal sobre a disputa para ver quem era mais piriguete.

— E o tal dono da casa noturna? Já vi algumas fotos dele em revistas, sempre acompanhado de alguma celebridade. Ele é um gato! Eu pegava fácil.

— Se não fosse a interferência dele, a situação poderia ter sido pior.

— Certo! Mas vai dizer que não rolou nada depois?

— Pior que não. Ficamos amigos, eu acho.

— Até que isso não é de todo ruim, levando em conta que ele é dono de metade das casas mais badaladas da cidade. Talvez você consiga passe livre em várias delas. Não seria má ideia — ela piscou maliciosamente e voltamos a rir.

— Quem sabe podemos ir até lá no próximo fim de semana? O DJ é ótimo e a comida também. Só preciso me manter fora de encrencas dessa vez.

— Por mim, já está combinado! Agora preciso correr se não quiser me atrasar. Marquei de sair com o Mike e um amigo dele.

Ela piscou novamente para mim, enquanto se levantava seguindo para o banheiro, e pela sua expressão eu soube exatamente o que aquele *sair* significava.

Quarenta minutos depois, Rose terminou de dar os últimos retoques na maquiagem.

— Que tal? — perguntou, girando sobre os saltos altíssimos que usava. — Acha que o amigo do Mike vai gostar?

— Você está um arraso!

Ouvimos a buzina em frente ao prédio e Rose correu até a janela para acenar, avisando que já estava descendo.

— Volta hoje? — perguntei meio desinteressada.

— Você acha mesmo? — ela respondeu, rindo.

— Até amanhã, então!

— Não se esqueça de marcar com seu amigo! Quero conhecer essa boate e o dono dela — disse, saindo e fechando a porta atrás de si.

Eu havia enviado meu número para P como prometido e já tínhamos trocado algumas mensagens pelo aplicativo de bate-papo do celular. Não seria difícil conseguir uma mesa na área Vip para nós no fim de semana. Peguei o aparelho na bolsa, abri o aplicativo, digitei um

Oi e enviei. Dez minutos depois, um bip curto avisou que havia chegado uma mensagem. Toquei na tela e li a pergunta de P:

— E então? Tudo calmo na sua volta ao *campus*?

— Até agora, tudo bem.

— É como eu disse: alguns dias e logo perdem o interesse pela fofoca.

— Espero que continue assim, porque minha amiga de quarto quer conhecer sua Casa e prometi levá-la no próximo final de semana.

— Será um prazer recebê-las! Sábado à noite?

— Sábado está perfeito!

Quando o sábado chegou, Rose estava elétrica e me deixando louca. Estava quase me arrependendo de ter combinado a noitada para ela conhecer P.

— Acha mesmo uma boa ideia irmos direto para a boate e depois dormirmos na casa dos seus pais? Já posso até ouvir o sermão que darão pela manhã.

— Vai por mim. Se formos primeiro em casa para nos arrumarmos, mamãe vai tentar me convencer a não sair. Eles ainda não esqueceram o que aconteceu da última vez que fui a uma balada. Além disso, são duas horas e meia de estrada até New Bern, não dá para voltar dirigindo depois de passar a noite bebendo. Precisamos dormir na cidade.

— Podemos dividir um quarto em algum hotel e voltar sem que saibam que estivemos por lá.

— Está louca, Rose? Se papai descobrir, aí mesmo é que serei deserdada e expulsa da família de vez. Não, nada disso. Vamos dormir na minha casa e voltamos no dia seguinte, assim que tomarmos café. Com sorte, nem saberão a que hora chegamos.

— Tudo bem! Você é quem sabe, mas depois não diga que eu não avisei — declarou, afastando-se.

Rose abriu a porta do armário que compartilhávamos e mergulhou a cabeça lá dentro, encerrando a conversa. Começou a remexer em seu interior, separando algumas peças de roupa e outros objetos. Achei que ela tinha, finalmente, se acalmado, mas passaram-se apenas dois minutos e ela voltou-se outra vez para mim. Segurava um tubinho *strapless* vermelho em frente ao corpo, enfeitado na cintura com uma faixa de renda negra e outra, mais estreita, de seda também negra que terminava em um laço.

— Que tal esse? Posso usar com aquele *peep toe* preto, do *Christian Louboutin*.

— Vai ficar lindo! Mas não acha que é um pouco exagerado? É só uma boate.

— Não é só uma boate e você sabe disso. É a boate. Além disso, quero que o senhor empresário gostosão da noite repare em mim.

— Bom, com esse visual tenho certeza de que vai conseguir.

— Então, está decidido! É esse que vou usar — ela declarou, largando o vestindo em cima da cama e se dirigindo para o banheiro.

— Não se esqueça de levar uma roupa normal para o dia seguinte. Meus pais estarão lá, lembra? — tive que praticamente gritar, pois a porta já estava fechada.

— Não se preocupe! Já coloquei um jeans e uma camiseta na bolsa — ela gritou de volta e logo em seguida, ouvi o barulho da água do chuveiro.

Saímos do *campus* por volta de dezenove horas e em pouco tempo deixávamos Chapel Hill para trás, em direção à New Bern. A estrada estava boa, com pouco movimento. Acionei o MP3 e o som da banda britânica *Basement* embalou a viagem.

Estávamos a poucos quilômetros de New Bern, quando um bip avisou que havia uma mensagem. Peguei o celular e o entreguei para Rose no banco do carona.

— Veja de quem é, por favor!

— Adivinha? — ela perguntou, rindo ao tocar na tela e abrir o aplicativo de bate-papo. Mas em vez de esperar por uma resposta, foi logo emendando: — É do seu amigo, o empresário gostosão.

— O que ele diz?

— Quer saber se você vai mesmo ou se desistiu.

— Diga que estamos a caminho.

Ela digitou algumas palavras e não demorou para que o bip soasse novamente.

— Ele disse que tem uma mesa reservada em seu nome — Rose falava, enquanto lia a nova mensagem —, e pediu para você mandar chamá-lo quando chegar.

Era nove e vinte da noite quando deixei a chave do carro aos cuidados do manobrista e entrei na boate, acompanhada por Rose. Anunciei meu nome para o segurança na entrada e uma recepcionista nos levou até a mesa reservada na área Vip.

— Fiquem à vontade! Vou pedir ao garçom para vir atendê-las — ela falou, solícita.

— Poderia avisar que chegamos?

— Claro! O chefe está no escritório, mas vou pedir para alguém avisá-lo.

— Obrigada!

Ela se afastou e Rose aproveitou para tecer suas primeiras impressões sobre o lugar.

— Pelas fotos que vi nas revistas, não fazia ideia de que era tão grande. E você tinha razão, estou adorando esse lugar, mas ainda não vi nenhum famoso. E você?

— Não, mas ainda é cedo e acabamos de chegar — respondi sem entusiasmo.

Um garçom jovem e um tanto bonito, aproximou-se, trazendo uma garrafa de *champagne* em um balde e duas taças.

— Cortesia da casa — anunciou. — Posso servir as senhoritas?

Rose me olhou e abriu um sorriso, respondendo afirmativamente. O rapaz abriu a garrafa e serviu o *champagne*.

— Meu nome é Pablo. Se desejarem mais alguma coisa, é só me chamar.

Achei que Rose ia dizer algo como *"Ah! Pode ter certeza de que vamos desejar sim"*. Mas, para minha surpresa, ela apenas agradeceu e esperou ele se afastar.

— Uau! Seu amigo sabe mesmo receber em grande estilo. O que mais será que ele programou para nossa noite?

— Rose... — tentei interrompê-la, sem sucesso.
— Gato como ele é, bem que poderia ter se incluído no pacote de boas-vindas.

— Não tinha pensado nisso, mas acho que ainda é tempo.

A voz masculina e potente soou atrás dela e não contive o riso ao ver a expressão de susto que surgiu em seu rosto.

— É ele, não é? — ela perguntou, apenas para confirmar o que já sabia.

Assenti, sem conseguir parar de rir.

— Sou eu mesmo — ele afirmou quando ela se virou em sua direção. — E você deve ser a amiga, Rose. Muito prazer! E obrigado pelo elogio — completou, estendendo a mão para ela.

Era a primeira vez que eu via um homem deixá-la desconcertada e tenho que admitir: a cena foi hilária. Mas durou pouco. Logo, Rose se recompôs e apertou a mão de P, presenteando-o com seu melhor sorriso.

— Ainda que não tenha sido intencional, foi sincero — ela declarou.

— Bem, eu poderia dizer o mesmo de você. — P respondeu, percorrendo seu corpo com os olhos. E dirigiu sua atenção a mim. Inclinou-se sobre a mesa e depositou um beijinho em meu rosto.

— Não vai sentar conosco? — perguntei.

— A ideia é essa — ele respondeu, exibindo um sorriso devastador.

Imediatamente, Rose escorregou para o lado, liberando espaço para que ele sentasse entre nós, bem no meio do sofá, que formava um L ao redor da mesa.

O garçom, que agora eu sabia se chamar Pablo, retornou, dessa vez, com uma garrafa de uísque e serviu uma dose para P.

— Devo deixar a garrafa, senhor?

— Por favor! — P respondeu, perguntando em seguida: — Gostariam de comer alguma coisa?

— Hum... Você já conseguiu um novo fornecedor de frutos do mar? — perguntei, lembrando do imprevisto na última vez em que estive ali.

— Já, sim. Hoje o cardápio original está completo.

— Então, vou querer uma porção daqueles camarões deliciosos.

— Mais alguma coisa? — ele inquiriu, olhando para Rose.

— Por enquanto não, obrigada!

— Você ouviu a moça. — P se dirigiu ao garçom. — Diga a Donald para caprichar nos camarões e peça um carpaccio com burrata para mim.

O rapaz assentiu e se afastou.

Conversamos animadamente por um tempo, até sermos interrompidos pela chegada da comida. Rose não resistiu e acabou dividindo os camarões comigo, enquanto P se dedicava ao seu carpaccio.

A certa altura, reparei que Rose insinuou, discretamente, a mão por baixo da mesa e estava acariciando P. Disfarcei, desviando o olhar, já prevendo o que ela faria a seguir. Ela estava determinada a transar com P e pela reação dele, ela não teria dificuldade em conseguir o que queria.

Vi quando se aproximou mais, inclinando-se para ele. Em seguida, cochichou algo em seu ouvido. P sorriu maliciosamente e sussurrou alguma coisa de volta, e eu soube que ele tinha sido fisgado.

— Acho que vou para a pista dançar um pouco — anunciei, levantando-me. — Alguém me acompanha?

— Talvez mais tarde — P respondeu, levantando-se também. — Antes preciso resolver uma coisa no escritório.

Deixamos a mesa juntos e caminhamos até a pista de dança, onde eu fiquei. P seguiu, cumprimentando algumas pessoas ao cruzar a pista e desaparecendo no corredor, após a cabine do DJ.

Um minuto depois, vi Rose percorrer o mesmo caminho.

Capítulo 7

Senhor P

Entrei no escritório, ainda com o copo de uísque na mão, acendi a luz e deixei a porta aberta. Não demorou muito, avistei Rose, caminhando no corredor.

Permaneci de pé, no meio da sala, enquanto ela cruzava o batente, deslizando a porta atrás de si até fechá-la por completo. Observei calado, degustando mais um gole do meu uísque.

— Essa porta tem uma tranca? — Rose perguntou, atrevida.

Caminhei até ela devagar, sem desviar meus olhos dos seus.

— Claro que sim — respondi ao me aproximar. Passei o braço por suas costas, forçando-a a se aproximar e alcancei a porta, trancando-a. — Está melhor assim? — sussurrei em seu ouvido.

— Bem melhor — ela respondeu no mesmo tom.

— Onde foi mesmo que paramos? — perguntei junto ao seu pescoço, roçando meu corpo ao dela para que sentisse minha ereção. Ela colocou as mãos em meu peito, afastando-me um pouco.

— Se me lembro bem, minha mão estava ocupada com algo — e foi deslizando as mãos enquanto falava, até alcançar meu pênis —, que eu gostaria muito de ter em minha boca.

— Fique à vontade! — Abri os braços, entrando no jogo, e deixei o caminho livre para ela fazer o que queria.

Com habilidade, Rose desceu o zíper da minha calça e mergulhou a mão em seu interior, libertando meu pênis. Ajoelhou-se aos meus pés e me olhando intensamente, começou a deslizar a língua por meu pau, dando pequenos beijinhos e sugadas na ponta, entre um movimento e outro.

— Isso é bom, mas tenho certeza que você consegue fazer melhor — declarei, acabando com aquela brincadeira de lolita. Se ela queria sexo, eu daria a ela um sexo de verdade.

Segurei sua cabeça, enterrando meu pênis todo em sua boca e passei a comandar os movimentos. Rose o engoliu com maestria e não protestou quando impus mais velocidade.

— Assim é bem melhor — falei após algum tempo, deslizando uma das mãos por seu rosto e aliviando a pressão.

Deixei que ela usasse a língua e me chupasse como quisesse por mais alguns minutos, até que a agarrei pelo cabelo e a obriguei a se erguer.

— Agora é minha vez — anunciei, tirando-a do chão e levando até minha mesa, onde apoiei apenas sua cabeça e parte das costas, mantendo seu quadril elevado à altura do meu peito.

Coloquei suas pernas sobre meus ombros e, sem pressa, retirei sua calcinha, enfiando-a no bolso da calça que ainda usava.

— Estique as pernas! — ordenei.

— Sorte sua que estou em forma, graças às aulas de pilates — ela brincou, obedecendo, sorridente.

Segurei seus joelhos, afastando suas pernas e ergui ainda mais seu corpo, as nádegas nuas roçando em meu pescoço. E então, abaixei a cabeça e mergulhei a boca em sua boceta totalmente depilada.

Passei um dos braços ao redor de sua barriga, pressionando suas costas em meu peito para sustentá-la na posição e a chupei com vontade. Mordi os grandes lábios, esticando-os, para soltá-los em seguida e meter minha língua dentro dela.

A essa altura, Rose já não ria mais. A brincadeira tinha acabado e ela soltava gemidos cada vez mais altos, que eram abafados pelo som vindo da pista de dança.

Puxei-a para cima um pouco mais, forçando seu corpo ao limite máximo que a posição permitia e alcancei seu clitóris. Suguei-o com voracidade. Ela tentou afastar o quadril, mas a posição a deixava totalmente cativa, sem chance de recuar.

Apertei ainda mais o braço em sua barriga e continuei sugando seu clitóris já inchado e cada vez mais suculento em minha boca.

— Puta que pariu! — Rose gritou. — Eu vou gozar na sua cara se você não me soltar.

Senti seus dedos se cravarem em minha bunda, por cima do tecido da calça, e intensifiquei ainda mais a chupada.

— Filho da puta! — Ela protestou entre um gemido e outro, e no instante seguinte, estremeceu, ejaculando majestosamente em meu rosto.

Desci seu corpo devagar, descansando-a sobre a mesa, mas mantive suas pernas ao redor do meu quadril.

— Você molhou minha camisa com seu gozo — falei, esticando o braço para alcançar a gaveta e pegar um preservativo. Desabotoei a calça e deixei que deslizasse por minhas pernas. — Terei que castigá-la por isso — completei ao colocar o preservativo.

Ela me olhou, entre surpresa e excitada.

Inclinei-me um pouco sobre ela, levando as mãos à parte de cima do seu vestido e o puxei para baixo, expondo seus seios. Sem deixar de encará-la, usei uma das mãos para guiar meu pênis e mergulhei em sua boceta molhada.

Voltei a me inclinar sobre ela, agarrando seus seios e comecei a investir contra seu quadril. A cada estocada o corpo de Rose balançava sobre a mesa. Apertei seus mamilos e os torci levemente. Rose voltou a gemer e pronunciar palavras sujas.

Completamente descontrolada, segurou firme em meus braços e entrelaçou os pés em minhas costas. Agarrei-a pelos ombros, puxando-a ainda mais em minha direção e soquei meu pau em sua boceta com fúria, até encher o preservativo com a última gota de esperma.

Ela estremeceu, gozando também, dessa vez, sem ejacular.

Dei algum tempo para ela se recompor e eu também, antes de pegar uma camisa limpa no armário e me vestir para voltarmos à mesa.

Capítulo 8

Senhorita M

Durante o curto trajeto até a casa dos meus pais, Rose me contou, nos mínimos detalhes, a forma como P a comeu no escritório da boate.

— Esse homem sabe foder como ninguém! Eu me casaria com ele só para poder trepar assim todas as noites — declarou, efusiva.

— Lamento dizer, mas acho que ele não faz o tipo casamenteiro — respondi, rindo abertamente diante de sua empolgação.

— Não tem problema, eu também não faço. Mas bem que eu adoraria ter uma chance de dar uma boa trepada com ele de novo.

— Ótimo! Deixo a potência dele toda para você.

Estávamos tão envolvidas em seu discurso cheio de contorcionismos, que quando percebi já havia parado em frente ao portão que dava acesso a residência.

Acionei o controle e aguardei até que o portão se abrisse completamente, e acenei para o segurança que me observava da pequena guarita, disfarçada entre os arbustos do jardim.

— Parece que estão todos dormindo — Rose comentou, observando a casa pela janela do carro, ao cruzarmos a alameda em direção à garagem.

— Melhor assim — afirmei. — Prefiro não ter de passar pelo sermão sobre o horário que cheguei.

— É, mas de qualquer forma, eles vão saber que não viemos direto do *campus* para cá.

Entramos em silêncio e fomos direto para o meu quarto. Não era a primeira vez que Rose dormia na minha casa e depois de tomar um banho rápido, ela logo se acomodou no espaço vago em minha cama de casal.

Passava um pouco de dez horas quando descemos para tomar o café da manhã. Papai estava acomodado em sua poltrona predileta, lendo um jornal e ergueu os olhos ao ouvir minha mãe dar bom dia.

— Bom-dia, papai!

Ele respondeu, jogando um beijo em minha direção.

— Como vai, Rose? — Mamãe perguntou e foi logo emendando com uma queixa, seu olhar pairando em mim: — Não vimos vocês chegarem ontem.

— É que passamos primeiro em uma festa — respondi, sabendo que ela não se contentaria apenas com essa informação.

— E por que não vieram se arrumar aqui? Não gosto de ser a última a saber que minha filha está na cidade.

— Não deu tempo. Precisávamos adiantar alguns trabalhos que devem ser entregues na segunda-feira e acabamos saindo tarde de Chapel Hill — expliquei, abraçando-a e depositando um beijinho em sua face. Aquilo, com certeza, interromperia seu interrogatório matinal. — Estamos famintas! Vamos tomar café na cozinha. Você vem? — perguntei, arrastando Rose comigo em direção à cozinha e mamãe veio atrás.

Abri a geladeira, peguei uma caixa de suco e outra de leite. Separei alguns ingredientes para fazer sanduíche e levei tudo para a mesa.

— Querem que eu prepare uns ovos mexidos para vocês? — Mamãe perguntou sorridente.

— Eu adoraria, obrigada! — Rose respondeu.

Mal começamos a comer, papai entrou na cozinha. Serviu-se de uma xícara de café puro e se sentou conosco.

— Como vai seu pai, Rose? Soube que ele conseguiu fechar um grande contrato com o governo e está pleiteando a construção do novo arsenal da Marinha.

— Papai está bem, senhor George. Na verdade, o tenho visto pouco ultimamente. No último feriado, quando fui para casa, ele estava fora do país, em uma viagem de negócios. Mas ele sempre liga para saber como estou indo na faculdade.

— Seu pai é um ótimo negociador. Não tenho dúvida de que vai conseguir esse contrato também.

Rose me olhou num claro pedido de socorro. Achei que já era hora de interromper aquele diálogo, antes que papai a mergulhasse em uma conversa tediosa sobre negócios e política.

— Se você já tiver terminado, acho melhor subirmos para arrumar nossas coisas. Quero pegar logo a estrada.

— Vocês não vão ficar para o almoço? — mamãe perguntou, fazendo cara de quem estava decepcionada.

— Não vai dar — respondi. — Lembra os trabalhos que mencionei? Ainda temos de terminar, e minha primeira aula amanhã é bem cedo.

— A minha também — Rose declarou, colaborando com minha desculpa. Parecia tão ansiosa quanto eu para sair dali.

— Se é assim... Mas da próxima vez, venha primeiro para casa, mocinha.

A história sobre os trabalhos que precisavam ser entregues era mentira, mas a primeira aula da manhã começou realmente cedo e foi seguida de vários outros compromissos que deixaram meu dia completamente tomado. Somente no final da tarde me encontrei com Rose, quando entrei no quarto que dividíamos no *campus* para, finalmente, descansar.

— E aí? Já soube da vaga para o estágio?

— Que vaga? — perguntei, sem saber do que ela estava falando.

— Não acredito que você ainda não sabe! — Rose respondeu surpresa. — A coordenação do seu curso anunciou uma vaga de estágio naquela empresa de telecomunicações que você vive dizendo que gostaria de trabalhar. Aquela que fica no Centro de New Bern e tem filiais espalhadas por todo o país.

— Eu sei qual empresa é — respondi, meio frustrada. — Passei a manhã envolvida com as aulas e a tarde toda na biblioteca. Não fiquei sabendo... A essa altura, já devem ter recebido dezenas de inscrições.

— Provavelmente, sim. Achei que você seria a primeira a se inscrever. Mas, pelo que sei, ainda dá tempo.

— Tem certeza? Onde você soube disso?

— Fiquei sabendo através do Mike. Até ele já ouviu você falar sobre essa empresa. Pelo que entendi, eles tem apenas uma vaga na sua área, mas as inscrições vão até quarta, então você ainda pode se inscrever. Ah! E parece que a coordenadoria do curso é quem vai fazer a primeira seleção.

Corri até Rose, que estava de pé junto à cama, e a abracei, enchendo seu rosto de beijos até derrubar nós duas sobre a cama.

— Garota, se você tivesse um pau gostoso no meio das pernas, eu dava para você agora mesmo — falei e comecei a fazer cosquinhas em sua barriga.

— Argh! Para com isso, sua doida — ela protestou, empurrando-me.

— Não liga para o que ela diz não, ela é maluca — falou rindo e levantando da cama, passando a mão sobre a vagina como se conversasse com ela.

Peguei a bolsa, que havia jogado sobre a cadeira, e caminhei rapidamente até a porta.

— Aonde você vai? — Rose quis saber.

— Fazer minha inscrição. Se correr, ainda pego a coordenadoria aberta.

Uma hora depois, estava de volta ao quarto. Sentada na cama, com as pernas cruzadas e as costas apoiadas na cabeceira, Rose digitava alguma coisa no celular.

— E então, conseguiu? — perguntou assim que me viu entrar.

— O que você acha? — respondi, tentando fazer um pouco de mistério, mas não consegui conter o sorriso.

— Pela sua cara, eu diria que sim.

— É claro que consegui! — confirmei efusiva. — Graças a você! E ao Mike. Agradeça a ele por mim.

— Por que você mesma não agradece?

— Se eu tiver oportunidade...

Ela pôs o celular de lado e estendeu os braços em minha direção.

— Muito bem! Agora que já resolvemos seu futuro brilhante no ramo das telecomunicações, senta aqui que eu quero falar uma coisa para você.

Sentei na cama, imitando-a e cruzei as pernas à sua frente. A expressão de entusiasmo em seu rosto era evidente.

— Hum... Por que será que tenho a impressão de que esse papo tem a ver com sexo?

— Porque tem — ela respondeu, rindo. — Você sabe que eu e Mike, bem... nem sempre ficamos sozinhos, não sabe?

— Só se eu fosse muito burra para não ter percebido isso ainda. Não dá para chamar de normal o fato de vocês saírem a três e só voltarem no dia seguinte.

— Mike é bem liberal em relação a isso. Desde que seja alguém escolhido por ele, não faz objeção.

— Bom, você é uma garota de sorte — respondi, fazendo menção de me levantar.

— Você já participou de alguma suruba? — Rose soltou de uma vez e eu voltei a me acomodar na cama.

— Suruba... você quer dizer: transar em grupo?

— É. Já ou não?

— Bem... suruba, suruba... não. Fiz um *ménage* uma vez, já faz algum tempo e foi legal. Mas nunca fui além.

— E não tem curiosidade? Sei lá. Nunca pensou em fazer algo assim?

— Tudo bem! O que está tentando me dizer? Anda, desembucha!

— Os pais de Mike vão passar a semana fora.

— E...?

— A casa vai ficar vazia e ele está programando uma festinha no fim de semana.

— Mais uma daquelas festas chatas, cheias de idiotas bêbados e comida ruim?! O que tem isso?

— Bem, não é exatamente uma *festa*.

— Ah, não? E o que é então? — perguntei, já imaginando qual seria resposta.

— Estamos chamando de *Festa do Prazer*. Só para os amigos do círculo restrito.

— Sei. E onde eu entro nisso?

— Bom, ele disse que se você quisesse eu poderia levá-la — ela respondeu com os olhos cheios de expectativa.

Mike era o mais próximo de um namorado que Rose conseguia ter. Louro, olhos cor de mel e porte atlético, ele também era aluno da UNC, mas seus pais moravam em Chapel Hill, o que o possibilitava ir para casa todos os dias. De personalidade um tanto fechada, estava sempre acompanhado dos mesmos amigos, um pequeno grupo formado por não mais do que seis ou sete integrantes, garotas e carinhas, todos gatos como ele. Andavam sempre juntos, revezando-se em trios ou pares, e não davam oportunidade para que estranhos se enturmassem.

— E então, está a fim de participar? — A voz de Rose me trouxe de volta. — Se estiver pensando sobre como vai ser, caso desista na hora, não se preocupe. Ninguém vai criticá-la se você decidir ir embora no meio da *festa*.

— Eu?! Participar de uma suruba com o seleto grupo de amiguinhos do seu namorado. Entendi direito?

— É, isso aí. Você topa ou não?

— E por que não? — respondi, após alguns segundos de hesitação. — Eu topo, mas vou logo avisando: não vou beijar você nem nada parecido, irmãzinha.

Rose soltou uma gargalhada.

— Relaxa! Eu também não gosto de mulher. Mas adoro me divertir com os rapazes. Pelo jeito, você é como eu.

— Bom... isso eu já não sei. Nunca tentei, entende? Não saberia dizer qual seria minha reação. Só sei que não consigo me imaginar com *você*. Temos intimidade demais para isso — concluí e rimos juntas, largamente.

Capítulo 9

Senhorita M

Quando estacionei em frente a casa de Mike, no sábado à noite, o grupo da festinha já estava reunido. Fomos as últimas a chegar. Atravessamos o extenso gramado bem cuidado e tocamos a campainha. Mike não demorou a atender. Envolveu Rose pela cintura e deu um selinho em seus lábios.

— E aí, melhor amiga?! Que bom que decidiu aceitar nosso convite — ele disse, passando o outro braço ao redor da minha cintura. — Vamos entrando e fiquem à vontade!

Não sabia exatamente o que esperar. Havia imaginado a casa repleta de corpos sarados, completamente nus, em pleno ato sexual. Mas não foi isso que vi. Na sala, o som de *Iggy Azalea* enchia o ambiente. Além de Mike, havia mais um cara que eu não conhecia e duas garotas que eu já tinha visto de relance pelo *campus*, mas não sabia seus nomes. Estavam todos vestidos, servindo-se de algumas garrafas de vodca e latas de energéticos, que estavam espalhadas sobre uma mesa de centro.

No canto, encostado na parede, havia um aparador com salgadinhos e minissanduíches para quem sentisse fome. Tudo simples e organizado.

O grupo estava espalhado, ocupando dois sofás que ficavam de frente um para o outro, e conversando animadamente.

— Galera, essa é a amiga da Rose, de quem eu falei.

As garotas me receberam com um sorriso e fiquei sabendo que se chamavam Martha e Celine.

— Dylan — o amigo de Mike se apresentou, levantando-se do sofá e me estendendo a mão. — Bem-vinda ao grupo!

Apertei sua mão e ele me puxou para si, depositando um selinho em meus lábios. O ato inesperado me arrancou um sorriso.

Dylan me soltou e voltou a se sentar, despojadamente, no sofá.

— Quer beber alguma coisa? — Mike perguntou. — Estamos bebendo vodca, mas se quiser outra coisa é só dizer. Tenho vinho, cerveja...

— Vodca está bom — aceitei.

Rose se acomodou entre Mike e Dylan, no sofá à minha frente. Eu me servi de vodca e sentei ao lado de Martha, no outro sofá.

— Obrigada por avisar sobre a vaga de estágio! — agradeci a Mike.

— Você se inscreveu?

— Sim, agora é aguardar o resultado do processo seletivo.

— É isso aí, garota! Você vai conseguir. E quando sair o resultado, vamos comemorar.

Conversamos um pouco, basicamente sobre as últimas fofocas da faculdade, até começar a tocar *Black Widow*.

— Eu adoro essa música! — Celine disse, levantando-se. — Vem, vamos dançar — e nos puxou, eu e Martha, para o centro da sala.

As duas me colocaram no meio e começamos a nos mover de forma sensual. Aos poucos, o que era apenas uma dança, passou a uma espécie de ritual pré-sexo, onde, além dos movimentos dos corpos, as mãos também eram usadas, deslizando em carícias que acompanhavam a dança. Martha, que estava à minha frente, aproximou-se ainda mais e afagou meu cabelo, sussurrando em meu ouvido:

— Gostamos de você. Seu perfume é tão bom!

Senti o corpo de Celine roçar atrás de mim e suas mãos se apoiarem em minha cintura. Continuamos dançando, as três no mesmo ritmo, lento e sensual.

As mãos de Celine deslizaram de forma vagarosa até alcançarem meus seios, enquanto Martha colava seus lábios aos meus. Olhei de relance para o sofá e vi que Rose trocava beijos para lá de ardentes com Mike. Dylan nos observava e quando nossos olhos se encontraram, ele me deu uma piscadinha.

No início, fiquei meio sem graça, não sabia direito o que fazer. Mas precisava admitir que estava gostando daquela brincadeira e meu corpo reagia, dando os primeiros sinais de excitação.

Martha forçou passagem com sua língua e eu entreabri a boca, aprofundando o beijo e fechando os olhos, sentindo meus mamilos rígidos aos toques de Celine.

Quando a música acabou, voltamos para o conforto do sofá e, aos poucos, nos livramos de nossas roupas.

Voltei a buscar Rose com os olhos. Ela parecia bem à vontade com Mike e Dylan de pé à sua frente, os membros eretos roçando seu rosto, enquanto ela se revezava, lambendo e dando chupadas rápidas em um e outro.

Minha atenção foi desviada por Martha, que agora brincava com seus dedos em minha vagina, umedecendo-os em minha excitação para, em seguida, esfregá-los em meu clitóris. Afastei um pouco as pernas, ficando ajoelhada sobre o sofá e Martha não perdeu tempo, deitando-se embaixo de mim.

Primeiro, senti sua língua deslizar pelos grandes lábios, para depois rodear meu clitóris como se estivesse me saboreando. Quando seus lábios o envolveram e ela começou a sugá-lo, instintivamente apertei os seios de Celine que eu acariciava. Ela gemeu alto e o som se misturou aos gemidos abafados de Rose, deixando-me ainda mais excitada.

Olhei para o outro sofá e vi que ela estava de frente para nós. Mike, sentado atrás dela, tinha o pau extremamente duro e ela baixava sobre ele, as pernas abertas dando espaço para Dylan, que estava com a cabeça enterrada entre seus seios.

— Está com inveja dela? — Celine perguntou, inesperadamente, ao meu ouvido. — Quer um deles dentro de você, não quer?

Confirmei com um movimento de cabeça, sem saber ao certo se aquela era uma possibilidade real ou apenas uma sugestão.

Celine fez um sinal em direção a eles e vi quando Mike retirou o pau de dentro de Rose e se levantou, deixando Dylan ocupar seu lugar. Então, ele veio até nós.

Que merda! Será que Rose vai ficar chateada se eu deixar ele me comer?

Olhei para ela em busca de aprovação, mas Rose já estava bem ocupada, de quatro sobre o sofá, com a bunda empinada em nossa direção e Dylan arremetendo forte contra seu quadril.

Martha saiu debaixo de mim e foi para junto de Celine. Mike se aproximou e me deu um beijo de tirar o fôlego, antes de me empurrar para que eu deitasse. Então, puxou-me pelas pernas, deixando minha bunda praticamente fora do sofá e me penetrou bem devagar, enterrando seu pau centímetro por centímetro, até que senti suas bolas batendo em minhas nádegas.

— Hum... Você é gostosa, melhor amiga! E está toda molhadinha. Que delícia! — ele declarou e começou a castigar minha boceta.

Mike aumentou o ritmo das estocadas e envolveu meus seios em suas mãos grandes, apertando-os. Em seguida, levou uma das mãos até meu clitóris, usando os dedos para me estimular ainda mais.

Senti as primeiras contrações em meu ventre e soube que logo gozaria.

Ele continuou me fodendo duro, enquanto seus dedos trabalhavam com habilidade em meu clitóris, até que senti o líquido quente escorrer de minha boceta e deixei escapar um grito de prazer.

Mike deu mais algumas estocadas e depois relaxou.

— Isso foi demais! — declarou, retirando o pau de dentro de mim. — Mas preciso liberar você para o Dylan, senão vou ganhar um inimigo. Ele está querendo comer você desde que chegaram aqui.

Observei, enquanto Mike se virava em direção ao outro sofá e acenava para Dylan, chamando-o. Assim que Dylan se aproximou, ele voltou para junto de Rose.

— É verdade o que ele disse? — perguntei.

— Vem cá que vou mostrar para você.

Dylan me ergueu do sofá e quando entrelacei as pernas em seu quadril, ele encaixou o pau na entrada da minha boceta. Gemi ao sentir seu pau ser enterrado inteiro, de um só golpe. Agarrei-me em seus cabelos e ele começou a me mover para cima e para baixo.

Protestei quando parou o movimento, mas só por alguns segundos. Logo, ele deu alguns passos e me pôs de volta no chão, perto do aparador com a comida. Girou meu corpo, deixando-me de costas para si e me inclinou sobre o aparador. Deu uns tapinhas em minha bunda e voltou a me penetrar com força.

Agarrei as laterais do móvel para não escorregar com suas estocadas fortes. Dylan era gostoso demais, devastador. E só me restava aceitar o que ele estava me dando. As contrações voltaram e logo eu estava gozando alucinadamente, sentindo a umidade descer por minhas coxas. Dylan agarrou meu cabelo, puxando meu corpo em sua direção e não demorou muito, urrou atrás de mim, gozando também.

Capítulo 10

Senhorita M

Uma semana depois...

Cheguei à casa dos meus pais por volta de cinco da tarde. Depois de fazer um lanche com eles e contar sobre a inscrição para a vaga de estágio, fui para o quarto e desfiz a pequena valise que trouxe comigo. Arrumei os objetos de uso pessoal no banheiro, liguei o som e me joguei na cama para descansar um pouco.

Eram sete da noite quando o celular soou, avisando que tinha uma mensagem. Peguei o aparelho e abri o aplicativo de bate-papo.

— Já está em New Bern?

Sorri ao ler a pergunta de P. Tínhamos nos tornado bons amigos e constantemente conversávamos pelo aplicativo. Eu havia dito que viria para a cidade visitar meus pais no fim de semana e ele me convidou para jantar em um de seus restaurantes, que eu ainda não conhecia.

— Cheguei há duas horas — respondi.

— O que está fazendo?

— No momento, estou deitada em minha cama, ouvindo música. E você, já está livre?

— Sou todo seu. Quer que eu passe aí para buscá-la?

— Não precisa. É só mandar o endereço que estarei lá.

— Às oito e trinta, então? Vou enviar o endereço.

— Ok!

Oito e trinta em ponto estacionei em frente ao prédio moderno, de um único andar, que abrigava o restaurante. O ambiente era descontraído, nada muito sofisticado, mas P garantiu que a comida era ótima e a frequência também.

Assim que entrei o avistei em uma das mesas, perto da janela. Ele acenou em minha direção e fui até lá.

— Você está linda, como sempre — ele disse ao se levantar e depositar um beijinho em meu rosto.

— Obrigada! Mas eu precisava caprichar para ficar à altura do meu acompanhante — respondi, acompanhando as palavras com um sorriso e me sentei na cadeira que ele puxou.

— Quer dividir uma garrafa de vinho ou prefere beber outra coisa?

— Uma garrafa de vinho será ótimo — concordei.

P fez sinal para um garçom, que se aproximou trazendo os cardápios.

— Como estão as costelas de cordeiro, Jean?

— Melhores que nunca, senhor! Hoje estamos servindo costeletas crocantes com molho à base de macadâmia, acompanhadas de purê de batata doce.

P me olhou e assenti.

— Já estou com água na boca só de ouvir falar — declarei.

— Perfeito! E traga uma garrafa de *Brunello di Montalcino* para acompanhar.

O garçom se retirou para providenciar o pedido.

— Como estão as coisas na faculdade? Já saiu o resultado da seleção para a vaga de estágio?

— Ainda não. Acho que só darão a resposta definitiva no próximo mês.

— E tem muitos candidatos?

— Uma lista extensa, mas acho que ninguém tem notas tão boas quanto as minhas. Além disso, quando terminar o período, ficarei disponível em tempo integral. Só falta o estágio. Então, acho que vou conseguir.

— Estou torcendo por você.

— Tomei uma decisão — confidenciei. — Se conseguir essa vaga, vou alugar um apartamento no Centro, perto da empresa, e me mudar para lá.

— Já falou sobre isso com seu pai? O que ele achou da ideia?

— Não falei com ninguém ainda. Você é o primeiro a saber. De qualquer forma, até lá já teremos passado pela eleição. Ele não terá motivos para fazer objeções.

— Espero que sim, mas eu não teria tanta certeza.

— Bem, ele disse que após as eleições eu poderia fazer o que quisesse da minha vida, então...

Interrompemos a conversa quando o garçom retornou, trazendo os pratos e o vinho escolhido por P para harmonizar. Durante o jantar, aproveitei para entrar no assunto que estava realmente me incomodando.

— Lembra aquela noite em seu escritório, quando conversamos sobre liberdade para sair e transar sem sentir culpa?

— Logo depois do incidente com o fotógrafo — ele recordou. — Sim, o que você quer saber?

— Não sei. Tive a impressão de que você ia dizer alguma coisa, antes que fôssemos interrompidos pela Naty.

— Natalie?

— Sim. Que trabalha com você.

— Não sabia que ela já era Naty — ele riu.

— Bom... Sempre que eu ligo procurando por você, nós conversamos um pouquinho e acho mais simples assim.

Aguardei que ele retomasse o assunto. Estava mesmo curiosa para saber o que P tinha a dizer sobre isso e como ele não se manifestou, insisti.

— Tive uma experiência muito interessante na semana passada. Na verdade, estou descobrindo coisas novas. Coisas que adoraria repetir, mas sem a preocupação de que alguém descubra sobre a minha intimidade e isso acabe virando assunto nas manchetes outra vez.

— De que tipo de experiência estamos falando? — ele perguntou e tive a nítida sensação de que estava me sondando para saber até que ponto eu falava a sério ou se tudo não passava de uma brincadeira da juventude. Algo que logo seria esquecido.

— Do tipo: experiência em grupo, entende? O problema é que não sei se posso confiar totalmente nas pessoas envolvidas. E mesmo que possa, logo não estarei mais em Chapel Hill.

— O que está me dizendo é que gostaria de continuar com suas *experiências* em um ambiente seguro.

— Exatamente! Quero curtir meu prazer sem medo se ser descoberta. Só não sei como. Não seria perfeito se existisse algo assim? Um lugar onde pudéssemos ser realmente livres, sem preconceitos ou tabus?

P refletiu alguns segundos sobre o que eu havia dito e tive certeza de que ele sabia mais sobre isso do que eu poderia supor. Até que, por fim, ele disse:

— Talvez exista um lugar assim. Totalmente sigiloso, que ofereça a segurança que você está buscando. Resta saber se está mesmo preparada para isso.

— Está brincando? Isso é tudo de que eu preciso. Ainda mais depois que me mudar.

— Talvez. Ou, talvez, descubra que é um pouco demais para você, que vai além das suas expectativas. Isso não seria novidade. Algumas pessoas gostam de viver experiências únicas, só para saber como é. Ou, às vezes, repeti-las por um curto espaço de tempo. E depois abandonam essa prática.

— Bom, eu não posso dizer o que faria após algum tempo. Mas, por agora, eu gostaria muito que esse lugar fosse real.

— Fraternidade.

— O quê?

— É um tipo de fraternidade, não um lugar propriamente.

— Então, existe de verdade?! — perguntei, boquiaberta.

— Sim, existe. Mas como eu disse, é muito sigiloso. É preciso ser convidado, avaliado. E, uma vez aceito, o novo membro deve manter segredo absoluto sobre sua existência. Entende esse conceito?

— Claro que sim! Para mim, faz muito sentido — respondi, surpresa.

Ok! Nem tão surpresa assim.

Algo me dizia que P sabia exatamente do que eu gostava e que ele também gostava dessas práticas tanto quanto eu.

— Mas você está querendo me dizer que...

— Gostaria de receber um convite para conhecer a *Sociedade*? — ele interrompeu antes que eu concluísse a frase.

— Você estará lá?

— Provavelmente, não. É praxe deixar o convidado à vontade na primeira noite. Minha presença pode constrangê-la.

— Nem vou questionar essa regra. O que eu preciso fazer para ser convidada?

— Nada. É só aguardar. Alguém entrará em contato com você.

— Assim? Sem um nome ou um aviso com antecedência?

— Sim. Exatamente assim.

Sorri para ele quando nossos olhares cúmplices se encontraram e fizeram um acordo silencioso. E foi assim que eu passei a fazer a fazer parte da misteriosa *Sociedade Secreta*.

Capítulo 11

Senhorita M

A promessa de P não foi em vão. A *Sociedade* demonstrou ser exatamente o que eu esperava. E, após a primeira festa, passei a fazer parte do seleto grupo de frequentadores.

Era minha segunda vez em uma reunião e não demorou muito, fui abordada por dois homens que aparentavam ser bem mais velhos do que eu e estavam em busca de uma mulher que topasse ser sodomizada por ambos. Aceitei sem sequer pensar. Afinal, era para isso que eu estava ali: viver novas experiências, sem tabus ou preocupações.

Fui conduzida a um dos cômodos vagos da grande casa onde acontecia o encontro da *Sociedade* e posicionada de pé, no meio da sala. Um deles se colocou atrás de mim e, sem cerimônia, desvencilhou-se da saia que eu usava. O outro se abaixou na minha frente e com movimentos lentos, quase torturantes, deslizou as mãos pela extensão das minhas pernas até alcançar as coxas. Mas antes que chegasse à minha boceta, afastou-se novamente, o que me deixou frustrada. Então, ergueu-se e começou a abrir, um a um, os botões da minha blusa. Soltou o fecho do sutiã, afastando o tecido para admirar meus seios, que já estavam com os mamilos duros de tanta excitação.

Observei extasiada quando ele inclinou a cabeça e abocanhou um, acariciando-o com a língua, antes de passar ao outro. Gemi alto e me contorci um pouco, ao sentir que outro par de mãos fazia a calcinha deslizar por minhas pernas, afagando meu ânus no caminho.

— Seja uma boa menina e fique quieta — o que estava atrás de mim advertiu, dando uma palmada em minha bunda.

O som estalado chegou aos meus ouvidos, deixando-me ainda mais excitada. Suas mãos ágeis afastaram minhas pernas, abrindo caminho. Em seguida, ele usou os dedos para acariciar minha boceta, enquanto meus seios eram chupados e os mamilos mordiscados pelo homem de pé à minha frente.

Descontrolada, soltei gemidos ainda mais altos e voltei a me contorcer, mas mãos firmes seguraram fortemente meu abdômen, mantendo-me no lugar.

— Está ansiosa para tê-lo aí dentro? — o homem à minha frente perguntou, olhando em meus olhos e roçando o pau em minha virilha de forma provocante.

— Sim — respondi, a voz entorpecida de tesão —, por favor! — implorei, cravando minhas unhas nos músculos fortes de seu braço.

— Você o terá. Mas antes, quero que goze para meu amigo. Ele adora chupar uma boceta até fazê-la gozar.

No mesmo instante, senti a carícia dos dedos ser substituída por uma língua habilidosa. Voltei a me contorcer, dessa vez de forma mais intensa, ao sentir que um orgasmo logo chegaria, mas fui fortemente contida por mãos grandes que, novamente, limitaram meus movimentos.

Delirando de prazer com aquela tortura alucinante que me era imposta, implorei mais uma vez:

— Ele está me deixando louca! Por favor... Preciso de um pau dentro de mim, agora.

Mas ele nem pareceu me ouvir. Voltou a sugar meus seios, mordendo e esticando os mamilos com as pontas dos dedos, puxando-os e soltando-os em seguida, para voltar a sugá-los, enquanto minha boceta era devorada pelo homem agachado entre minhas pernas.

Senti um dedo roçando a entrada do meu ânus e logo em seguida, penetrando-o. Não demorou muito e outro dedo acompanhou o primeiro. Meu clitóris, agora, sendo sugado sem clemência.

Meu corpo convulsionou, dominado pelos espasmos do orgasmo que se aproximava, mas isso só serviu para que ele intensificasse ainda mais os movimentos até que eu finalmente gozasse, liberando toda minha umidade em sua boca.

— Que boceta gostosa você tem — ele sussurrou rouco, ao sair debaixo de mim.

— Agora você está pronta para receber o que tanto queria — o que estava à minha frente falou, deslizando a língua ao longo do meu pescoço. Ele estava tão próximo que seu perfume invadiu meus sentidos, um cheiro másculo, inebriante, que me fez estremecer só de imaginar o que viria a seguir.

Olhei para o outro, agora de pé, e observei quando ele lambeu os vestígios do meu orgasmo de seus lábios. Aquilo foi muito excitante.

— Seu gosto é maravilhoso! — E se dirigindo ao amigo, completou: — Você deveria prová-la.

— Deixo isso para você, meu amigo. Prefiro ficar com esse traseiro lindo — ele respondeu, apalpando minhas nádegas.

E, inesperadamente, agarrou-me pelo cabelo e me conduziu até uma mesa e fez com que eu me inclinasse sobre ela, meu rosto e os seios colados à madeira, minha bunda empinada em sua direção. Com as mãos, ele afastou minhas nádegas e começou a acariciar meu ânus com seu pênis, enquanto o outro homem se aproximou pela lateral da mesa, deixando o pau na altura do meu rosto, num claro convite para chupá-lo.

Puta merda! Isso está realmente me excitando.

— O que vai fazer? — perguntei um pouco receosa, antes de segurar o pau do outro e metê-lo na boca.

— O que acha que vou fazer? — a voz soou cínica em minhas costas. — Vou meter no seu cu, garota.

Seus dedos se cravaram em meu quadril e no instante seguinte, ele começou a introduzir o pênis em minha bunda.

No primeiro momento, senti um desconforto. Já tinha feito aquilo outras vezes, mas ele era bem grande, mais do que eu estava acostumada. Mas à medida que começou a estocar, o incômodo foi substituído pelo prazer e logo eu estava gemendo, alucinada com os movimentos daquele pau gostoso dentro de mim.

— Puta que pariu! Como você é gostosa! — ele bradou, louco de tesão. Puxou meu cabelo, enterrando-se ainda mais em meu cu. — Pede para eu fazer você gozar, vadia!

Aquelas palavras foram o suficiente para me levar a outro orgasmo. Aquele homem era um pervertido, mas estava me proporcionando o melhor sexo anal da minha vida.

— Isso mesmo! Goze para mim, putinha — ele rosnou ao perceber meus espasmos e eu obedeci, gozando, enlouquecida.

Quando retirou o pau do meu cu, ele me pegou no colo e me levou para o outro lado da mesa. Seu amigo se sentou em uma das cadeiras e fui posicionada sobre ele, as pernas abertas para receber toda a potência de seu membro em minha bunda. Fui descendo em seu pênis, inacreditavelmente ereto, até senti-lo todo dentro de mim e comecei a me mover, para cima e para baixo. Meus seios empinados, balançando com o movimento do meu corpo.

De pé à minha frente, ele os apertou com força e chupou-os um pouco, enquanto eu praticamente gritava de tanto tesão.

— Assim vou ter de calar a sua boca — e dizendo isso, roçou o pau em meus lábios, forçando a entrada até que eu o engolisse por inteiro. Nem preciso dizer que aquilo me rendeu mais um orgasmo fabuloso.

Ao voltar para casa, já de madrugada, caí exausta na cama e só acordei no dia seguinte, quando o almoço já estava sendo servido.

Capítulo 12

Senhorita M

Um mês depois...

Entrei na sala da coordenadoria apressadamente. O recado dizia que eu deveria me apresentar às dezessete horas, horário em que geralmente encerrava minha última aula, e eu já estava dez minutos atrasada.

— O senhor Thomas está me esperando — informei.

— Terá de aguardar um pouco — a secretária retrucou detrás da mesa. — O outro aluno, que estava marcado para as dezessete e trinta, chegou antes da senhorita e o coordenador antecipou o atendimento.

Outro aluno? Não era apenas uma vaga? Pensei, confusa.

O recado que recebi era bem claro quanto ao assunto, dizia apenas: notificação sobre o resultado do processo seletivo. O único processo seletivo do qual eu participava era para o estágio. Só me faltava essa agora, perder a vaga por causa de dez minutos de atraso.

Caminhei até a janela e fiquei observando o movimento dos alunos lá fora, através do vidro. Estava ansiosa demais para aguardar sentada.

Quinze minutos depois, a porta da sala do coordenador foi aberta e um rapaz com cara de *Nerd* saiu, acompanhado pelo senhor Thomas.

— Pode trazer o material da monografia na quarta, conforme combinamos. Vou deixar um horário reservado para você no fim da tarde.

— Obrigado, senhor Thomas! Essa revisão é muito importante para mim.

Monografia. Então era isso.

Respirei aliviada quando o senhor Thomas voltou para dentro da sala.

— Pode entrar agora — a secretária anunciou, um minuto depois.

Entrei na sala do coordenador, tentando aparentar uma tranquilidade que estava longe de sentir. Sentado atrás de uma mesa de carvalho, que deveria ter pelo menos uns duzentos anos, o senhor Thomas retirou alguns papeis de dentro de uma pasta fina.

— Sente-se, por favor! — ele falou, indicando a cadeira em frente à sua mesa.

Obedeci prontamente e ocupei o lugar destinado aos alunos.

— Como sabe, tivemos mais de trinta alunos interessados nessa vaga, alguns com excelentes qualificações, assim como as da senhorita.

Senti minha respiração travar por um segundo. Aquele início de conversa não me parecia nada promissor.

Esforcei-me para controlar a ansiedade. Agora não era hora para ter pensamentos pessimistas.

— Fui informada ao longo do processo — respondi, cautelosa.

— Bem, suas avaliações foram muito boas e o fato de estar concluindo as últimas matérias obrigatórias nesse período, colaborou muito para sua pontuação final. Está ciente de que precisará comparecer a esse *campus* quinzenalmente até concluir sua monografia e a dissertação?

— Estou sim. Isso não será problema.

— Ótimo! É claro que a palavra final é da empresa e eles terão trinta dias para avaliá-la, antes de fechar o contrato definitivo.

— Eu compreendo — comentei e, só então, dei-me conta de que estava com as mãos suadas de nervoso, entrelaçadas sobre o colo.

— Sendo assim... Parabéns! A vaga é sua.

— Obrigada, senhor Thomas! — agradeci, sem tentar ocultar um sorriso largo.

Deixei a sala da coordenadoria e praticamente corri até o prédio onde ficava o quarto que eu dividia com Rose. Queria que ela fosse a primeira a saber da novidade.

Escancarei a porta ao entrar e me deparei com Rose sentada na cama. Estava debruçada sobre um livro, com alguns papéis ao seu redor, vestindo apenas uma camiseta e a calcinha.

— Ei! Fecha isso! Olha como estou.

— Desculpa! — respondi, fechando a porta.

— O que deu em você? Parece até que descobriu um pote de ouro.

— Quase isso. Saiu o resultado — anunciei, sem esconder minha excitação.

— O resultado da seleção para o estágio?

— Isso mesmo — confirmei.

— Ah! Você conseguiu!

Rose pulou da cama, espalhando os papéis pelo chão e correu em minha direção, abraçando-me. Quase me derrubou.

— Parabéns! Eu sabia que você conseguiria. — Começamos a pular e rodar abraçadas. — Vou contar para o Mike. Precisamos comemorar.

— Que tal sairmos para dançar essa noite? — sugeri. — Quero beber até ficar bem alta.

— Faremos tudo que você quiser, irmãzinha!

Enquanto Rose terminava de se arrumar, peguei o celular e digitei uma mensagem para P.

M: Será que você sabe de algum apê para alugar no Centro?

Alguns segundos depois, recebi a resposta:

P: Você conseguiu a vaga?

M: Hahaha! Claro que sim! Você tinha alguma dúvida de que essa vaga seria minha?

Mais alguns segundos e a mensagem dele surgiu na tela.

P: Essa possibilidade sequer passou pela minha cabeça (carinha sorridente). Meus parabéns! E sobre aquele AP, venha buscar a chave no final de semana.

Isso é real ou eu já estou vendo coisa antes de começar a beber? Pensei, incrédula, e rapidamente digitei:

M: Como assim?

P: Não achou que eu deixaria você sair por aí, procurando um lugar qualquer para alugar.

M: Não pode estar falando sério! É maravilhoso e eu agradeço de verdade, mas não posso aceitar. Preciso de um lugar que eu possa pagar sem a ajuda do meu pai e o salário de estagiária não é grande coisa.

Mais uma vez, esperei alguns segundos para ter seu retorno.

P: Tenho um Studio no Centro. Não é luxuoso, mas vai acomodá-la bem e está vazio. Você pode pagar as contas e ficar por lá até se estabelecer.

Aquele era o melhor presente que alguém poderia me dar. Mal pude conter as lágrimas ao digitar uma resposta.

M: Eu já falei que amo você?

P: Ainda não (carinha gargalhando), mas acho melhor não dizer, senão posso mudar de ideia.

M: Sei que você não faria isso. Muito, muito, muito obrigada!

Digitei em resposta e enviei um coração enorme após a mensagem.

P: Espero você no sábado?

M: Combinado!

E enviei várias carinhas jogando beijinhos.

— Mike chegou! — Rose anunciou. — Você está pronta?

— Pronta e disposta a virar a noite — respondi, animada.

— Então, vamos! Não quero deixar os rapazes esperando.

Descemos a escada de mãos dadas. Ao chegarmos ao carro, Mike aguardava encostado à porta, que abriu imitando um gesto galante para eu entrar.

Dylan estava sentado no banco de trás e me recebeu com um selinho amistoso, enquanto Rose dava a volta e ocupava o banco do carona, ao lado de Mike.

— E então, onde as damas desejam ir essa noite? — Mike perguntou.

— Primeiro vamos comer no *R&R Grill*.

— Boa! Eu quero uma mesa na varanda — Rose completou.

— Isso! E depois vamos encontrar um lugar para beber e dançar até a pista fechar.

— Você é quem manda, estagiária! — Mike respondeu, dando uma piscadinha para mim, antes de virar para frente e dar a partida.

Capítulo 13

Senhorita M

Os dias seguintes praticamente voaram, numa sucessão de acontecimentos. Quando me dei conta, já estava organizando a mudança para meu novo endereço no Centro de New Bern, a três quarteirões da sede da empresa onde eu começaria a trabalhar na segunda. Era domingo, dia da eleição, e papai estava especialmente estressado.

Desde que dei a notícia de que pretendia me mudar o clima entre nós só piorou e quando anunciei que aproveitaria o dia da eleição para fazer a mudança, ele se ressentiu ainda mais. Queixou-se de não poder contar comigo nem mesmo nesse que seria um dia determinante em sua carreira. Alegou que esperava, ao menos, que comparecêssemos juntos, como uma família, para votar. Mas, no fundo, acho que sentiu um certo alívio por não me ter mais por perto.

— Esse apartamento que alugou, como pretende pagá-lo? — papai perguntou.

— Na verdade, não aluguei. É de um amigo, que me emprestou por algum tempo até que eu consiga me estabilizar. Só terei que manter as contas em dia.

— Mesmo assim, continuarei fazendo as transferências mensais para sua conta. E isso não se discute — ele sentenciou.

— Obrigada, papai! — exclamei, pendurando-me em seu pescoço e depositando um beijo em seu rosto.

— Certo! Agora vamos — declarou, sisudo. Mas eu sabia que, na verdade, ele estava sem graça. Sempre reagia assim nos momentos de afeição. — Depois que votarmos vou mandar Jeffrey levar suas malas. Quero saber onde fica esse apartamento.

— Sim, senhor! — brinquei, levando a mão à testa em forma de continência e saí, caminhando à sua frente em direção ao carro, onde Jeffrey, o motorista de papai, já nos aguardava.

— Bom dia, senhorita! — ele cumprimentou ao abrir a porta.

Acomodei-me no banco traseiro e aguardei até que mamãe entrasse, ocupando o lugar ao meu lado. Papai sentou na outra ponta.

— Não deveria ter me obrigado a vestir isso — protestei com mamãe, tentando ajeitar a saia do *tailleur* rosa bebê, que era adornado com delicados babadinhos de seda preta ao redor da gola e dos punhos do casaco. — Estou me sentindo como *Jacqueline Onassis*, só que fora de época. Nem ela, se ainda estivesse viva, usaria algo assim nos dias de hoje.

E como se não bastasse, aquela roupa degradante ainda tinha botões dourados enormes e uma coisa, feita da mesma seda preta, grudada na altura do peito, que eu ainda não tinha me convencido de que era mesmo uma rosa.

— Bobagem! Você está linda.

Linda eu estaria se estivesse usando o seu conjunto. Pensei, observando a elegância de mamãe dentro do traje *champagne* de corte reto e discreto, que ela havia escolhido para a ocasião. Aquele sim era um *tailleur* moderno e não essa coisa que eu estava usando, que mais parecia uma roupa feita para vestir em bonecas.

Por sorte, o circo durou apenas alguns minutos. Só o tempo suficiente para entramos na sessão eleitoral, depositar nossos votos, posarmos para algumas fotos e voltarmos para o carro.

Ao retornar para casa, a primeira coisa que fiz foi me livrar dos saltos e substituir aquela roupa por uma boa calça jeans e uma camiseta. Calcei um par de tênis e acomodei os últimos itens nas caixas.

Como prometido, papai liberou Jeffrey para me ajudar com a mudança: duas malas grandes, uma valise e algumas caixas com livros, sapatos, meu computador e alguns outros objetos.

O Studio de P era bem mobiliado, apesar de seguir o mesmo estilo de decoração minimalista que reinava em seu escritório.

Após organizar tudo que havia trazido, olhei o relógio e constatei que já passava das quatro da tarde. Peguei a bolsa e saí à procura de algum lugar nas redondezas onde eu pudesse fazer uma boa refeição. Não havia comido nada além do café da manhã e estava faminta. Não precisei andar muito para encontrar uma lanchonete aberta. Era bem simples, mas o cheiro de comida quente no ar era apetitoso e a TV estava ligada.

Enquanto comia, aproveitei para me atualizar sobre a eleição. As últimas notícias davam conta de que os números estavam apertados e ainda não era possível dizer qual candidato ocuparia a cadeira no Senado Federal. Àquela altura, papai devia estar ainda mais nervoso do que pela manhã.

Ao terminar a refeição, me informei com a garçonete sobre o mercado mais próximo e segui para lá. Precisava abastecer o apartamento, ao menos para a primeira semana, já que no dia seguinte começaria a trabalhar e não teria muito tempo disponível.

Foi fácil encontrar o local e uma hora depois eu estava de volta ao apartamento. Organizei as compras nos armários e na geladeira, tomei um banho e fui para a cama, na intenção de dormir cedo para estar bem disposta no meu primeiro dia na empresa.

Liguei a TV no canal de noticiários e me recostei nos travesseiros. Por volta de nove da noite o repórter anunciou o resultado da eleição. A contagem dos votos ainda não tinha terminado, mas já era oficial. Papai era o Senador eleito pelo estado da Carolina do Norte. Não havia mais como o outro candidato alcançá-lo.

No mesmo instante, o celular vibrou sobre a mesa. Levantei rápido para pegá-lo, prevendo o motivo da chamada.

— Querida, estamos indo para o comitê. Seu pai faz questão da sua presença. Vista alguma coisa bonita, por favor! E nem pense em aparecer usando um jeans.

— Mamãe, eu não posso ir — tentei argumentar. — Amanhã cedo tenho de estar na empresa. É meu primeiro dia, não posso chegar com cara de quem não dormiu a noite.

— Não pode fazer isso com seu pai! Nós precisamos de você e não quero nem ouvir falar nesse estágio agora. Você tem meia hora para se arrumar. O carro estará esperando por você — ela foi taxativa e desligou em seguida.

Resignada, abri o armário para escolher uma roupa que fosse adequada à ocasião e meia hora depois eu estava a caminho do comitê central de papai para comemorar sua eleição.

No dia seguinte, arrastei-me para fora da cama me sentindo um zumbi. Tomei um café rápido, me arrumei e fiz uma maquiagem para disfarçar as olheiras.

Pontualmente às oito me apresentei no departamento de RH e após a checagem dos documentos fui encaminhada para o departamento de comunicação, onde eu ocuparia a vaga de estagiária de relações públicas.

No início, fui designada para trabalhar na área de comunicação interna, mais especificamente com a equipe que produzia o jornal semanal que era distribuído aos funcionários de todas as filiais, informando sobre as novas ações da empresa, promoções para interação das equipes, eventos e até uma sessão destinada para classificados, onde os funcionários podiam anunciar de tudo, desde a venda de um carro até a troca de uma bicicleta por um MP3.

Mas o trabalho não era assim tão maçante quanto pode parecer e após três meses, fui deslocada para a equipe responsável pelos eventos externos, que eram realizados com o objetivo de promover a empresa. Era um trabalho mais dinâmico e interessante, e agradeci pelo sistema de rodízio adotado pela empresa, que havia me proporcionado a mudança.

Foi nessa época que conheci o senhor F. Ao chegar para trabalhar pela manhã fui chamada ao RH. Lá me informaram que eu seria cedida por alguns dias para cobrir a vaga deixada em aberto pela secretária de um dos vice-presidentes. Seria por um período curto, apenas o suficiente para que tivessem tempo de selecionar uma nova secretária para ele.

Quando entrei em sua sala pela primeira vez achei que me mandaria de volta para o RH. Ou pior, ordenaria minha demissão. Ele me analisou atentamente, de cima a baixo, e não parecia nada satisfeito com o que via.

Amaldiçoei-me em silêncio por não ter escolhido uma roupa melhor naquela manhã. O jeans e a camiseta que eu usava causavam um contraste gritante com o ambiente refinado do andar da presidência.

— Desculpe — falei, apontando para o jeans —, mas só fui informada de que ficaria à sua disposição quando cheguei aqui.

— Você veio do Departamento de Comunicação? — ele perguntou de maneira fria, enquanto consultava o computador à sua frente.

— Sim. Relações Públicas, para ser mais exata.

— Bem, terá que servir — foi a resposta que recebi.

Respirei fundo, contendo uma vontade insana de avançar em seu pescoço por conta daquela grosseria, mas me contive. Com sorte, em dois ou três dias eu estaria de volta ao meu setor.

— Já deve saber que essa posição é temporária — ele voltou a falar. — Uma semana, no máximo. Não mais do que isso.

— Fui informada — respondi secamente.

— Vai ver que não sou difícil de lidar. Desde que mantenha minha agenda em ordem, não me deixe perder nenhum compromisso e se vista de forma adequada, não terá problemas.

Então ele queria uma bonequinha com boa aparência para decorar seu escritório? Pois bem, eu proporcionaria uma bela surpresa para ele.

Acordei mais cedo do que o normal na manhã seguinte, para ter tempo de me arrumar. Estava decidida a mostrar para aquele mauricinho idiota que eu sabia exatamente como deveria ser minha aparência durante o tempo infeliz em que trabalhasse no andar da presidência, sem que para isso ele precisasse ser um ogro.

Prendi o cabelo em um coque alto e caprichei na maquiagem. Escolhi o terninho nude, de uma grife famosa, que mamãe tinha comprado para eu usar durante a cerimônia de posse de papai e completei o visual com um conjunto de sapatos e bolsa de verniz. Apesar de extremamente elegante, o efeito geral era discreto.

Admirei uma última vez meu reflexo no espelho e me parabenizei pelo resultado. Eu estava parecendo uma alta executiva.

Sentindo-me confiante, caminhei os três quarteirões que me distanciavam da empresa e ocupei meu lugar na antessala da presidência. Meia hora depois, a porta do elevador se abriu e o senhor F caminhou em minha direção.

Usando um terno preto e com os cabelos ainda úmidos do banho matinal, ele seria um gato se não fosse tão arrogante.

— Venha até minha sala, por favor! E traga a agenda. Preciso alterar o horário da apresentação dessa tarde.

Imediatamente, peguei a tão preciosa agenda e o segui. Ele se acomodou em sua mesa e começou a ditar ordens.

— Preciso que inclua uma hora a mais em meu almoço e confirme o restaurante com o diretor de marketing. Entre em contato com a equipe da filial de Boston e informe que a apresentação vai atrasar por duas horas.

— Só isso? — perguntei, permanecendo parada à sua frente, no meio da sala.

— Por enquanto, sim. E peça para me trazerem um café.

Você acorda de mau humor todos os dias ou só de vez em quando? Pensei.

— Com ou sem leite? — foi o que perguntei.

— Sem, por favor!

Saí da sala, fechando a porta atrás de mim e procurei pela copeira do andar, mas a não a encontrei em lugar nenhum.

Merda!

Fui até a cozinha e preparei, eu mesma, o tal café, tentando não estragar tudo na primeira hora ao lado do senhor arrogância. Mas ao retornar à sala, ele me repreendeu.

— Não precisa fazer isso. Temos uma copeira neste andar. Basta pedir para ela.

Qual o problema com você afinal? Não sou boa o suficiente para servir seu café?

— Ela estava ocupada — me justifiquei e não resisti a dar uma alfineta. — Pelo visto, o senhor não foi o único que não tomou o café da manhã em casa.

Ele me olhou espantado com minha petulância. Achei que seria demitida na mesma hora. Mas, para minha surpresa, no instante seguinte ele começou a rir.

— Acho que começamos com o pé esquerdo, mas podemos consertar isso. Concorda?

— Claro que sim — respondi, relaxando um pouco e, só então, reparei que os olhos dele eram pretos como a noite e me fitavam com uma intensidade desconcertante.

Ao me virar para sair da sala, tive certeza de que eles continuavam pregados em mim. Podia sentir minhas costas queimando, como se estivesse sendo observada de uma maneira nada decente.

Depois daquele incidente com o café, o clima melhorou consideravelmente. Descobri que minha impressão naquele dia estava correta. Por várias vezes, peguei o senhor gostosão F olhando para minha bunda ou para minhas pernas, quando achava que eu não estava prestando atenção.

Decidida a ver até onde ele estava disposto a ir com aquilo, entrei na sala e caminhei de forma sensual até sua mesa. Ao alcançá-la, inclinei-me o suficiente para lhe permitir uma visão irrestrita do meu decote.

— Confirmei a reserva no hotel em que costuma ficar quando vai à Boston. Seu voo de ida é quinta pela manhã e retornará na sexta-feira à tarde.

— Obrigado! Pode enviar os *vouchers* para meu celular — ele respondeu, voltando a atenção para a tela do computador à sua frente, fingindo não notar a provocação.

— Tem certeza de que não precisa de mais nada? — perguntei, inclinando-me um pouco mais e pela forma como ele reagiu, tive certeza de que não estava tão imune aos meus encantos quanto queria me fazer crer.

— Não. Está dispensada por hoje — respondeu, esforçando-se para não olhar em minha direção.

— Então, na segunda-feira repassamos sua agenda para Boston. Bom fim de semana, Senhor F!

Voltei para o Studio e resolvi aproveitar os dias livres para concluir a pesquisa da minha monografia. Na próxima semana eu deveria retornar ao *campus* para apresentar o pré-projeto do tema escolhido para avaliação da coordenadoria e ainda havia muito a fazer. O trabalho, certamente, ocuparia todo o final de semana, não me deixando tempo para sequer pensar em diversão.

Capítulo 14

Senhor F

Era sexta-feira à noite e eu tinha prometido levar Cris ao estádio no sábado. Ele havia acabado de chegar do colégio para passar o fim de semana em casa e V já tinha programado uma série de atividades, muitas das quais me incluíam.

— Você não vem conosco amanhã, mamãe? — ele perguntou, animado.

V me olhou como quem pede socorro.

— Sua mãe não aprecia uma boa partida como nós. Vai reclamar da cadeira desconfortável e dizer que a bebida está quente — brinquei. — Melhor não arriscar.

— Tem razão, pai! Ela está mais para um passeio no shopping — ele concordou, rindo.

— Se já terminaram de se divertir, vou mandar Jessy trazer a sobremesa — ela disse, fingindo que estava chateada. — Pensando bem, acho que vocês não vão querer aquela torta de sorvete que eu mandei preparar essa tarde.

— É claro que eu quero! — Cris protestou, enfático. — Desculpe! Você sabe que é a melhor mãe do mundo. Mas, às vezes, é chata — ele emendou. — Tudo bem! Eu entendo. É que você é mulher.

— Depois dessa, acho que só resta me conformar — ela declarou, revirando os olhos.

Caímos na risada.

— Venha! — chamei Cris, levantando-me. — Vamos deixar sua mãe em paz. Quero lhe mostrar uma coisa que comprei para você essa semana.

— Mas, e a torta de sorvete?

— Podemos comer lá na biblioteca — respondi, dando uma piscadinha para V.

— Vou pedir a Jessy para levar para vocês — ela declarou, sorrindo.

Na segunda-feira pela manhã, dispensei o transporte escolar e levei Cris pessoalmente para o colégio. Não era sempre que tinha oportunidade de fazer isso, mas sabia que era importante para ele.

— Valeu, pai! As garotas ficam doidas quando me veem chegando nesse seu carrão — ele disse, ao se despedir na porta da escola.

— Não vá aprontar muito! Não quero ouvir sua mãe reclamando do seu comportamento.

— Sossega, pai! Ela sabe que sou tranquilo.

Segui para a empresa com esperança de que já tivessem selecionado as candidatas à secretária. Precisava que alguém me acompanhasse na viagem à Boston e levar a estagiária estava fora de cogitação.

Já era hora do almoço, quando ela entrou em minha sala trazendo a agenda da viagem.

— Sei que não costuma sair para almoçar, a não ser que tenha marcado com alguém e como não há nada em sua agenda, pensei em aproveitarmos esse tempo para organizarmos os compromissos de Boston.

— Pode ser — concordei, sem muito entusiasmo.

Levantei, dando a volta na mesa e ocupei uma das poltronas que ficavam dispostas no canto da sala. M me acompanhou, ocupando a outra poltrona à minha frente.

— Os relatórios já chegaram?

— Recebi pela manhã e já enviei para seu email. Também imprimi uma cópia. Estão aqui. — Ela inclinou o corpo para frente e me entregou a pasta com os relatórios para serem analisados.

Estava usando um vestido ajustado ao corpo, que terminava na altura dos joelhos. Dessa vez, não havia decote exagerado. Mas, em compensação, tinha uma generosa fenda lateral.

Ao retornar ao encosto da poltrona, M acompanhou o movimento cruzando as pernas. O gesto abriu a fenda, deixando parte de sua coxa exposta diante de meus olhos. E como se não bastasse, ela ainda girou o corpo, sentando-se levemente de lado.

Puta que pariu! Essa garota tá a fim de me arrumar um problema.

Desviei os olhos imediatamente e levantei, caminhando pela sala enquanto lia os malditos relatórios.

— Está tudo bem? Posso pedir alguma coisa para o senhor comer enquanto trabalhamos.

— Não será necessário. Se quiser, pode ir almoçar. Vou analisar isso aqui e chamo você mais tarde.

— Se é assim, então eu vou. Quer que lhe traga alguma coisa quando voltar?

— Um sanduíche — pedi. — E um suco.

— Vou providenciar, senhor... — e começou a rir. — Ai, desculpe!

— Acho que perdi a piada — falei, impaciente.

— É que... você não se parece mesmo com um vice-presidente de uma empresa desse tamanho.

— Não? E como eu deveria ser?

— Bem... Faltam algumas rugas, uns fios de cabelo branco e, pelo menos, uns dez quilos à mais. Ah! E não podemos esquecer a barriga.

Olhei para baixo, acompanhando a direção de seu olhar.

— Qual o problema com minha barriga, Senhorita M? — perguntei, dando corda para ver até onde ela iria.

— Bom... Esse tanquinho que você esconde embaixo do terno não se encaixa no estereótipo de um executivo na sua posição.

— Esta dizendo que me considera muito novo para ocupar o cargo?

— Não! Estou dizendo que o acho muito gato — ela soltou, encarando-me.

— Cuidado, Senhorita M! Está se arriscando demais falando desse jeito. Posso considerar seu comentário inapropriado.

— Pode ser, mas eu precisava dizer.

— Está cruzando uma linha perigosa. Não esqueça que além de ser seu chefe, sou casado.

— Não me importo — ela contestou, rindo. — Na verdade, isso o torna ainda mais interessante — e se levantou, deixando a sala.

— Maldito RH! Por que será que estão demorando tanto? Qual a dificuldade em me conseguir logo uma secretária? — esbravejei para as paredes.

Já havia se passado vários dias e ainda não tinham arranjado ninguém para substituir Sylvia, e a estagiária se mostrava cada vez mais disposta a me tirar do sério.

Tinha que admitir que a *Senhorita M* passara por uma grande transformação desde que entrou em minha sala no primeiro dia. Revelou-se uma mulher inteligente e muito bonita, mas não fazia meu estilo me envolver com garotas da sua idade e ela já havia dado vários sinais de que era impetuosa demais para o tipo de relação que eu costumava manter.

Capítulo 15

Senhorita M

F passou a terça-feira fora do escritório, em uma reunião importante e eu acabei passando o dia sozinha. Não havia muito o que fazer, já que na tarde anterior eu havia organizado os últimos detalhes para sua viagem a Boston. Mesmo assim, precisava cumprir meu horário de trabalho até o fim. Então, aproveitei o tempo livre para adiantar o projeto da monografia e acabei me distraindo. Quando dei por mim, já passava das cinco.

Organizei o material sobre a mesa e fui até o banheiro. Se me apressasse, ainda daria tempo de terminar o projeto naquela noite, antes de dormir. Estava abaixada, tentando subir o maldito zíper da bota, que havia emperrado de novo, quando ouvi a voz de F chamando por mim.

Maldição! Ele tinha de voltar justo agora?

— Estou no banheiro — respondi e minha voz soou um tanto contrariada.

— Está tudo bem? — ele perguntou, aproximando-se da porta, que estava aberta.

Ai! Que merda!

Resmunguei, vendo que perderia a luta contra o fecho.

— Será que pode me ajudar? Não consigo fechar essa droga de bota!

— Deixe-me tentar.

Observei, enquanto ele se abaixou e com uma facilidade irritante, subiu o zíper, fechando a bota.

Ver aquele homem gostoso e arrogante aos meus pés foi a gota que faltava para acabar com o resto de sanidade que ainda me restava. Sem pensar, enfiei as mãos por entre seu paletó e as apoiei em seu abdômen. Senti o toque macio do tecido da camisa e deixei que minhas mãos deslizassem até seu peito.

Ele não disse nada. Ficou parado, devorando minha boca com os olhos.

— Obrigada! Você salvou minha vida — falei e aproveitei a proximidade para roçar, de leve, meus lábios nos seus.

F hesitou por um momento, sem desgrudar os olhos de mim, até que empurrou a porta com o pé e a trancou em seguida.

— Gosta de me provocar, senhorita M? — ele perguntou com uma voz tão sedutora que fez um arrepio percorrer minha espinha. E então, avançou em minha direção, os olhos vidrados nos meus lábios como um animal prestes a dar o bote.

Tentei responder, mas ele abafou minhas palavras com um beijo, enfiando a mão por dentro da minha blusa, testando-me para ver se eu era mesmo capaz de suportar as consequências de minha impetuosidade.

A expressão em seu rosto, ao cobrir minha boca com a sua, era selvagem e minhas defesas viraram pó quando ele me devorou com um beijo avassalador. Naquele momento, tive certeza de que ele ia me comer e eu faria tudo que ele mandasse. Estava completamente rendida àquele homem.

Logo, suas mãos tocavam minha pele, embrenhando-se por dentro da blusa até alcançar meus seios. F agarrou um deles e o puxou para fora do sutiã, detendo-se por um segundo para admirar meu mamilo rosado em contraste com a pela alva. Até que mergulhou em meu decote e abocanhou meu mamilo, mordiscando-o e sugando meu seio de uma forma quase rude.

Deixei escapar um gemido, como se apenas aquilo fosse o suficiente para me fazer gozar e ele rugiu de tesão diante da minha entrega.

Puxou meu cabelo para trás, fazendo com que eu arqueasse as costas, deixando meus seios ainda mais empinados em sua direção. Com dedos hábeis, libertou o outro, que ainda estava coberto pela seda delicada da lingerie e o sugou vorazmente. Eu podia sentir seu pau me pressionando contra o tecido da calça.

— Abra as pernas — ele rosnou a ordem, levando a mão até minha boceta, acariciando-a por cima da roupa.

Obedeci, afastando as pernas para dar espaço para suas mãos trabalharem. F desabotoou minha calça e enfiou a mão por dentro da minha calcinha, testando a umidade que já se manifestava em meu interior. Em seguida, puxou minha calça pelo cós, fazendo-a deslizar até a metade das minhas coxas, levando junto a calcinha.

Parecendo surpreso, admirou minha vagina totalmente depilada e se abaixou novamente, ajoelhando-se aos meus pés. Com as mãos em minhas nádegas, puxou-me para si e começou a brincar com a língua em meu clitóris, ao mesmo tempo em que seus dedos massageavam minha boceta por trás.

Contorci-me de tesão, sentindo a umidade aumentar em minha vagina e ele mergulhou a língua dentro de mim, passando a massagear meu clitóris com os dedos.

— Assim... vou gozar — anunciei entre gemidos.

No mesmo instante, ele voltou a sugar meu clitóris e enterrou fundo os dedos em minha boceta. Eu sentia meu corpo queimar de tanto tesão e só conseguia pensar que queria seu pau dentro de mim.

Quantas vezes imaginei esse homem me pegando desse jeito?

Gozei, agarrando-me aos seus cabelos, arfando e tremendo em sua boca, até que ele me soltou bruscamente e retirou um preservativo do bolso interno do paletó.

— Agora, vou comer você — ele anunciou junto ao meu ouvido. — Vire-se!

Obedeci prontamente, ficando de costas para ele. F puxou meu quadril em sua direção e me inclinou, obrigando-me a buscar apoio sobre a bancada da pia. A calça embolada em minhas coxas limitava meus movimentos e me desequilibrei, mas ele passou o braço em minha cintura, sustentando-me no lugar, mantendo minha bunda empinada em sua direção.

Lentamente, mergulhou o pau em minha boceta como se estivesse me saboreando. Eu o comprimi, conforme ele metia mais fundo e gemi alto, quando o senti todo dentro de mim. Então, ele soltou minha cintura e puxou meus braços para trás, usando-os como uma âncora para dar impulso e me manter na posição que queria, e começou a estocar forte, os movimentos bruscos, entrando e saindo, indo mais fundo a cada arremetida.

— Mete mais rápido... — implorei, aturdida de tanto prazer, tentando empinar ao máximo a bunda contra seu quadril.

Ele não se negou e eu banhei seu pau com um novo orgasmo, gritando alucinada. Aquela altura, eu não estava nem um pouco preocupada se alguém poderia me ouvir.

— Pare de gritar como uma putinha e empine essa bunda — ele ordenou, soltando meus braços.

Agarrou-me pelos ombros e enterrou o pau ainda mais fundo em minha boceta. Eu podia sentir suas bolas pressionando minhas nádegas, quando ele urrou atrás de mim, derramando seu gozo.

No dia seguinte, chequei ao escritório disposta a tratá-lo como se nada daquilo tivesse acontecido. Estava conferindo minha caixa de mensagens internas quando o telefone tocou. Era o chefe do RH, provavelmente para avisar que haviam encontrado a nova secretária.

Transferi a ligação para a sala de F. Ainda não tínhamos nos falado desde a noite anterior.

— O chefe do RH quer falar com você — anunciei.

— Pode transferir — foi tudo que ele disse.

Completei a ligação e coloquei o fone novamente no descanso. Se ele ia passar a me tratar de forma fria, eu bem que poderia fazer o mesmo.

Capítulo 16

Senhor F

Abri a mensagem enviada pelo RH. O perfil das candidatas pré-selecionadas para ocupar a vaga de secretária surgiu na tela do computador. Avaliei, sem muita empolgação.

As três eram bonitas, solteiras, estavam na faixa dos trinta anos, possuíam boa formação acadêmica e vasta experiência. Tudo estritamente dentro dos critérios preestabelecidos.

O telefone em minha mesa soou. Atendi e M anunciou a ligação do chefe do RH. Um segundo depois, ouvi a voz de Erick:

— Concluímos a primeira etapa da seleção. Enviei os perfis das candidatas para sua caixa de mensagens.

— Sim, estou olhando para eles nesse momento.

— Só falta seu aval para agendarmos as entrevistas pessoais. Se estiver disponível esta tarde, podemos finalizar o processo em tempo hábil para que a nova secretária lhe acompanhe na viagem à Boston.

Agora? Mas nem fodendo que eu vou perder a chance de comer a estagiária outra vez.

— Marque para a próxima semana. Estarei livre na segunda. A Senhorita M poderá lhe passar os melhores horários.

— Certo! Vou verificar com ela — ele confirmou antes de encerrar a ligação.

Peguei a chave do carro e levantei, cruzando a porta que separava minha sala da mesa ocupada por M.

— Ligue para a agência e reserve uma passagem para Boston em seu nome. Vai me acompanhar na viagem — anunciei sem rodeios, ao passar por ela.

— Amanhã? — ela perguntou, os olhos arregalados com a notícia inesperada.

— Sim, amanhã. A não ser que saiba de outra viagem para Boston nos próximos dias. — A resposta sarcástica a deixou furiosa, mas ela conteve a indignação e eu prossegui: — E transfira minha passagem de sexta-feira. Voltaremos no sábado à tarde.

— Sábado?!

— Algum problema, Senhorita M? — Virei-me em sua direção, encarando-a de forma maliciosa, deixando claras minhas intenções.

Ela entendeu que aquela questão não estava aberta à discussão.

— Não, é que... — M gaguejou — eu tinha... — então, reassumiu seu comportamento petulante habitual. — Pensei que o senhor tivesse compromisso para o final de semana.

— Eu tenho. E agora, você também — declarei, entrando no elevador. — Quando resolver o problema das passagens pode ir para casa arrumar sua mala. Tire o resto da tarde de folga. Não voltarei hoje.

A porta se fechou entre nós.

Eu não precisava ser nenhum adivinho para saber que, apesar dos protestos, M tinha adorado a novidade e por mais que estivesse puta comigo por tratá-la friamente, ela também me queria.

Capítulo 17

Senhorita M

Eram quase três da tarde quando entrei no apartamento. Havia parado para almoçar logo que saí da empresa e, agora, ao invés de preparar a apresentação do projeto da monografia, como eu pretendia, teria que organizar uma mala e dormir cedo, pois nosso voo estava marcado para a primeira hora da manhã.

Olhei pela janela e constatei que ainda estava escuro. Arrastei-me para fora da cama e fui direto para a ducha. Um banho me ajudaria a despertar de vez.

Ao voltar para o quarto, prendi o cabelo em um coque, deixando alguns fios soltos para emoldurar o rosto. Fiz ama maquiagem leve e vesti a saia preta, de corte reto, e a blusa branca que havia separado antes de dormir. Completei o visual com sapatos também pretos e bem altos, e fui ao encontro de F no aeroporto.

Capítulo 18

Senhor F

Na manhã seguinte, nos encontramos no aeroporto. M estava um tesão, em uma saia estilo executiva e uma blusa branca de tecido levemente transparente. O cabelo estava preso e os saltos finos e altíssimos deixavam-na quase da minha altura.

— Está muito elegante, Senhorita M! Por acaso pretende seduzir toda a diretoria da filial de Boston?

— Se isso ajudar na negociação... — ela respondeu, direcionando-me um sorriso malicioso.

O alto-falante anunciou o início do embarque de nosso voo. Ocupei o acento na primeira classe com M ao meu lado. Parte de suas coxas foi relevada com o leve subir da saia ao se sentar. Quase nada, mas aquela visão, somada à lembrança de comê-la no escritório, foi o suficiente para me deixar excitado. Se o voo fosse um pouco mais longo, bem que eu poderia me divertir com ela no banheiro do avião, mas do jeito que M gritava era melhor não arriscar.

Caralho! Essa mulher está me tirando do sério.

Odiava me sentir assim, mas desde que a comi no banheiro do escritório tive certeza de que não conseguiria fazer aquilo uma vez só. Teria de repetir até enjoar, como acontecia com as outras.

Alheia ao que se passava em meu íntimo, M abriu o laptop e começou a explanar sobre os compromissos que me aguardavam assim que aterrissássemos em Boston.

— E, se não houver atraso na reunião, poderá fazer um intervalo de uma hora e meia para o almoço. Achei melhor não incluir mais ninguém além de mim, assim poderá descansar um pouco no hotel, se desejar, antes do encontro com os investidores, que está marcado para as quatro da tarde.

Assenti, sem ouvir quase nada do que ela dizia, perguntando-me com quantos homens M já havia dormido para ter aquele comportamento tão natural após o que fizemos. Afinal, ela deveria ter pouco mais de vinte anos. Mas, pela maneira como se portava diante da situação, parecia já ter tido muitos amantes. Não que isso fizesse diferença, mas ela era uma incógnita. Eu nunca havia conhecido uma mulher tão segura.

Ao desembarcarmos em Boston fomos direto para o prédio da filial, onde já éramos esperados pelos acionistas. Fiz questão que ela acompanhasse toda a reunião, que demorou mais do que o esperado, estendendo-se além de duas da tarde. Eram quase três horas quando me vi sozinho com a Senhorita M no saguão de recepção da empresa.

— Não temos muito tempo. Teremos que fazer uma refeição rápida e retornar para o hotel, se não quisermos nos atrasar para o encontro com os investidores — ela declarou, conferindo o relógio em seu pulso.

Ergui o punho do paletó para checar meu próprio relógio, só para confirmar o que eu já sabia.

— Tudo bem! Podemos ir ao *Sam LaGrassa's*. Comemos um sanduíche e voltamos. Assim, terei tempo para um banho antes da próxima reunião. Prometo compensá-la à noite — completei.

— Não quero desanimá-lo, mas acho que seu banho terá que ficar para depois.

O comentário me deixou irritado. Estava mal-humorado desde o início da reunião, mas ela tinha razão. Com o deslocamento no trânsito, não daria tempo para mais nada. Mesmo assim, eu não estava disposto a encarar uma loja do *McDonalds*.

Estendi o braço, parando um táxi e tive o cuidado de abrir a porta e aguardar até que ela entrasse, e seguimos para o restaurante.

Às sete da noite eu estava de mau humor, com fome, cansado e o dia seguinte ainda seria cheio de compromissos. Os planos de sair para jantar em um bom restaurante teriam que ficar para depois. Por enquanto, me contentaria com um banho e uma comida servida pelo hotel, no quarto mesmo. E claro, uma boa trepada com M antes de dormir.

Capítulo 19

Senhorita M

Quando finalmente retornamos ao hotel, na noite de sexta-feira, F era o retrato do mau humor em pessoa e eu me sentia exausta. Tudo que queria eram um bom banho e uma cama bem macia para descansar. Mas, dez minutos após me deitar, o telefone do quarto soou e antes mesmo de atender, eu já sabia que era ele.

— Pedi jantar para dois. Importa-se de me acompanhar?

— Em seu quarto? — perguntei, sem conter um riso malicioso.

— A não ser que prefira jantar sozinha — ele respondeu, provocando-me.

— De forma alguma, *Senhor F* — acentuei a palavra *Senhor* para incitá-lo. — Estarei aí em trinta minutos.

Saí da cama sem nenhuma pressa e fui até a mala. Retirei um short branco e uma camiseta leve, vesti, ajeitei o cabelo e fui para o quarto de F.

— Você demorou — ele se queixou ao me receber. O corpo nu e ainda úmido pelo banho recente, coberto apenas parcialmente por uma toalha que estava enrolada em sua cintura.

Assim que entrei, ele fechou a porta e me pressionou contra ela, apoderando-se de minha boca. Deslizei meus dedos por sua nuca e o puxei para mais perto. F levou as mãos até minhas coxas e me ergueu do chão. Não tive outra opção senão enlaçar minhas pernas ao redor de seu quadril, sentindo sua ereção pressionar o tecido do short. Seu pau estava tão duro que criava um volume por baixo da toalha.

Aquele homem era uma delícia e, obviamente, estava louco para me comer. Mas, dessa vez, seria eu a ditar as regras.

Apoiei as mãos em seu peito para ganhar espaço e voltei ao chão, ficando de pé à sua frente.

— Calma! — sussurrei, afastando-me.

— Qual o problema? — ele perguntou confuso.

— Nenhum, mas quero fazer uma coisa diferente — respondi sorrindo, misteriosa.

Arrastei-o até a cama e me inclinei sobre ele, retirando o lenço que havia levado em segredo no bolso do short. F deslizava a língua em minha pele, exposta pelo decote da camiseta, lambendo meu pescoço, meus ombros... Estava totalmente concentrado em me saborear e só se deu conta do que acontecia quando amarrei suas mãos à cabeceira da cama.

— Que merda é essa? — ele protestou.

Ajoelhada sobre ele, ergui o corpo e tirei a camiseta lentamente ante seus olhos famintos e usei o tecido para vendá-lo.

— Como se sente, sabendo que agora *eu* posso fazer de você meu brinquedinho? — perguntei, dando ênfase ao fato de que ele estava à minha mercê.

Ele se remexeu, tentando se soltar.

— Caralho! — gritou. — Desamarre isso agora mesmo ou...

— Não adianta protestar! — interrompi. — Só vou soltá-lo depois que fizer tudo o que planejei. Relaxe e divirta-se — falei de forma sensual.

F parou de tentar se soltar e riu. O som chegou ameaçador aos meus ouvidos.

— Ah, M! Quando eu sair daqui você vai se arrepender de ter nascido.

— Você não tem a menor chance — declarei, confiante. — Está muito bem amarrado.

Ele grunhiu um palavrão em resposta.

— Sei que não pode ver, mas pode sentir. E vou ajudá-lo, descrevendo tudo que estou fazendo. Agora, por exemplo, acabei de abrir o short. A propósito, não estou usando calcinha.

Eu sabia que ele podia perceber, pelo movimento do colchão, que eu estava me movendo, mas não podia ver o que eu fazia e aquilo o deixava louco.

Ergui meu corpo sobre a cama e retirei o short. Voltei a me abaixar sobre ele e comecei a roçar meu corpo ao seu, deslizando a língua em sua pele como ele havia feito comigo, descendo pelo abdômen até alcançar o limite em que a toalha ainda o cobria.

— Você é tão gostoso, senhor F — falei, enfiando as mãos por baixo da toalha para acariciar sua virilha.

Ele suspirou alto quando alcancei seu pau e comecei a massageá-lo.

— Enfie-o na boca! — ordenou.

— Nada disso! Quem dá as ordens aqui sou eu e ainda não quero chupá-lo.

— Ah, sua vadiazinha! Pode ir preparando essa bunda, porque quando eu livrar minhas mãos vou deixá-la sem poder se sentar por uma semana.

Parei de tocá-lo e me deitei sobre ele, a cabeça apoiada em suas coxas, as pernas abertas sobre seus ombros. Deixei minha vagina bem próxima de seu rosto e comecei a me masturbar. Enfiei os dedos em minha boceta, estremeci sobre ele e gemi alto, propositalmente, para que ele não tivesse dúvida do que eu fazia.

F ergueu a cabeça, tentando alcançar minha boceta com a boca, mas eu me afastei, deixando-o no vácuo.

Ele suspirou alto.

— Caralho, M! Traga-a para mim. Coloque-a em minha boca. Agora! — rosnou enlouquecido, implorando para que eu o deixasse me chupar.

— Só se pedir, por favor! — contestei, rindo.

— Nem fodendo! — ele respondeu, arrogante.

Então, voltei a me concentrar na masturbação, movendo os dedos até gozar. Em seguida, os retirei e comecei a chupá-los. Sabia que pelos sons ele podia perfeitamente deduzir o que eu estava fazendo naquele momento.

— Está tão gostoso! — provoquei, levando-o ao limite.

— Porra! Coloque-os em minha boca, só um pouco — ele voltou a implorar e dessa vez eu atendi, saindo de cima dele e levando meus dedos até seus lábios para que sentisse o sabor do meu orgasmo.

F os lambeu como se devorasse sua última refeição, até que os retirei de sua boca e voltei a acariciar seu corpo, livrando-o da toalha. Estimulei seu pau com a mão, enquanto minha língua trabalhava na ponta. Ele pendeu a cabeça para trás, rendendo-se e passei a chupá-lo, enfiando até o fundo da garganta. Retirei-o, deslizei minha língua por toda sua extensão, sentindo o quanto estava intumescido e o enfiei novamente na boca, engolindo-o por completo, chupando com voracidade.

— Cacete! Que boca gostosa!

Ao sentir que ele chegava ao limite, esmerei-me ainda mais na chupada, fazendo-o gozar em minha boca. Em seguida, afastei-me.

— Porra! Você tá de sacanagem? Eu quero foder você, caralho! Solte-me! — ele voltou a protestar, na certa pensando que tinha acabado, mas antes que seu pau esmorecesse me ajoelhei sobre ele e o posicionei na entrada da minha boceta.

Desci sobre ele, enterrando-o todo dentro de mim e o cavalguei alucinadamente.

— Quero tocá-la, desamarre-me agora! — F rosnou. — É sua última chance — ameaçou, mas ignorei seus protestos e continuei me movendo, rebolando em seu pau e me agarrando em suas pernas para manter o equilíbrio. Movimentava-me sobre ele feito louca, fazendo com que seu membro se enterrasse cada vez mais em minha boceta, gritando descontrolada até meu corpo inteiro tremer, sacudido por um orgasmo.

Quando finalmente me acalmei, o livrei da camiseta que cobria seus olhos. Por um breve instante, F me olhou de uma forma devastadora.

— Desamarre minhas mãos. Agora! — ordenou.

— Já disse: só se você pedir *por favor* — respondi rindo.

Então, o inesperado aconteceu.

Sem desviar o olhar, F levantou as mãos e com um gesto rápido me agarrou. Olhei para ele assustada, tentando entender como havia se soltado, mas não tive tempo de descobrir, pois ele avançou sobre mim e abriu minhas pernas, deixando-me completamente exposta, e enterrou o pau de uma só vez em minha boceta, arremetendo com toda força.

— Agora você tá fodida! — sentenciou e despejou toda sua fúria, castigando minha boceta ferozmente.

Minha respiração voltou a ficar irregular. Cravei minhas unhas em suas costas e deixei que se saciasse, mas ele retirou o pau e girou meu corpo, colocando-me de quadro à sua frente. Apertou minhas nádegas, usando os dedos para separá-las e enterrou o pau sem piedade em meu cu.

— Vadia gostosa! — exclamou, puxando-me pelo cabelo e forçando-me a olhar para ele enquanto me fodia.

F aumentou a velocidade das estocadas fazendo-me gritar, insana de tanta excitação, enquanto ele grunhia como um animal devorando sua presa.

Gozei mais uma vez, encharcando a cama embaixo de nós.

— Isso! Goza putinha! Goza que eu vou encher sua bunda com a minha porra — ele rosnou e seu corpo caiu sobre o meu.

Ficamos unidos por um tempo, até que ele saiu de dentro de mim e pude me virar. Minha respiração começava a voltar ao normal, mas nossos corpos estavam completamente suados.

Saí da cama e comecei a recolher minhas roupas.

— Aonde vai? — ele perguntou ainda deitado.

— Voltar para o meu quarto — respondi me vestindo.

— Pensei que fôssemos dormir juntos. Quem sabe, repetir a dose de madrugada — F sugeriu, olhando-me daquele jeito sexy e irresistível.

— Gosto de dormir sozinha — declarei.

Caminhei até a cama e me inclinei, dando um beijinho rápido em seus lábios, mas ele me puxou, enlaçou minha cintura e aprofundou o beijo. Quando finalmente me soltou, virei-me e deixei o quarto sem dizer nada.

Capítulo 20

Senhor F

Na noite seguinte, entramos no elevador e marquei os andares para o quarto de M e para o meu. Finalmente, tínhamos encerrado os compromissos agendados em Boston e as negociações foram um sucesso.

— Tenho de admitir: você me surpreendeu. Demonstrou muita habilidade para lidar com os imprevistos e foi competente, Senhorita M.

— Isso é um elogio, Senhor F?

— Não se empolgue muito. Estou apenas reconhecendo seu mérito momentâneo.

M estava de bom humor, satisfeita com o resultado do trabalho realizado nos últimos dias e eu também.

— Se é assim, precisamos comemorar — e completou, rindo —, antes que o meu *momento* passe.

— E eu já sei exatamente como.

O elevador parou e assim que a porta se abriu, M saiu, mas virou-se em minha direção. Estendi a mão, impedindo que a porta voltasse a se fechar.

— Vista algo sexy e me encontre lá embaixo às oito.

— Não vai dizer aonde vamos?

— Não! É surpresa — respondi, soltando a porta do elevador. — Mas tenho certeza que você vai gostar.

Ao chegar ao meu quarto, fui direto para a ducha. Precisava relaxar.

Do jeito que saí do banho, joguei-me na cama e dormi por uma hora antes de me vestir e descer para encontrar M no saguão.

Ela acenou ao me ver e caminhei em sua direção.

— Está maravilhosa essa noite, Senhorita M! — sussurrei em seu ouvido, passando o braço em torno de seu ombro. Deslizei a mão por sua pele nua, traçando o profundo decote do vestido, que deixava suas costas expostas e descia até a cintura. — E muito sexy também.

— Obrigada! Mas estou apenas cumprindo as ordens de meu chefe — ela retrucou, olhando-me de forma sensual.

— Não sabia que era tão boa em obedecer — instiguei-a, olhando diretamente em seus olhos.

— Quer me testar?

— Não me provoque, Senhorita M! Posso pensar em formas de testá-la que sua mente sequer consegue imaginar — respondi, pressionando de leve meu corpo contra o seu. Ela fechou os olhos e esperou, os lábios entreabertos. — Mas, primeiro — puxei-a, fazendo com que chegasse ainda mais perto —, vamos jantar.

Deixei minha mão escorregar até alcançar a sua e me afastei, conduzindo-a para fora do hotel.

Quando o táxi parou em frente à *Prudential Tower*, M me olhou frustrada.

— Achei que íamos nos divertir.

— E vamos! Mas pensei que gostaria de curtir a vista do *Top of The Hub* antes da balada — retruquei, provocando-a. — Não deveria demonstrar tanta ansiedade, Senhorita M.

Ela fez uma careta e me acompanhou.

Fomos conduzidos à mesa, que ficava próxima a parede de vidro com vista para cidade, por uma recepcionista elegante, e logo fizemos o pedido. Durante o tempo em que ficamos no restaurante, saboreamos o prato sofisticado, entre conversa, risos e uma boa quantidade de vinho.

— Pronta para a diversão? — perguntei ao terminarmos a refeição.

— Hum... Depende. O que tem em mente?

— Que tal começar por algum lugar badalado para dançar?

Ela sorriu, concordando animada, e deixamos o restaurante.

Seguimos para uma boate que ficava há poucos quarteirões de distância. O local estava apinhado de gente bonita, movendo seus corpos na pista ou bebendo próximo ao bar. Ficamos lá por umas duas horas, aproximadamente, antes de retornarmos ao hotel. M estava um pouco bêbada, mas eu também estava e quando entramos no elevador, não me contive e enfiei a mão por baixo da saia do vestido, tateando sua pele até encontrar a calcinha.

— Você não precisa mais disso — disse, arrastando a peça até seus tornozelos.

Ela riu e levantou os pés, um de cada vez, para me ajudar na tarefa. Peguei a calcinha e enfiei no bolso do paletó, no momento em que a porta se abriu.

Seguimos para meu quarto e assim que entramos, retirei seu vestido e empurrei-a nua para a cama. M se livrou das sandálias, rindo, enquanto eu me despia de pé à sua frente. Com o pau na mão e segurando o preservativo na outra, posicionei a camisinha e busquei seu olhar para conferir se ela estava me observando. E ela estava.

M tinha os lábios ligeiramente abertos e seus olhos permaneceram grudados aos meus, enquanto eu desenrolava lentamente o preservativo, até que cobrisse todo meu membro.

Ajoelhei-me sobre ela e levei as mãos até seus seios, apertando os mamilos.

— Parece surpresa, Senhorita M — falei, olhando direto em seus olhos.

— Impossível não ficar surpresa cada vez que você tira a calça, Senhor F. Seu pau é majestoso.

E então, ela levou a própria mão até a boceta e começou a esfregar os dedos em seu clitóris, proporcionando-me um verdadeiro espetáculo.

Ergui o corpo e fiquei parado por algum tempo, admirando e ouvindo, enquanto ela comprimia os músculos da barriga e emitia ruídos de prazer, suas coxas roçando em minhas pernas com os movimentos de seu quadril.

— Já está molhadinha para mim? — perguntei, mergulhando um dedo nela.

— Vem conferir! — ela convidou, dirigindo-me um olhar cheio de luxúria.

Não esperei que pedisse de novo. Ergui suas pernas, apoiando os tornozelos em meus ombros e posicionei meu pau na entrada de sua boceta. M gemeu quando mergulhei dentro dela, enterrando-o por completo. Comecei a me movimentar, dando estocadas rápidas, fazendo-a gemer mais alto, o que deixava tudo ainda mais excitante.

Que porra de química é essa?

Parei e a puxei pela cintura de modo rude, girando seu corpo para colocá-la de quatro na cama. Ela empinou a bunda em minha direção e voltei a penetrá-la, dessa vez, arremetendo duro em seu cu apertado.

M desceu o tronco, apoiando o rosto no colchão para manter o equilíbrio diante de minhas investidas fortes. Puxei-a de volta pelo cabelo, obrigando-a a virar o rosto e olhar para mim, então, beijei-a de forma selvagem.

— Estou muito perto... Putinha deliciosa!

E alguns segundo depois, grunhi, liberando meu gozo.

Capítulo 21

Senhor F

Retornei no sábado, por volta de cinco da tarde, e encontrei a casa vazia. Não havia ninguém à minha espera. Jessy devia estar de folga e V tinha saído, levando Cris com ela.

Deixei a mala no quarto e desci para a cozinha. Revirei a geladeira, separei alguns ingredientes para um sanduíche e depois de saciar a fome, voltei para o quarto. Coloquei uma música suave para relaxar, tirei toda a roupa e reclinei na cama.

Não era minha intenção dormir, mas devo ter subestimado o cansaço dos últimos dias, pois quando me dei conta já era noite e o quarto estava às escuras. Apurei o ouvido, mas a casa continuava silenciosa como quando cheguei.

Olhei o relógio, que tinha deixado sobre a mesa ao lado da cama, e constatei que passava das dez. Vesti a calça de moletom que costumava usar para correr pela manhã e desci para ver se V tinha voltado do passeio, mas não encontrei nenhum sinal dela ou de Cris.

Fui até os fundos e abri a porta que dava para a garagem. Seu carro estava lá. Descalço, retornei à cozinha e atravessei a porta que levava ao jardim e ao deck. V se levantou e caminhou até a borda da piscina. Usava um maiô preto, cavado e o cabelo, assim como seu corpo, estava molhado. Fiquei observando, enquanto ela inclinava o corpo para frente e mergulhava.

Por alguns instantes, ela desapareceu do meu campo de visão. E então, ressurgiu, já na metade da piscina.

Por mais que eu tivesse me divertido na companhia de M, nada se comparava a sensação de voltar para casa e rever minha mulher, minha família. Se ao menos ela não fosse tão conservadora... Mas se V imaginasse as coisas que eu gostaria de fazer com ela pediria o divórcio na mesma hora.

Sem notar minha presença, ela cruzou a piscina de ponta a ponta, uma, duas, três vezes. Até que começou a demonstrar sinal de cansaço.

Peguei a toalha, que ela havia deixado sobre a cadeira, e me aproximei no exato momento em que ela apoiou o braço na borda da piscina. O movimento espalhou um pouco de água, forçando-me a dar um passo atrás, mesmo assim, meus pés ficaram molhados.

Ela emitiu um som abafado e olhou para cima, sobressaltada.

— Você me assustou! Não o vi chegar.

— Voltei à tarde — disse, estendendo a mão para ajudá-la a sair da água. — Você não estava.

Ela ficou de pé na minha frente, a água escorrendo por seu corpo, enquanto torcia as pontas do cabelo. Passei a toalha por sobre seus ombros, envolvendo-a em um abraço e a puxei para junto de mim.

— Fui ao cinema com Cris e depois saímos para jantar.

— Ele já está dormindo? — perguntei, depositando um beijo rápido em seus lábios.

— Acho que sim. Tivemos um dia bem cheio por aqui.

— Você parece cansada — constatei, acariciando seu rosto. — Venha! Vamos entrar. Trouxe uma coisa de Boston para você.

Ela me olhou em silêncio.

Caminhamos abraçados até a casa. Deixei-a sentada em um banco na cozinha e fui até o quarto, buscar a caixa do presente que havia comprado para ela.

— Dê-me sua mão! — disse ao retornar. — E feche os olhos.

Ela obedeceu e estendeu a mão em minha direção.

Abri a caixa e retirei o anel, colocando-o em seu dedo. A safira azul, quadrada, de lapidação facetada, suspensa sobre um anel de ouro branco, reluziu em sua mão. E o rosto de V, ao abrir os olhos e se deparar com a pedra, iluminou-se.

— É lindo! Mas isso não...

— Shhh! Não diga nada. — interrompi sua frase, colocando um dedo à frente de seus lábios. — Apenas, deixe-me vê-la usando na próxima vez que sairmos, ok? Agora, vá dormir. Você precisa descansar.

— Você não vem?

— Daqui a pouco.

Ela se virou e estava caminhando para a sala quando a chamei de volta.

— Gostaria de passar o dia com você e Cris, amanhã. Pensei em sairmos de barco por aí. Podemos almoçar a bordo. O que acha?

— Cris vai adorar! Sabe como ele gosta desses momentos em sua companhia.

— Então, está combinado.

Ela se virou novamente e cruzou a porta que levava à sala, desaparecendo na escuridão da casa.

Capítulo 22

Senhorita M

De volta à New Bern, dediquei todo o final de semana para preparar a apresentação do projeto da monografia. Pretendia passar no RH na segunda, logo pela manhã, para comunicar que estava me desligando da empresa. Ainda não havia conversado com F sobre isso, mas o faria assim que o encontrasse.

Já tinha tudo planejado. Passaria a quarta-feira no *campus* e aproveitaria a viagem até Chapel Hill para matar a saudade de Rose e dos meus amigos. Depois, teria mais alguns dias livres, que desfrutaria na companhia de meus pais. Também queria tirar uma noite para me encontrar com P antes de iniciar no novo emprego.

Na segunda pela manhã, F me chamou à sua sala, dizendo que tinha um assunto importante para tratar. Pensei que ele já tinha sido informado pelo RH sobre a minha demissão, mas estava enganada.

— Vou mandar o RH suspender o processo de seleção. A partir de hoje será, oficialmente, minha secretária — ele anunciou assim que entrei.

— Não sou secretária, sou Relações Públicas.

— Ainda não — ele contestou. — Por enquanto é só uma estagiária. Estou oferecendo uma promoção, Senhorita M! Não entendeu?

— Obrigada! Mas tenho outros planos. Na verdade, eu ia mesmo avisá-lo que hoje é meu último dia na empresa.

Ele me olhou surpreso e um tanto contrariado.

— Como assim, seu último dia?!

— Recebi uma proposta para atuar em minha área. É uma ótima oportunidade e não serei apenas uma estagiária.

— Tem certeza que essa decisão não tem nada a ver com o que aconteceu entre nós? — F perguntou, parecendo sinceramente preocupado.

— Claro que não! — respondi, rindo. — Pode ficar tranquilo. Na verdade, eu adoraria se pudéssemos continuar nos encontrando de vez em quando. Só não poderemos mais viajar juntos *a trabalho* — completei, dando uma piscadinha para ele.

— Bem... Se está segura sobre isso, só posso lhe desejar boa sorte. E quanto a voltarmos a nos ver, seria muito prazeroso, só não imagino como faremos para conciliar nossas agendas.

Observei-o por um momento, avaliando a situação. Foi então que tive a ideia de convidá-lo para fazer parte da *Sociedade*.

— Talvez tenha uma maneira de fazermos isso sem que precise se ausentar da empresa ou eu de meu novo emprego. Sabe o que é uma sociedade secreta, *Senhor F*?

— Está falando de alguma fraternidade? Caso não tenha percebido, já faz tempo que deixei a universidade, *Senhorita M* — ele respondeu, irônico.

Foi impossível conter o riso.

— Não esse tipo de sociedade. Estou falando de algo bem mais... interessante.

E então, expliquei para um F quase perplexo como tudo funcionava.

— Um amigo me apresentou durante uma festa anual. Ainda não tenho permissão para apresentar um novo membro. Somente os mais antigos podem expandir o *clube*. Mas sei que haverá outra festa no próximo mês. Se quiser, posso pedir ao meu amigo para apresentá-lo.

F me dirigiu um olhar duvidoso, parecia não acreditar no que havia acabado de expor. Levou algum tempo digerindo a informação e, por fim, concordou.

— Vamos fazer assim: vou ligar para o meu amigo e marcar um encontro entre vocês para que possam acertar os detalhes — declarei, sabendo que não seria difícil para P atender meu pedido e lhe conseguir um convite.

E foi dessa forma que o *Senhor F* passou a frequentar as reuniões do nosso grupo secreto do prazer, como eu gostava de me referir à Sociedade.

Capítulo 23

Senhor F

Solteiro convicto e sem filhos, P me pareceu ser um cara legal. Sua postura exibia um ar sofisticado, o que certamente lhe garantia o sucesso com as mulheres, além da boa aparência, é claro.

Logo de cara nos entendemos. Ele parecia saber exatamente o que eu buscava e garantiu que na *Sociedade* eu encontraria a condição que faltava para tornar minha vida ainda mais excitante.

— Farei com que seja convidado para a festa, mas não posso assegurar sua permanência na *Sociedade* — ele explicou. — Você precisa ser aprovado, entende?

É claro que eu entendia e faria a minha parte para que isso acontecesse.

Na data marcada, compareci a tal festa e uma semana depois, recebi o aviso de que tinha sido admitido como novo membro do *Clube*.

Quando recebi a chave, símbolo da *Sociedade*, fui orientado a fazer minha primeira contribuição, o que providenciei de imediato, com prazer. Não havia um valor determinado, apenas a instrução para que levasse em conta despesas como locação de espaço para as reuniões, bebidas oferecidas, pessoal de apoio como garçons e seguranças, e claro, os mimos com as quais as mulheres que ingressavam eram presenteadas.

Cabia a nós, membros do sexo masculino, custear essas despesas de manutenção, já que a maioria delas ou era casada, o que naturalmente dificultava a doação de somas significativas sem despertar a atenção dos maridos, ou como no caso de M, estavam iniciando suas carreiras. E ninguém esperava que uma mulher jovem recorresse ao pai para arcar com as despesas de sua vida, digamos, *promíscua*.

No início, meu foco era a *Senhorita M*. Mas, aos poucos, fui me soltando, relacionando-me com outras mulheres e descobri um novo prazer: a arte do voyeurismo. Sim, porque aprendi que voyeurismo não é apenas uma curiosidade mórbida sobre a intimidade alheia. O prazer em observar pode ir muito além.

Cheguei à casa, onde acontecia a reunião da Sociedade, por volta das nove. Àquela hora, a maioria já tinha se arranjado, exibindo-se em jogos sexuais pelo salão ou ocupando um dos cômodos privados disponíveis.

Fui até o bar e pedi uma dose de uísque. Com o copo em mãos, segui pelo corredor que levava aos quartos, parando em alguns deles para observar. Detive-me diante de uma porta escancarada. Um convite explícito para que mais membros se unissem ao grupo.

Um homem estava ajoelhado sobre uma poltrona. Atrás dele havia outro, sentado no chão com uma das mãos sobre sua bunda, enfiando a língua em seu rabo, enquanto ele se dedicava a chupar o pau de um terceiro, posicionado de pé à sua frente.

Retornei ao corredor, em direção à próxima porta. Assim como P, eu não interagia em grupos formados apenas por homens.

Cada um sabe onde mora seu prazer. Mas o meu, definitivamente, morava entre um par de coxas femininas bem torneadas e de pele macia, com uma boceta bem gostosa no centro e, se possível, um cu receptivo. Sequer passava em minha cabeça a possibilidade de abrir mão disso.

Entrei no quarto seguinte e encontrei M. Estava sobre a cama e era manipulada por dois homens. Um deles usava as mãos para estimular seu clitóris com movimentos circulares, enquanto o outro roçava o pau em seu mamilo.

Ali estava algo que valia a pena ser observado. Conhecendo M como eu conhecia, logo, logo aquele quarto ia pegar fogo.

Fiquei parado por um tempo junto ao batente da porta, apreciando, enquanto ela remexia o quadril e agarrava o pau que brincava em seus seios, para levá-lo até a boca e chupá-lo feito uma insana.

— Gosta de ver as meninas brincarem?

Olhei para trás e deparei-me com P. Um sorriso malicioso bailava em seus lábios.

— Nada melhor para abrir o apetite, não concorda?

Ele deu um tapinha em meu ombro.

— Então, venha comigo.

Seguimos para o lado oposto do corredor até chegar a uma sala pela qual eu ainda não tinha passado. Lá dentro, debruçada sobre o braço de um sofá, uma mulata de quadril avantajado se concentrava em chupar a boceta de uma ruiva de cabelo curto e cara de boneca, que por sua vez, divertia-se com os seios da morena ajoelhada à sua frente.

P caminhou até o outro lado da sala e puxou duas cadeiras, colocando-as bem próximas ao sofá. Dei alguns passos atrás, fechando a porta por onde tínhamos acabado de entrar. Já estávamos em número suficiente. Era melhor garantir que não teríamos de dividir as gostosas com mais nenhum pau perdido por ali.

As orgias estavam entre as minhas preferências e junto com meu novo amigo, o *Senhor P*, já tinha participado de várias. Tínhamos uma coisa em comum: ambos apreciávamos um rabo grande e um cu apertadinho e em uma espécie de pacto silencioso, sempre que conhecíamos uma mulher que curtia esse tipo de foda, compartilhávamos com o outro.

Sentamos e observamos por algum tempo, enquanto elas trocavam carícias e lambidas.

— São lindas, não acha? — ele perguntou.

— Deliciosas! — exclamei e a morena olhou em minha direção, deslizando lentamente a língua pelo lábio superior.

Encarei o gesto como um convite para que nos juntássemos a elas e não me contive.

— Pretende ficar aí a noite toda? — perguntei, dirigindo-me a P.

Levantei e estendi a mão em direção a bunda da mulata, que estava empinada diante de meus olhos. Acariciei suas nádegas rígidas e ela voltou o rosto em minha direção, sorrindo. Retribuí o sorriso e umedeci um dedo, levando-o ao seu ânus, penetrando-a enquanto ela voltava a chupar a boceta da ruiva.

P se levantou e caminhou até o sofá. Aproximou-se da morena, que permanecia ajoelhada mamando os seios da ruiva, e envolveu sua cabeça com as mãos, fazendo com que se virasse para ele. Ela não resistiu e sem perder tempo ele abriu o zíper da calça e expôs o pau, que logo foi abocanhado por ela.

Puxei o quadril da mulata em minha direção e liberei meu pênis, que já estava em ponto de bala dentro da calça. Coloquei o preservativo e invadi sua bunda com tudo. O movimento jogou seu corpo para frente e a ruiva protestou, mas eu a trouxe de volta para a posição, aproveitando para dar umas palmadas em sua nádega.

A morena se ergueu e P girou seu corpo, debruçando-a sobre o outro braço do sofá com a bunda empinada para ele. E enquanto acariciava seu clitóris com uma das mãos, usou a outra para posicionar o pau na entrada de seu ânus e começou a fodê-la.

As vozes femininas enchiam a sala de sons prazerosos, como uma música entoada no tom certo para me deixar ainda mais excitado.

Afastei-me da mulata por um instante, apenas o suficiente para mudarmos de posição. A ruiva se levantou, cedendo-me o lugar. Deitei no sofá e ela, prontamente, acomodou-se sobre meu rosto, esfregando a boceta em minha boca, enquanto a mulata se posicionava sobre meu pau e com a ajuda da mão, voltava a enterrá-lo dentro dela.

Agarrei as nádegas da ruiva, mantendo-a na posição que eu queria e comecei a mover a língua dentro daquela boceta molhada, fazendo com que ela rebolasse na minha cara. Ela se inclinou para frente, aproveitando a posição para acariciar os seios da mulata, o que facilitou meu acesso ao seu clitóris.

Pelo canto do olho, vi quando P se curvou e alcançou o seio da ruiva, apertando-o, enquanto reduzia o ritmo das estocadas na bunda da morena. Aquela era a deixa. Sabia que ele queria revezar as garotas.

Retirei minha língua da boceta da ruiva, liberando-a para ele. P tirou a morena do braço do sofá e colocou a ruiva em seu lugar. Ergueu uma das pernas dela pelo joelho e a inclinou acima de minha cabeça. E então, enterrou o pau com vontade, fazendo-a soltar um gritinho de surpresa.

Estendi a mão e apalpei seus seios, que balançavam acima de mim conforme ele estocava. Satisfeita, a mulata abandonou meu pênis e foi para perto de P, que tratou de abocanhar seu mamilo enquanto fodia a ruiva.

A morena ocupou a vaga deixada por ela, sentando de frente sobre meu pau intumescido e rebolando o traseiro, subindo e descendo, demonstrando uma energia incansável.

Estendi os braços e agarrei seus seios, apertando-os. Ela retribui, baixando totalmente o quadril até fazer meu pau sumir por completo em seu cu. A vadia gemia alto, rebolando enlouquecida, e não parou até me extrair a última gota de sêmen.

Ouvi o rugido de P, descarregando seu gozo na bunda da ruiva, que gritou ante a voracidade com que era fodida. E logo que ele retirou o membro, a mulata se prontificou a livrá-lo do preservativo e chupar o que, porventura, ainda restasse em seu pau.

Ficamos por lá mais algum tempo, nos divertindo entre lambidas e chupadas, antes de irmos os cinco para o chuveiro.

Capítulo 24

Senhora V

Alguns meses depois...

Duas semanas se passaram desde que recebi a inusitada proposta de minha amiga para participar da tal festa secreta e desde então, sempre que nos encontrávamos retomávamos o assunto.

Olhei para o celular, que havia jogado com displicência sobre o banco do carona ao entrar no carro. Sem tirar a atenção da estrada, toquei no visor e tracei automaticamente os pontos de desbloqueio, lembrando-me das últimas palavras da *Senhora J* antes que deixássemos a academia, há alguns minutos.

— Você não está muito confiante, mas algo me diz que vai precisar disso. Dê-me seu celular. — Entreguei o aparelho, sem muita convicção. — Vou deixar um número gravado aqui, uma porta de entrada para o caso de você decidir comparecer à festa.

Agi por impulso. Queria apenas conferir se o número estava mesmo lá, mas quando me dei conta já havia acionado a chamada.

Mas, o que eu estava fazendo?

Desliguei o aparelho rapidamente para evitar que soasse, caso a pessoa do outro lado decidisse retornar a ligação cortada, e o joguei no banco de trás do carro. A atitude só serviu para trazer à tona outra curiosidade: quem será que atenderia a ligação se eu deixasse ela se completar?

Talvez, tudo não passasse de uma grande brincadeira. Um pouco de mistério para animar os dias tediosos de um grupo de mulheres que não tinham muito com o que se ocupar, mas a verdade é que eu já me sentia envolvida naquele jogo de suspense e sedução. Queria saber se toda aquela história era mesmo verdade e até onde me levaria.

Pensando bem, que mal poderia ter em fazer a chamada? Eu não seria obrigada a comparecer a uma festa só por fazer a ligação. Ou seria?

Aproveitei a parada no semáforo e me estiquei para alcançar o celular no banco traseiro. Voltei a ligar o aparelho e aguardei para ver se tinha registrado alguma chamada perdida.

Não havia nada.

Seja quem for que estivesse responsável por receber as chamadas naquele número, não havia se interessado em ligar de volta.

Respirei fundo, enchendo-me de coragem e toquei no visor, fazendo novamente a ligação.

Três toques, quatro... Já estava pensando em desistir quando uma voz masculina soou do outro lado.

— Em que posso ser útil?

Minha respiração parou por alguns segundos. Não esperava que um homem atendesse.

— Alô! Você ainda está aí?

— Sim... — pigarreei. — Estou ouvindo. Pode aguardar um momento? É que estou dirigindo e não estou bem certa se...

— Não há problema. Retorne quando for mais oportuno.

A ligação foi cortada.

Àquela altura, meu coração já estava acelerado, como quem acaba de embarcar em uma grande aventura.

Encostei o carro no acostamento e liguei novamente para o homem misterioso.

— Em que posso ajudá-la?

— Eu... Uma amiga me deu esse número e disse que eu deveria ligar se quisesse receber o convite para uma festa.

— Compreendo. Faça o seguinte: envie uma mensagem, informando um endereço válido e a inicial do seu primeiro nome. Não precisa voltar a ligar. Nós faremos com que o convite chegue às suas mãos.

— Nós? Mas... não vai me dizer onde será a festa ou perguntar quem me deu o número?

— Não é necessário. Apenas envie a mensagem e aguarde. Tenha uma boa tarde!

Fiquei olhando para o celular, sem acreditar que aquilo estava mesmo acontecendo. Precisava decidir se enviava ou não a tal mensagem.

Contei mentalmente até dez, avaliando a situação, mas na verdade eu já tinha tomado minha decisão. Queria ir àquela festa e ver de perto o que acontecia lá.

Abri a caixa de mensagens, digitei a letra V e, logo abaixo, o único endereço do qual eu dispunha: o da minha casa. Agora, só precisava vigiar as correspondências, o que não seria difícil já que o Senhor F nunca se preocupava com essas questões.

Voltei a dar partida no carro, dessa vez sentindo-me mais confiante e um pouco eufórica.

Três dias depois e eu não havia recebido nenhuma notícia sobre o convite. A euforia inicial se dissipara e agora eu estava certa de que tudo não passava de uma brincadeira bem articulada.

Cris tinha viajado com o grupo da escola, iam passar a semana em um acampamento de verão, e o Senhor F havia ligado para avisar que ficaria até mais tarde na empresa.

Não havia muito que fazer e, lá fora, o sol brilhava em um fim de tarde espetacular. Vesti um biquíni, peguei um livro na estante e saí para o jardim, em direção à piscina. Tinha acabado de me acomodar na espreguiçadeira quando uma sombra feminina se projetou sobre mim.

— O que foi, Jessy?

— Tem um rapaz na porta com uma encomenda.

— Uma encomenda?! — questionei, sem entender o motivo de ter meu banho de sol interrompido.

— Ele disse que só pode entregar para a senhora.

Na mesma hora lembrei-me do convite.

Levantei da espreguiçadeira de um salto, vestindo o camisão longo, de tecido levemente transparente e estampado com motivos animais — foi a primeira coisa que encontrei no caminho — e segui para a porta.

— Pode deixar, Jessy! Eu vou receber. Enquanto isso, prepare uma limonada e leve lá para a piscina, por favor — pedi ao cruzar a sala, dando um jeito de afastar a empregada antes de me dirigir à porta.

— Você tem uma coisa para me entregar? — interpelei o rapaz magricelo, que aguardava encostado ao batente e aparentava ter no máximo vinte anos.

— É a *Senhora V?*

— Sim — respondi, sentindo-me um pouco desconfortável com a situação.

Sem dizer nada, ele depositou uma sofisticada caixa de presente em minhas mãos. Era preta e estava adornada com um grande laço dourado. Junto havia um pequeno envelope, onde se lia a letra V escrita com uma caligrafia desenhada.

Olhei para a caixa, surpresa. Definitivamente, eu não esperava por aquilo. Talvez, um envelope requintado com um convite impresso. Mas, um presente?!

O rapaz continuava de pé, olhando-me como se esperasse por alguma coisa. Depositei a caixa sobre o aparador e retirei algumas notas miúdas da gaveta, colocando-as em sua mão.

— Obrigado! — ele respondeu, deu meia-volta, retornando a motocicleta estacionada de forma displicente em frente ao meu jardim e se foi.

Peguei novamente a caixa e subi a escada, indo direto para o quarto. Tranquei a porta e depositei a caixa misteriosa sobre a cama. Olhei para o objeto negro, que contrastava com o edredom claro, de algodão puro, que cobria minha cama, tentando adivinhar seu possível conteúdo.

Mas o que estou esperando, afinal?

Senti-me um tanto infantil, como se aguardasse que alguém saísse de dentro da caixa para dizer que havia descoberto meu segredo.

Determinada, desfiz o laço de seda dourada que a envolvia e antes mesmo de ler a mensagem que havia dentro do envelope, abri a caixa, pondo um fim em minha curiosidade.

Afastei o delicado papel branco no qual o objeto estava envolto e, no instante seguinte, meus olhos saltaram ao se deparar com uma delicada máscara negra, toda confeccionada em renda *Guipir* da mais alta qualidade, moldada de forma a destacar ainda mais meus olhos azuis e ressaltar os fios dourados do meu cabelo.

Retirei a máscara e, por impulso, levei-a ao rosto.

Ajustava-se perfeitamente!

Toquei as longas fitas negras nas laterais, deslizando meus dedos por elas e sentindo sua maciez. Elas serviriam para amarrar a máscara, mantendo-a firme no lugar por quem a usasse.

Fui até o espelho e voltei a aproximá-la do rosto, observando o efeito que causava.

Tudo bem! A máscara era mesmo linda, mas ainda havia o envelope misterioso, identificado com a minha inicial e eu precisava saber que mensagem ele continha.

Depositei a máscara novamente dentro da caixa, fechando-a para ocultar seu conteúdo.

Ávida, abri o envelope e retirei o cartão, no qual havia um endereço, uma indicação de data e horário, e as seguintes instruções:

Venha sozinha.
Ao chegar, coloque a máscara.
Não se identifique, apenas forneça a senha:
"O dia está tão quente!"
Não aborde outros convidados antes de adentrar a residência.

Seja bem-vinda à Sociedade Secreta!

Aquilo, sim, era estranho. Um convite pomposo talvez não me surpreendesse tanto quanto aquela mensagem.

Uma senha?! Quem pensaria em algo assim?

Senti-me participando de um filme de suspense, daqueles onde a mocinha está prestes a entrar no local onde todos sabem que está escondido o assassino, menos ela. Mas não podia negar o quanto tudo aquilo era excitante.

Eram quatro da tarde e a mensagem dizia que a festa seria às oito. O endereço indicado ficava há pouco mais de quinze quilômetros de distância.

Voltei a me fitar no espelho. Eu precisava decidir se aceitaria ou não o convite.

Indecisa, guardei o envelope na caixa, junto com a máscara, e retornei para a piscina, onde Jessy aguardava com a limonada que eu havia pedido. Tentei me distrair, concentrando-me na leitura, mas a todo momento minha mente se dispersava e eu me surpreendia divagando sobre a festa.

Mergulhei na piscina e nadei de um lado ao outro, repetidas vezes. Talvez, um pouco de exercício ajudasse a me acalmar.

O sol já se punha quando deixei a água e retornei para dentro de casa, refugiando-me no quarto.

A máscara negra queimava em minhas mãos. Aproximei-me pela terceira vez do espelho, encarando meu próprio rosto e tentando encontrar coragem para embarcar naquela aventura, que trazia a promessa de diversão e sexo sem limites.

Eu havia passado as últimas horas avaliando quais seriam os riscos de estar prestes a fazer algo que poderia me colocar em uma situação perigosa. Liguei para a Senhora J, buscando mais detalhes sobre a *Sociedade* e ela, mais uma vez, afirmou que era muito seguro e altamente sigiloso.

— Depois que for aceita, vai ansiar por cada evento — ela disse durante a conversa. Parecia muito animada e desligou apressada, pois estava atrasada para o cabeleireiro.

Olhei novamente para o relógio sobre o aparador, na parede oposta à cama: 18h40. Se quisesse mesmo ir, teria de me apressar.

Entrei no closet e vasculhei os cabides. Não havia me preparado com antecedência e não fazia a menor ideia do que usar.

Muito brilho, curto demais, muito formal, chamativo...

Parecia não haver nada que servisse para a ocasião.

Droga! O que eu deveria vestir para esse tipo de festa? Será que esperavam que eu aparecesse exibindo uma daquelas roupas de couro ou, quem sabe, uma fantasia sexy?

Não tinha levado a história da *Sociedade* muito a sério, mas agora estava decidida a ir até o fim e não seria uma roupa ou a falta dela que me faria mudar de ideia.

Pense! Esqueça o objetivo disso tudo. É uma festa, não é? Então, vista-se para uma ocasião normal.

Peguei o cabide com o tubinho preto tomara que caia, com uma pequena fenda para facilitar os movimentos, que se moldava ao meu corpo e exibia um decote generoso. Era sensual, mas sem excessos e não chamaria muita atenção. Além disso, combinaria muito bem com a máscara.

Caprichei na maquiagem e na lingerie. Completei o conjunto com um *scarpin* também preto e um colar que valorizava o decote. Coloquei algum dinheiro e os documentos dentro da *Clutch* prateada e voltei ao espelho para conferir pela última vez o resultado antes de sair.

— Devo esperar que a senhora retorne para servir o jantar? — a empregada interpelou ao ver-me descendo a escada, toda produzida.

— Não será preciso, Jessy. Eu não tenho hora para voltar — respondi, cruzando a sala e me dirigindo para a garagem. — Talvez passe a noite fora ou volte de madrugada.

Entrei no carro e acionei o som. Um pouco de música me ajudaria a controlar a ansiedade e o nervosismo. Dei a partida e em poucos minutos estava na avenida central, cruzando a cidade em direção à minha grande aventura de menina travessa.

O que o Senhor F pensaria se me visse agora?

Sorri diante da ideia absurda.

Capítulo 25

Senhora V

Passava um pouco das oito, quando estacionei em frente ao endereço indicado: uma construção elegante, de três pavimentos, em um bairro residencial.

Da rua era possível ver um pequeno movimento de homens e mulheres, todos bem vestidos, caminhando discretamente em direção à entrada principal da casa. E havia um manobrista para os carros. Tudo muito normal.

Voltei a acionar o motor e cruzei o portão, contornando o jardim até me aproximar do manobrista. Entreguei a chave para ele ao sair do carro e já ia seguindo para a porta, por onde vi as outras pessoas entrarem, quando lembrei que não havia pegado a máscara.

— Espere! — chamei, elevando a voz. O homem, que já havia assumido o volante, olhou-me assustado. — Esqueci uma coisa — enfiei a cabeça através da janela aberta e me estiquei para alcançar o porta-luvas, retirando a máscara de dentro dele. — Era só isso. Obrigada!

Coloquei a máscara e refiz o caminho até a entrada da casa, dirigindo-me ao segurança que guardava a porta.

— Boa noite! Sou convidada da...

Interrompi a frase imediatamente, ao notar a expressão brava do homem à minha frente. Não havia dúvida de que ele estava a ponto de me expulsar dali.

Lembrei-me da instrução que recebi junto com a máscara e consegui consertar a tempo.

— O dia está tão quente!

Suas feições se suavizaram e ele respondeu:

— Seja bem-vinda, senhora! — Com um movimento discreto, liberou o acesso, permitindo minha entrada.

Cruzei o hall de paredes claras, decorado com flores e algumas telas, que se encontrava totalmente vazio, e segui para uma porta entreaberta, mais adiante. Lá dentro, o ambiente transpirava sofisticação.

O som provinha de algum lugar que eu não podia ver, certamente produzido por um DJ, que enchia o ambiente com músicas modernas, fazendo com que alguns poucos aventureiros dessem os primeiros passos em uma pista de dança improvisada no centro da sala. Luzes piscavam sobre um tapete que as refletia e demarcava a área, incentivando as pessoas a dançar.

Qualquer um que entrasse ali pensaria se tratar de uma festa normal, organizada para receber pessoas da sociedade, não fosse pelas máscaras que todos, sem exceção, usavam. Inclusive os que estavam lá a trabalho, como o garçom que se aproximou com uma bandeja de canapés e o barman que preparava bebidas em um balcão posicionado à esquerda.

Recusei o aperitivo e segui em direção ao bar, onde algumas pessoas conversavam animadas. Olhei ao redor, tentando identificar algum rosto conhecido, mais precisamente o da Senhora J, mas ela não estava em parte alguma.

Talvez não tenha chegado ainda.

Fiz sinal para o homem atrás do balcão, mas ele me ignorou. Aguardei, enquanto ele servia uma dose de uísque para o homem ao meu lado e tentei novamente. De novo, ele ignorou meu gesto na tentativa de chamar sua atenção.

— Deixe-me ajudá-la — disse o homem ao meu lado. — O que gostaria de beber?

— Um espumante ou uma taça de vinho seria ótimo!

Ele chamou o *barman* com um assovio curto e no mesmo instante o homem se aproximou.

— Sirva uma taça de champanhe para a senhorita.

— Senhora — corrigi.

— Bem, não faz diferença, não é mesmo?

— Não — sorri. — Acho que não.

Quando o *barman* regressou e me entregou a taça, percebi que seu olhar era vago, não se fixava em mim. Na verdade, não se fixava em nada.

Olhei para o homem ao meu lado, que também usava uma máscara negra que cobria metade de seu rosto e revelava um par de brilhantes olhos verdes, e perguntei surpresa:

— Ele é...?

— Cego? Sim, completamente. Assim como todos os outros que trabalham para *nós* — ele acompanhou a última palavra com um gesto do indicador, apontando para mim e para ele próprio. — Com exceção, é claro, do segurança lá fora.

— E ele não sabe o que se passa aqui dentro?

— Provavelmente sim, ou desconfia, quem pode ter certeza? Mas é muito bem remunerado para fingir que não sabe e duvido que ele esteja disposto a abrir mão da vultosa soma extra em seus rendimentos mensais — ele sorriu e o movimento dos lábios o deixou ainda mais sedutor. — É sua primeira vez?

— É tão evidente assim?

— Sim, mas não se preocupe. Todos aqui tiveram sua primeira vez. Logo você se acostuma. Venha! — ele disse, retirando a taça de minha mão. — Vamos dançar. Deixe-me fazer as honras da casa.

Passamos por uma mesa pequena, onde duas mulheres se beijavam e iniciavam uma troca de carícias, e seguimos para a pista, que agora tinha um número considerável de pessoas dançando.

Algum tempo depois, a música, que antes era agitada, se tornou mais lenta e sedutora. Os poucos que ainda restavam na pista uniram-se em pares.

O *Senhor P* — meu novo amigo — puxou delicadamente minha mão e envolveu minha cintura, colando meu corpo ao seu de forma sensual. E começamos a nos mover. Dançamos duas, três músicas, até sermos interrompidos.

— Ah! Então, você está aqui? Pensei que não o veria essa noite.

A jovem ruiva, de cabelo curto estilo Chanel e rosto de boneca, sorriu ao tocar no ombro do Senhor P. Imediatamente, ele se virou, sem soltar minha cintura, e a cumprimentou.

— E eu pensando que você já estava lá em cima — ele a puxou para si e depositou um selinho em seus lábios.

— Hoje quero apenas apreciar. Eu acho — ela completou rindo. — Ao menos, até que alguém me faça mudar de ideia. Nunca se sabe, não é mesmo? Mas vejo que você já arranjou companhia — disse, sorrindo para mim.

— É a primeira vez dela e você sabe como estamos precisando de novos rostos por aqui — ele seguiu em tom de brincadeira. — Achei melhor servir de cicerone para garantir que ela queira voltar.

— Ele pode até parecer um cretino, metido e esnobe — a ruiva riu e sua risada era contagiante —, mas posso garantir que você está em ótimas mãos. Não poderia ter arranjado alguém melhor para essa tarefa. Então, divirta-se! Talvez nos encontremos mais tarde — ela se despediu com um aceno e se afastou.

— Quem é ela? — perguntei interessada.

— Uma amiga. Está aqui há algum tempo, quase tanto quanto eu.

— Ela não vai ficar chateada por eu roubá-lo essa noite?

Ele riu.

— Claro que não! Primeira lição: aqui não temos esse tipo de regras, nos reunimos para nos divertir, com quem quisermos e da forma que quisermos. E não necessariamente atuando. Entende?

— Acho que sim.

Então, ele girou meu corpo lentamente e me posicionou de costas para si, mas manteve os braços em torno de minha cintura, enquanto voltava a nos mover no ritmo suave da música.

— Olhe ao nosso redor. Admire a transformação que ocorreu enquanto dançávamos.

Corri os olhos pela sala, antes movimentada. Mas agora, a maioria das pessoas tinha sumido e as poucas que restaram estavam entregues a jogos particulares de prazer. Em duplas ou em grupos, não fazia diferença, todos estavam em busca da mesma coisa.

— Está vendo? — ele perguntou, sussurrando sua voz rouca em meu ouvido. — São lindos, não acha? — e apontou para uma mulher reclinada sobre uma das mesas, completamente nua, enquanto o homem de terno escuro, sentado à sua frente, deliciava-se entre carícias e lambidas por suas pernas.

Continuamos a nos mover, numa dança cada vez mais lenta. Eu estava hipnotizada pela cena que se desenrolava tão próxima de nós.

Com um movimento, o homem agarrou-a pela cintura e a arrastou sobre a mesa, fazendo com que o quadril da mulher ficasse bem próximo ao seu rosto, e ergueu as pernas dela, colocando-as sobre seus ombros. A música abafava os sons mais distantes, mas não me impedia de ouvir os gemidos que ela emitia, enquanto ele a chupava.

Desviei o olhar com uma inédita sensação crescendo dentro de mim. Algo entre fascinada e envergonhada.

As mãos do Senhor P deslizaram por meus braços e ombros até meu rosto, inclinando-o lentamente para os lados, de forma a fazer-me correr os olhos por toda a sala. E em todos os cantos as cenas eram carregadas de erotismo.

Minha atenção foi capturada por um trio do outro lado do cômodo. Ao perceber, o Senhor P deteve o movimento, permitindo que eu assistisse um pouco mais.

De pé, outro homem se livrava da gravata, enquanto uma morena muito bonita se ajoelhava aos seus pés e abria o zíper de sua calça. Outra mulher o abraçou por trás, inclinando seu rosto para beijá-lo. Ele não ofereceu resistência e se entregou ao beijo, enquanto a morena dava as primeiras lambidas ao longo de seu pênis.

— Quer continuar aqui ou prefere ver o que acontece no resto da casa? — a voz do Senhor P me tirou do transe.

— Acho que quero conhecer o resto — respondi, incerta.

— Então, venha comigo! — Ele me virou novamente para si e me conduziu para fora da sala.

Subimos uma escada larga, com degraus de mármore e caminhamos de mãos dados por um corredor. Algumas portas estavam fechadas e P explicou que, nesse caso, não deveríamos abri-las. Era uma regra que garantia a privacidade daqueles que não queriam plateia.

Paramos em frente a uma porta que estava parcialmente aberta. Segundo P, ela indicava que seríamos bem-vindos, mas apenas como espectadores. Lá dentro, dois homens, um de aproximadamente quarenta anos e outro um pouco mais jovem, trocavam carícias íntimas. Estavam complemente nus, seus corpos exibiam músculos sobressaltados pelos gestos e movimentos. E suas respirações, ofegantes.

Havia algo de fascinante na imagem daqueles dois corpos masculinos em pleno ato sexual. Algo que prendia minha atenção, impedindo que desviasse o olhar.

P tocou de leve em meu ombro e meneou a cabeça, indicando que devíamos prosseguir. Aquiesci em silêncio.

Seguimos pelo corredor até a próxima porta. Essa estava escancarada.

— Se sentir vontade, pode tocá-los ou mesmo juntar-se a eles. A porta aberta indica consentimento para interagir — P murmurava as instruções em meu ouvido e quando o fazia, sua respiração em meu pescoço, somada a cena à minha frente, deixava-me arrepiada.

— Que orgulho da minha putinha! — exclamou o homem de pé dentro do quarto para a mulher que acabara de chupá-lo. — Você foi muito dedicada. Agora vou lhe compensar. — E ao dizer isso, a ergueu, fazendo com que as pernas dela enlaçassem seu tronco. Cravou os dedos em suas nádegas, sustentando seu peso, e então a penetrou.

Agarrado ao seu quadril, ele a movia para cima e para baixo, fazendo com que seu pênis arremetesse para dentro dela, que gemia a cada nova estocada. A pressão de suas mãos deixava marcas de seus dedos na pele alva das nádegas dela.

Assistir aquela cena era muito excitante e foi inevitável sentir a umidade chegar à minúscula calcinha que eu usava.

P também parecia estar gostando e chegou a deslizar as pontas dos dedos, arranhando suavemente minhas costas por cima do tecido fino do vestido, quando o homem a comprimiu de encontro à parede do quarto e colou seus lábios aos dela, urrando, como se estivesse prestes a gozar.

Senti o tesão crescer entre minhas coxas e apertei as pernas, desejando ser eu no lugar daquela mulher.

— Quer ficar aqui? — ele murmurou em meu ouvido, aproveitando a proximidade para mordiscar a pontinha da minha orelha.

— Ainda não — respondi, virando o rosto para encará-lo.

P entendeu o que eu quis dizer: por mais que a cena, que se desenrolava à minha frente, me deixasse extremamente excitada, ainda não me sentia pronta para dividir o sexo plenamente com outros casais.

Sem questionar, ele segurou minha mão e me guiou para fora do quarto.

De volta ao corredor, passamos por outra porta fechada sem nos deter. Os sons provenientes daquele quarto não deixavam dúvidas sobre o que se passava lá dentro.

A porta seguinte também estava aberta, a luz acessa, porém o cômodo se encontrava vazio. P me puxou para dentro, fechando a porta atrás de nós. Encostou-me à parede e sem desviar os olhos dos meus, alcançou o interruptor, reduzindo a intensidade da luz a uma penumbra agradável. Aproximou-se ainda mais e colou nossas bocas.

Enquanto me beijava, suas mãos percorriam a lateral de meu corpo, deixando rastros de fogo por onde passavam.

— Vire-se! — ordenou, falando junto a minha boca, mordiscando meu lábio inferior.

Obedeci, sem hesitar, virando-me de costas para ele. P deslizou as mãos ao longo dos meus braços e os ergueu acima de minha cabeça, deixando minhas mãos espalmadas na parede.

— Fique quietinha — sussurrou, assoprando em meu pescoço, apertando meus seios sobre o tecido do vestido.

Senti quando seus dedos roçaram minha pele buscando o fecho.

— Melhor tirar isso. Não queremos que aconteça algum acidente e você tenha que voltar nua para casa.

P deslizou o zíper até meu quadril e o vestido escorregou, amontoando-se em meus pés. Suas mãos alisaram minhas nádegas e ele se abaixou, deslizando-as por minhas coxas, levando junto a única peça que ainda restava sobre meu corpo. Tocou em meu pé e o ergui, permitindo que me livrasse de vez da calcinha.

Em seguida, ergueu-se e, ao fazê-lo, roçou os lábios em minha bunda. Deteve-se por um momento, entre mordidas e lambidas, e se colocou de pé. Colou seu corpo ao meu e afastou minhas pernas, enquanto voltava a me acariciar.

Com um movimento ágil, virou-me novamente de frente para si, mantendo minhas mãos erguidas sobre a cabeça.

— Não se mova, quero saboreá-la.

Suas mãos envolveram meus seios e logo sua boca estava em um deles, sugando, mordiscando, enquanto apertava o outro mamilo com a ponta dos dedos.

Gemi quando ele o puxou com força, torcendo-o de leve e soltando-o em seguida. Então, passou a lamber o outro também, revezando-se entre os dois. Até que começou a descer por meu abdômen, traçando um caminho úmido com a língua.

Ele afastou um pouco mais as minhas pernas e deslizou um dedo por minha vagina, brincando com os lábios antes de introduzi-lo e movê-lo dentro de mim. Logo, outro dedo se juntou àquele e em pouco tempo já eram três.

Voltei a gemer e baixei os olhos, buscando seu rosto, a tempo de ver o sorriso malicioso que brotou em seus lábios. Os dedos, agora, entravam e saíam num ritmo crescente. Cada vez que P os metia, impunha um pouco mais de força.

Em seguida, pousou a mão livre sobre meu abdômen e com a ajuda dos dedos, expôs a pele rosada de meu clitóris, que saltou oferecido ante seus olhos esfomeados.

Sem parar de mover os dedos para dentro e para fora, P usou a língua para trabalhar meu ponto máximo de prazer. Primeiro, lambendo lentamente, degustando como quem testa o sabor de uma iguaria nobre. Depois, os movimentos ficaram mais rápidos, sua língua roçando de um lado ao outro, de cima a baixo, e ao redor, em movimentos frenéticos.

Eu estava totalmente entregue, minhas reservas todas desarmadas, graças ao tratamento delicioso que ele proporcionava ao meu corpo.

Gemi, contorcendo-me de tesão e, instintivamente, abaixei as mãos, enterrando meus dedos em seus cabelos, agarrando sua cabeça, pressionando-a no ponto exato que meu desejo exigia.

O ato de desobediência me rendeu uma trégua momentânea. Ele parou os movimentos, mas os dedos permaneceram quietos dentro de mim. Olhou para cima, me encarando.

— Não me obrigue a castigá-la.

Recuei, erguendo novamente as mãos, apoiando-as no topo da cabeça. E como para mostrar que falava sério, P repuxou com mais firmeza a pele acima de meu clitóris, fazendo com que ele ficasse ainda mais exposto, e o abocanhou, sugando-o com voracidade.

Senti os primeiros espasmos brotarem em meu útero e logo se espalharem por todo meu corpo. Meus joelhos tremeram. Por um momento, achei que não me sustentariam, mas P manteve a mão firme no lugar, usando o braço como apoio para me suster contra a parede.

Entreguei-me ao gozo, deixando escapar um grito de prazer, sentindo a umidade intensa inundar minha vagina.

P se ergueu e senti a pressão de seu pênis sob a calça que ainda o cobria, comprimindo minha virilha. Passou os dedos em minha vagina molhada e, em seguida, levou-os até meus lábios.

— Sinta o quanto você é deliciosa — murmurou ao introduzir os dedos em minha boca.

Suguei-os, saboreando o gosto de meu gozo, sentindo-me poderosa por arrancar tais palavras daquele homem gostoso.

Ele envolveu minha cintura e colocando-me à sua frente, me conduziu para o centro do quarto, fazendo-me sentar na beira da cama. Afastou meus joelhos, posicionando-se de pé entre eles. Tirou o paletó, jogando-o sobre a cama, desabotoou a calça e abriu o zíper, liberando seu pênis rijo em minha direção.

Inclinei-me para frente, apossando-me dele e P deixou escapar um gemido quando minha mão o enlaçou, iniciando um movimento rítmico de vai e vem.

Quando o trazia para frente, usava a ponta da língua para dar pequenas lambidas na cabeça de seu pênis. Até que o detive e, aos poucos, fiz com que deslizasse para dentro de minha boca.

Comecei a chupá-lo. Primeiro somente a glande, depois tudo o que conseguia engolir. P gemia, possuído pela excitação, alimentada pela visão de seu pau entre meus lábios, enquanto eu o sugava, faminta, sentindo meu clitóris túrgido, ansiando pela hora em que o teria dentro de mim.

Suas mãos seguraram minha cabeça e ele acelerou o movimento, mantendo o ritmo, fazendo-me chupá-lo sem trégua. Achei que ia gozar em minha boca, mas ele parou e se afastou.

Observei, enquanto retirava um envelope de preservativo do bolso e se livrava da camisa.

Lentamente, assisti ele desenrolar a camisinha em seu pênis, um espetáculo que me fez tremer de expectativa pelo que viria a seguir.

— Preciso foder você — ele declarou. — Depois, podemos ir mais devagar, mas agora eu preciso comê-la — e me segurando pelos ombros, fez com que eu deitasse, empurrando-me para o meio da cama.

P ergueu minhas pernas, mantendo-as estiradas, meus tornozelos ao redor de seu pescoço, e me penetrou de uma só vez, enterrando-se inteiro em mim.

Gritei e ele começou a se mover. A cada estocada, quase retirava o pênis, só para enterrá-lo de novo, mais forte a cada movimento.

Apertei a vagina e o senti enrijecer ainda mais, latejando dentro de mim. As veias de seu pescoço saltando ante o esforço. Até que aliviou o ritmo e libertou minhas pernas, retirando o pênis completamente. O vazio, causado pela ausência de seu pênis, deixou-me com uma momentânea sensação de frustração. Mas não durou muito. Logo ele me segurou pelas mãos, erguendo-me da cama. Fez com que me virasse, ficando de joelhos, a bunda empinada em sua direção. Enlaçou minha cintura e com a outra mão, posicionou o pênis, me penetrando novamente. Então, agarrou meu cabelo e voltou a estocar forte, enquanto soprava baixarias deliciosas ao meu ouvido sobre como era gostoso me foder. E continuou nesse ritmo até chegar sua vez de gozar.

P arremeteu com mais força e empinei o corpo para trás, acomodando-o. Sabia que ele estava quase lá. Soltou um grunhido gutural, largou meu cabelo e se agarrou com as duas mãos ao meu quadril, enterrando os dedos em minha pele.

Levei alguns segundos para deixar meu corpo desabar sobre a cama e ele caiu sobre mim, girando-me para que ficássemos de frente uma para o outro. Foi então que reparei que o verde de seus olhos tinha adquirido um tom mais escuro e eles brilhavam na penumbra do quarto.

Capítulo 26

Senhora V

— Tem certeza de que não quer ficar mais um pouco?

— Não posso, preciso ir — respondi, recolhendo o vestido que havia ficado no chão, perto da porta.

Aproveitei para dar uma boa olhada em P, que permanecia relaxado sobre a cama. O corpo atlético, completamente nu, exibindo os músculos bem definidos, nos quais, até há pouco, eu me perdia.

— Espero encontrá-la de novo por aqui — ele disse, levantando-se.

— Eu também — respondi.

Era estranho! Eu deveria me sentir constrangida ou arrependida, talvez. Tinha acabado de fazer sexo com um completo desconhecido e ainda confessava que queria mais. Mas nenhum sentimento, sequer parecido com esses, assaltava-me. Na verdade, minha única preocupação agora era ser aceita na *Sociedade*, para poder continuar desfrutando da liberdade que ela oferecia.

— Deixe eu fazer isso para você — P interrompeu meu pensamento, seus dedos ágeis roçando minha pele ao subir o zíper do vestido.

— Obrigada!

E antes que eu pudesse formular uma despedida, ele virou-me, enterrando os dedos em meu cabelo sobre a nuca, e se apoderou de meus lábios, em um beijo tão devastador que quase me fez mudar de ideia.

— Até a próxima! — disse, ao descolar nossas bocas e se afastar.

— Até! — respondi.

Ele se abaixou, pegando minha *Clutch* no chão e a depositou em minha mão. Virei-me para a porta quando ele a abriu e saí, deixando-o no quarto.

A brisa fresca da noite moveu meu cabelo ao sair para o jardim. Acenei para o manobrista, que em poucos minutos trouxe meu carro.

Entrei, assumindo o volante. Liguei o som e deixei a voz de Ariana Grande, cantando *Dangerous Woman*, me embalar. Aumentei o volume ao me afastar da casa e cantei junto com ela, porque era exatamente assim que eu me sentia.

Eu sei o que estou fazendo
O jeito como nos movemos
Estamos sendo introduzidos a algo novo

Tudo que você tem
Pele com pele
Não pare, garoto!

Algo em você
Faz eu me sentir uma mulher perigosa

Algo em você
Me leva a fazer coisas que eu não deveria

Todas as garotas querem ser assim
Meninas más, lá no fundo...

— E então? Você foi? — a Senhora J perguntou, sem disfarçar a curiosidade.

Puxei-a para o canto e respondi, baixando o tom da voz:

— Sim! Pensei que a encontraria lá. Não disse que ia ao cabeleireiro? O que aconteceu?

— Não podia, é proibido. Quando convidamos alguém para se tornar um novo membro, não podemos estar presentes na festa. É para não inibir o convidado, entende? — ela confidenciou. — Mas quero saber tudo. Conte-me! O que achou?

— Aqui não! — sussurrei. — Vamos beber alguma coisa fora da academia. Estou quase terminando, por hoje. E você?

— Ainda tenho uma série agendada com o Juan.

— O novo *personal*?

— Ele mesmo! Mas posso cancelar. Vou dizer que não estou me sentindo muito bem e espero por você lá no estacionamento.

— Quinze minutos então.

— Ok!

Queria fazer uma aula de *spinning*, mas isso podia ficar para depois. Recolhi a squeeze e a toalha, e segui para o vestiário. Tomei uma ducha rápida, me vesti e fui ao encontro de J.

— Por favor, pare com esse suspense. Está me matando! Diga logo, como foi lá? Você...

— Sim! E foi incrível. A princípio, senti-me deslocada, cheguei a pensar em desistir. Mas então...

Contei para J tudo que vi durante a festa e também o que fiz. Falei sobre P e tive esperança de conseguir alguma informação sobre ele, mas ao que tudo indicava J não o conhecia. Ou não queria comentar sobre um membro com quem já tivesse se relacionado. Era uma possibilidade.

De fato, isso não importava, desde que eu pudesse voltar.

— Preciso saber o que devo fazer agora.

— Não há nada a fazer. Apenas, espere.

— E como saberei se fui aceita? — perguntei, revelando minha ansiedade.

— Do mesmo modo que recebeu o convite — ela declarou. — Agora, preciso ir. Ainda tenho que passar no shopping para buscar uma encomenda antes de ir para casa.

Quatro dias depois e minha vida tinha voltado à rotina de antes. Tudo exatamente igual. E não havia recebido nenhuma notícia da Sociedade. Nada! Era como se aquela noite não tivesse existido. Como se fosse um sonho, algo irreal que jamais se repetiria.

— Notícias de Cris? — a voz do *Senhor F* me sobressaltou.

Tinha esquecido de que estava parada à porta do escritório, observando-o reclinado sobre a mesa, com uma pilha de papéis, enquanto analisava algo em seu computador.

Estava tão distraída que não percebi que ele havia desviado a atenção do monitor à sua frente, ou mesmo que havia notado minha presença.

— Ele retorna amanhã — respondi.

— Bom! Preciso dele para a competição de velas entre pais e filhos, no próximo fim de semana. Não posso competir sem ele.

— Ele estará aqui e tenho certeza que também está ansioso para competir ao seu lado. Sabe o quanto ele gosta de velejar.

— Verdade — ele disse, voltando a se concentrar na tela do computador.

A breve conversa estava encerrada.

Virei-me e me afastei em direção à cozinha. Precisava passar algumas instruções para Jessy. Queria preparar um cardápio caloroso para receber Cris, após tantos dias de ausência. Encontrei-a na área de serviço, separando algumas peças de roupa para colocar na máquina. Pedi que fizesse o prato preferido de Cris para o jantar da noite seguinte e também uma torta de nozes. A preferida dele.

Deixei-a com seu trabalho e saí para o jardim. Circulei a piscina e ocupei uma das cadeiras à sombra. Era fim de tarde e o sol começava a se pôr.

O celular, no bolso do meu jeans, parecia em brasa, mas era minha ansiedade por notícias que o fazia queimar sob o tecido. Retirei o aparelho do bolso e pela milésima vez nos últimos dois dias, busquei o número misterioso que havia me levado ao convite para a festa da *Sociedade*.

Visualizei os números, agora tão familiares e, mais uma vez, pensei em acionar a chamada.

Que mal poderia haver? Talvez conseguisse alguma informação sobre minha aprovação.

O mais provável é que recebesse a notícia de que fui recusada, já que ninguém havia me contatado.

Decidi pôr um fim naquela ansiedade e apertei a tecla, fazendo a chamada.

Um toque...

Dois...

Ao terceiro toque, ouvi uma gravação eletrônica da companhia telefônica, informando que era impossível completar a ligação para o número discado.

Por um momento, fiquei confusa. Conferi o número mais uma vez e voltei a chamar. A voz metálica da gravação repetiu a mensagem. O número estava desligado, definitivamente. Ele era meu único elo com a *Sociedade* e agora, não existia mais.

Uma frustração crescente me dominou.

Aquilo não podia ser verdade! Precisava encontrar a Senhora J e tentar descobrir o que tinha acontecido. Com certeza, ela teria uma boa explicação para isso. Talvez, até tivesse um novo número para me passar.

Voltei a guardar o aparelho no bolso e olhei para o alto. As primeiras estrelas começavam a surgir, fracas em meio ao céu ainda claro demais para destacá-las.

Naquela noite, sonhei com P e o quarto que ocupamos na *festa*. Foi um sonho rico em detalhes e sensações, tão real que acordei no meio da madrugada, ansiando por senti-lo dentro de mim.

No dia seguinte, procurei a Senhora J na academia e para minha infelicidade, descobri que ela havia viajado para Nova Iorque em companhia do marido. Uma amiga em comum mencionou algo sobre uma conferência na qual o marido de J faria uma palestra e que decidiram permanecer na cidade por mais alguns dias.

O resto da frase se perdeu em meio à frustração que me dominou. Senti-me ludibriada pelo destino, que fazia com que J se ausentasse justo agora. Ela era meu único vínculo real com a *Sociedade* e sua ausência reforçava a sensação de que tudo não havia passado de uma ilusão.

Pensei em ligar para ela, mas desisti da ideia. Aquele não era um assunto que pudesse ser tratado ao telefone. Porém, eu não era mulher de me entregar ao sentimento de impotência.

Decidida, deixei a academia e peguei a autoestrada em direção à saída da cidade. Quase trinta minutos depois, alcancei a rua residencial na qual estive há algumas noites.

Reduzi a velocidade ao me aproximar da casa. Não sabia exatamente o que fazer, caso avistasse alguém. Pretendia passar devagar e observar, tentar descobrir se havia algum vestígio da *Sociedade*. Só então, eu pensaria em uma forma de me aproximar.

Pisei bruscamente no freio e o carro cedeu ao comando, parando bem em frente ao enorme portão, agora trancado. No lado de dentro, cravada no gramado que antecedia os jardins, uma grande placa de madeira anunciava que a casa estava à venda.

Aquilo só podia ser uma brincadeira de mau gosto! Por algum motivo que eu não compreendia, alguém havia me pregado uma peça.

Dei partida no carro e voltei para casa, determinada a aproveitar o fim de semana com meu filho e esquecer de vez aquela história de *Sociedade Secreta*.

Capítulo 27

Senhora V

Cris chegou pouco depois das sete. Ajudei-o a desfazer a mochila que havia levado para o acampamento e aguardei, enquanto ele tomava um banho para, então, jantarmos.

Apesar da alegria de tê-lo de volta em casa e do esforço em não pensar mais sobre o que havia acontecido, sentia-me dispersa, mais quieta do que o normal.

— Mamãe está tão introspectiva! — ele declarou, à mesa.

— Essa é uma palavra nova — o Senhor F surpreendeu-se. Ergui os olhos da taça de vinho à minha frente, dando-me conta de que sequer tinha tocado na comida. — Quando a aprendeu?

— Sei lá! — Cris respondeu com o ar petulante característico da idade. E então, emendou: — O que houve? Por caso, vocês brigaram?

— Não, querido! Só estou com um pouco de dor cabeça. Nada demais. Tenho certeza que amanhã estarei bem.

— Se não se sente bem, talvez seja melhor deixar o vinho de lado e se recolher mais cedo — o Senhor F sugeriu, estendendo o braço para tocar de leve minha mão sobre a mesa.

— Tem razão, é isso que farei — respondi, permitindo o singelo afago por alguns segundos antes de retirar discretamente a mão. —

Mas antes, que tal comermos a sobremesa? — dirigi-me à Cris. — Jessy fez aquela torta que você adora!

Na manhã de sábado, nos reunimos na beira do lago para a competição de velas. Cris estava eufórico com a possibilidade de velejar ao lado do pai e F não escondia o orgulho que sentia, principalmente por saber que tinham chances reais de conquistar uma das primeiras posições.

— Não quero que se sinta pressionado. Se chegarmos entre os cinco primeiros já ficarei muito satisfeito — ele disse. — Mas acho que com um pouco de esforço podemos levar um troféu para casa. O que me diz? — deu um tapinha no ombro de Cris, que ficou ainda mais animado.

— Isso vai ser moleza, pai!

— Ei! Vocês dois. Não acham que deviam diminuir um pouco a expectativa? — sorri e pisquei para F, que afagou a cabeça de Cris ao dizer:

— Acho que sua mãe não está botando muita fé em nós. Vamos mostrar a ela do que somos capazes!

Depois da competição, fomos até o *Persimmons Waterfront Restaurant*. Cris e o Senhor F estavam esfuziantes, pois tinham conseguido o segundo lugar, o que, certamente, era digno de uma comemoração. E ela veio em forma de um almoço em família, com direito aos caranguejos frescos que ele tanto gostava e a exibição do troféu, que permaneceu em cima da mesa durante toda a refeição.

Ao retornarmos para casa, Jessy me recebeu com uma notícia inesperada:

— Chegou uma encomenda para a senhora, enquanto esteve fora.

— Encomenda?!

— Sim, coloquei em seu quarto.

Tentei não parecer muito ansiosa, mas não pude deixar de pensar que a *encomenda,* talvez, tivesse relação com a *Sociedade*.

Dediquei alguns minutos de atenção à Cris e logo que possível me retirei para o quarto, com a desculpa de que precisava descansar um pouco, após toda a agitação da manhã. Tranquei a porta para ter certeza de que não seria interrompida e peguei o pacote que Jessy havia deixado sobre a penteadeira, ao lado da caixa de maquiagem.

Era pequeno e estava embalado de tal forma que para abri-lo seria necessário romper o papel que o envolvia.

Peguei a tesoura sobre a bancada e cortei com cuidado para não danificar qualquer que fosse o conteúdo. E para minha surpresa, uma *Tiffany Blue Box* se revelou em minhas mãos.

Desfiz o laço com dedos trêmulos, custando a acreditar no que minha mente insistia em dizer. Retirei a tampa e a vislumbrei.

Reluzindo, confortavelmente acomodada no fundo da caixinha, estava a delicada chave, confeccionada em ouro, que representava meu ingresso definitivo ao mundo da *Sociedade*. Embaixo dela, um pequeno cartão com uma mensagem sem assinatura:

Congratulações!
Você foi aceita na Sociedade Secreta.
Em breve entraremos em contato, informando o local
e a data da próxima reunião.

Por alguns minutos fiquei apenas olhando, ainda sem acreditar que ela estava mesmo ali ao alcance de minhas mãos. Até que ousei tocá-la.

Retirei o pequeno objeto da caixa e o depositei na palma da mão. Reparei que no alto, acima do designe que lembrava pétalas de uma flor, havia um orifício. Na certa, foi projetado para dar passagem a uma corrente, caso desejasse usá-la como pingente da forma que fazia a Senhora J. Fiquei tentada, mas achei melhor não abusar da sorte, ao menos por enquanto.

Guardei-a novamente, ocultando a caixa no fundo de uma gaveta. Precisava pensar na melhor forma de usá-la sem despertar a atenção do *Senhor F* para a joia.

Conforme prometido, uma semana depois recebi a mensagem informando o local da próxima reunião da *Sociedade.* Ainda não tinha decidido o que fazer com a chave, mas sabia que de agora em diante precisaria dela para ter acesso aos encontros do grupo.

Abri o pequeno cofre particular que mantinha em meu quarto e retirei as duas caixas de joias, despejando seu conteúdo sobre a cama. Ela estava ali, em alguma parte, esquecida após tantos anos, mas serviria perfeitamente ao meu propósito.

Remexi nos objetos, separando algumas peças, até que a encontrei. A pulseira de elos largos trazia vários pingentes atados a ela, alguns adornados com minúsculos brilhantes e outros, maiores, em ouro puro. A chave ficaria perfeita! Duvidava que F se lembrasse daquela pulseira ou das peças que ela continha.

Guardei novamente as joias nas caixas e devolvi tudo ao cofre. Agora só precisava encontrar o vestido ideal para a ocasião.

Será que P estaria lá?

Esperava que sim, pois estava ansiosa para encontrá-lo de novo.

Capítulo 28

Senhora V

Era pouco mais de oito da noite quando cheguei ao endereço indicado na mensagem. Ao contrário do que eu esperava o local não era uma residência, mas um restaurante, que ocupava um prédio de dois andares em um bairro elegante, afastado do centro.

Ajustei minha máscara ao rosto — a mesma que havia recebido para usar durante a festa —, mostrei a chave para o segurança que estava na porta e entrei.

O mais estranho é que, pelo que me lembro, o restaurante havia sido fechado há alguns meses para reforma. Agora, parecia completamente novo. Havia ganhado uma decoração sofisticada que combinava com a iluminação harmoniosa, ressaltando algumas áreas e deixando outras na penumbra.

Não me lembrava de ter ouvido nada a respeito da reinauguração. Quando terá acontecido?

Olhei ao redor, tentando avistar alguém conhecido. Não que eu tivesse muitas opções, já que minha lista de *amigos* na *Sociedade* se resumia a três pessoas: J, P e a ruiva simpática que nos abordou enquanto dançávamos. Enfim, nenhum deles se encontrava à vista.

Sendo assim, dirigi-me até o balcão do bar para pegar uma bebida e aguardar até descobrir o que a noite me reservava.

Estava distraída, observando o ambiente, quando ouvi aquela voz inconfundível soar atrás de mim.

— É bom vê-la novamente por aqui!

P deslizou os dedos suavemente em minha pele, descendo desde o ombro até o cotovelo e passou o braço ao redor da minha cintura, aproximando-me de seu corpo.

Virei-me para olhá-lo, ficando frente a frente com ele.

— Bem, parece que agora sou oficialmente parte do clube — respondi, exibindo satisfeita minha pequena chave dourada, que trazia pendurada à pulseira.

— Fico feliz que tenha conseguido — ele declarou com um sorriso malicioso, cheio de promessas deliciosas. — O que está bebendo? — perguntou quando o garçom se aproximou, depositando um copo à minha frente.

— Um *Cosmopolitan* — respondi, preparando-me para pegar o drink.

— Isso não combina com a ocasião — ele disse —, nem com você — completou, sussurrando em meu ouvido. — Leve de volta e traga champanhe para nós. Vamos comemorar! — ordenou, dispensando o garçom.

Olhei fixamente para ele, tentando resistir ao desejo de morder seu lábio e provar novamente seu gosto. Ele retribuiu, olhando-me intensamente, mas achei melhor me segurar um pouco. Afinal, ainda não tinha certeza se P pretendia passar a noite comigo. Talvez tivesse outros planos.

— Mas... e se eu preferir o *Cosmopolitan*? — perguntei, atrevida. Não tinha reparado que o garçom havia voltado logo em seguida com uma garrafa de champanhe aberta e estava enchendo duas taças.

— Estou certo de que vai gostar mais disso — P declarou, pegando uma das taças e sorvendo um gole.

Em seguida, deu outro gole e se aproximou de minha boca. Então, beijou-me, despejando o espumante gelado, que se misturou ao beijo.

É claro que eu engoli! E não teria parado de beijá-lo se uma parte do líquido não tivesse escapado e escorrido por meu queixo, descendo por entre os seios pelo decote do vestido frente única.

P se afastou apenas o suficiente para traçar com a ponta do dedo o tecido vermelho ao redor do decote. Inesperadamente, abaixou a cabeça e deslizou a língua entre meus seios, lambendo o caminho molhado pela bebida. Quando ergueu a cabeça, pegou uma das taças sobre o balcão e depositou em minha mão, tomando a outra taça para si e também a garrafa. E com a mão apoiada em minhas costas, conduziu-me para longe do bar.

Reparei que algumas mesas ainda estavam vazias, apesar de a maioria já estar ocupada por casais de vários tipos — homos e héteros — e grupos descontraídos, que bebiam e conversavam. Pensei que fôssemos ocupar uma delas, mas ao invés disso ele me guiou até a escada que dava acesso ao segundo andar.

— Acho que vai gostar mais lá de cima — explicou, ao notar meu olhar questionador.

— O que tem lá em cima? — perguntei, rendendo-me a curiosidade. Imaginando se haveria alguma pista de dança ou algo assim.

— Você vai ver — ele respondeu simplesmente.

Subi o lance de degraus com P à minhas costas. Não havia pista de dança, mas o segundo andar era bem mais agradável, com mesas de madeira ladeadas por confortáveis poltronas de couro, divididas em alcovas separadas por cortinas vermelhas que lembravam a decoração do *Restaurante Mystery Cuisine*, de Paris.

— Tem razão — murmurei.

— Sobre o quê? — ele perguntou, depositando a garrafa de champanhe sobre uma das mesas.

— Você disse que eu gostaria mais daqui. Estava certo.

— Quer comer alguma coisa? Podemos pedir...

— Não, obrigada! Não estou com fome — respondi.

— Não? — ele questionou, enlaçando-me pela cintura, colando seu corpo ao meu de forma sensual. — Tem certeza?

— Te... tenho — respondi gaguejando, enquanto ele levava as mãos até a altura de minhas nádegas, pressionando-as, fazendo com que o tecido vaporoso e levemente transparente que compunha a saia curta do vestido, roçasse em minha pele.

— Não vamos fechar a cortina? — consegui perguntar.

— Hoje não — ele anunciou. — Faz alguma objeção? — perguntou, sussurrando junto ao meu pescoço.

Claro que não! Minha mente respondeu, dando pulinhos de excitação, mas mantive a boca fechada. E em resposta a sua pergunta, ergui os braços envolvendo seu pescoço e o beijei.

Ficamos assim por um tempo, abraçados, nos devorando com beijos, até que senti as mãos de P deslizarem em minhas costas nuas. Quando alcançou meu pescoço, seus dedos hábeis soltaram o botão que prendia a parte de cima do vestido e o tecido que formava a frente única cedeu, deixando meus seios à mostra.

P os acariciou e, em seguida, levou a boca até um deles, sugando e mordiscando o mamilo, enquanto inseria a outra mão por baixo da minha saia, procurando a calcinha. E quando não a encontrou ergueu a cabeça, parando o que estava fazendo e me apertando ainda mais contra si.

— Você está sem calcinha?!

— Não dava para usar, estava marcando o vestido — respondi, provocando-o.

— Não devia fazer isso, *Senhora V*. Pode deixar um homem louco, sabia?

E dizendo isso, ergueu-me, colocando-me deitada sobre a mesa. O movimento fez com que a saia levantasse. O vestido agora se resumia a um amontoado de pano, que se espalhava abaixo dos meus seios e cobria apenas minha barriga e parte do quadril.

P puxou uma das poltronas para junto da mesa, sentando-se nela, e elevou ainda mais o tecido. Apoiou meus pés nos braços da poltrona, de forma que minhas pernas ficassem abertas e me puxou pelo quadril em sua direção.

Eu sabia o que viria a seguir e quando senti sua língua deslizando em minha vagina soltei um gemido de tesão e me entreguei àquela sensação deliciosa que ele me proporcionava.

Com a língua, ele vasculhou cada pedacinho da minha parte mais íntima, até que alcançou meu clitóris e começou a sugá-lo, arrancando-me gemidos ainda mais altos.

Logo, seus dedos acompanharam a ação, penetrando-me e intensificando ainda mais meu prazer.

Agarrei as bordas da mesa e o gozo veio rápido, fazendo meu corpo tremer e minha vagina convulsionar em sua boca. E quando ele, finalmente, a liberou, tentei me erguer para tocá-lo também.

Levei as mãos até ele, só pensava em alcançar suas roupas e tirá-las. Queria sentir outra vez o gosto de seu pênis, tê-lo por inteiro em minha boca, saboreá-lo. Mas P não me deu chance. Empurrou-me de volta à mesa, puxando minhas pernas, enquanto se levantava. Desceu o zíper da calça e em fração de segundos colocou um preservativo.

— Nada disso — ele disse —, não antes de eu ensiná-la o que acontece quando uma mulher gostosa sai por aí sem calcinha para provocar um homem.

Ri com vontade daquela declaração, deliciando-me ao ver que tinha conseguido atingir meu objetivo. Mas logo o riso foi substituído por um gemido, quando senti seu pênis grosso irrompendo dentro de mim.

Não ofereci nenhuma resistência quando ele começou a se mover agarrado ao meu quadril, arremetendo como um predador. Arqueei o quadril, pedindo por mais e ele não me negou.

Desde a primeira vez, soube que P poderia me comer de qualquer maneira, rápido, devagar ou com força, mas seria sempre uma experiência muito prazerosa.

Ele me ergueu novamente, colocando-me de pé com uma das pernas sobre a poltrona e o corpo levemente inclinado para frente. Posicionou-se atrás de mim e voltou a me penetrar com voracidade. Apoiei as mãos na mesa, buscando me equilibrar, mas ele me trouxe de volta, mantendo-me junto ao seu peito enquanto me comia.

Estávamos embalados pelo ritmo alucinante que ele impunha, quando percebi que outro casal havia se aproximado e nos admirava bem de perto.

A sensação de prazer, ao saber que estava sendo observada, fez minha excitação crescer a tal ponto que me senti completamente perdida. Sabia que, a partir daquele ponto, não tinha mais volta: cada vez seria mais intenso e eu iria muito além do que poderia supor.

— Ela é tão linda! Não acha? — O homem que assistia comentou, dirigindo-se à sua companheira.

A mulher acenou um sim com a cabeça e olhou para P, como se pedisse autorização para me tocar. Inclinei a cabeça para trás, buscando também por seu olhar, enquanto ele continuava a se mover dentro de mim, reduzindo um pouco a velocidade de suas estocadas.

Ele me encarou por um segundo e nada precisei dizer. Não era necessário, sabia que P entenderia. Vi o leve movimento que ele fez em direção a ela e, em seguida, senti os dedos femininos e macios tocarem em meu seio. Um após o outro, ela os acariciou, enquanto P voltava a me comer com a mesma intensidade de antes, talvez mais.

Meu corpo sacudia, apoiado entre o dele e o da mulher à minha frente, quando ela deslizou a mão por meu ventre, alcançando minha vagina. Então, começou a massagear meu clitóris.

— Feche os olhos — ouvi P sussurrar atrás de mim.

Obedeci e me entreguei de vez ao prazer, contraindo ainda mais a vagina para sentir todo o poder de seu pênis, enquanto ela me masturbava.

De repente, dedos masculinos se apossaram de meu mamilo, apertando-os, instigando-me ainda mais. Não contive o grito, ao gozar pela segunda vez naquela noite.

Ao abrir novamente os olhos, descobri que os dedos pertenciam ao outro homem, que agora estava de pé ao nosso lado. Ele sugou meu seio por um tempo e inclinou a cabeça em minha direção, beijando-me e voltando a bolinar meu mamilo.

Quando o beijo foi interrompido, senti os dedos de P se cravarem em minha pele e, em seguida, um puxão que levou meu quadril para trás, enterrando seu pênis ainda mais fundo dentro de mim e fazendo com que a mulher parasse de acariciar meu clitóris.

Tombei para frente, apoiando as duas mãos sobre a mesa e me preparei para receber seu gozo, que veio acompanhado de um urro gutural.

Quando P me ergueu, vi que o outro casal havia se afastado. Na certa, buscando outro recanto onde a ação estivesse apenas começando e pudessem participar mais ativamente. Reclinei minha cabeça em seu peito, ainda de costas para ele e P virou meu rosto, apossando-se de minha boca.

— Você esteve maravilhosa! — disse após o beijo, sentando-se e me fazendo acompanhar seu movimento para sentar em seu colo.

Sorri, sem saber ao certo o que responder, sentindo-me plenamente satisfeita. E voltei a beijá-lo.

Capítulo 29

Senhor F

A *Sociedade* se revelou melhor do que eu esperava. Tornei-me um frequentador assíduo. Não perdia uma reunião, a não ser que estivesse fora da cidade, a trabalho, o que se tornava cada vez mais raro.

Agora, eu tinha mais tempo para dedicar à minha família, já que havia trocado as viagens longas por escapadas quinzenais e quando me ausentava, não passava de um dia ou dois, o que fez com que eu me aproximasse mais de V.

Minha V...

Observei-a deixar a mesa do jantar, cheio de desejo. O vestido simples, de estampa floral, revelava suas pernas bem torneadas e o balanço suave de seu quadril brincava com minha imaginação.

Ela é tão linda! E tão gostosa!

Daria tudo para que se abrisse um pouco. Seria uma experiência incrível para nós dois, se ela aceitasse participar de algo assim ao meu lado. Mas eu sabia que isso estava fora de cogitação. Sequer poderia sugerir algo parecido com a *Sociedade*. Isso, certamente, seria o fim do nosso casamento.

Levantei-me e a ajudei a levar os pratos para a cozinha. Ela me olhou, surpresa.

— Precisa de alguma coisa? — perguntou.

— Não, está tudo bem.

— Se é assim, vou me recolher. Marquei de encontrar com uma amiga amanhã cedo na academia.

Naquela noite, saí da *Sociedade* um pouco mais cedo que o de costume. Tinha acabado de estacionar na garagem de casa e estava desligando o motor, quando ouvi o carro de V chegando.

Puta que pariu! Só me faltava essa. Era para ela estar dormindo.

Na certa, ela ia desfiar um cordão de perguntas — Onde eu estava? Com quem? Fazendo o quê? —, para as quais eu não tinha resposta e não estava com nenhuma disposição para inventar desculpas.

Olhei o relógio. Era quase meia-noite. Aquilo não condizia com seu comportamento habitual. De imediato, um alerta acendeu em minha cabeça e, de repente, era eu quem queria respostas.

Abri a porta do motorista e saí, mas aguardei ao lado do carro até que ela estacionasse.

V saiu do carro e me dirigiu um olhar indecifrável, como se quisesse esconder alguma coisa. Então, caminhou lentamente em minha direção.

— Não sabia que você pretendia sair esta noite — mencionei, estendendo a mão para ela, observando sua reação ao completar: — Ou que voltaria tão tarde.

— Não foi planejado — ela explicou, sem titubear. — As meninas me convidaram para jogar e não senti a hora passar.

Se tem uma coisa que você não sabe fazer, querida, é mentir.

Aquela desculpa não me convenceu. Corri os olhos por seu corpo, analisando-a de cima a baixo. O vestido vermelho, de decote profundo, não deixava dúvidas.

Tem alguma porra errada aqui!

Cheguei mais perto e passei o braço ao redor de seu ombro, conduziu-a para dentro de casa. Quando chegamos à sala, ela deu um jeito de se desvencilhar de mim e fez menção de subir.

O caralho que você vai escapar assim! Bradei em silêncio.

— Já vai se recolher? — perguntei, respirando fundo para conter o desejo de ir direto ao ponto.

Aproximei-me do bar e me servi de uma dose de uísque. Isso ajudaria a manter a calma.

— Você não? — ela perguntou, como se nada estivesse acontecendo.

Touché, querida! Está se saindo muito bem.

Ergui o copo em sua direção num brinde silencioso e bebi em sua homenagem.

Não é que ela está me surpreendendo? Vamos dar corda para ver até onde vai.

— Não quer se juntar a mim para uma dose antes de dormir? — sugeri, um sorriso irônico bailando em meu rosto.

— Acho melhor não. Estou um pouco cansada — ela respondeu, parando no primeiro degrau da escada. — Talvez amanhã...

Ali estava sua costumeira insegurança. Aquela era a minha deixa.

Sorrateiro como um ladrão que invade a casa no meio da noite e ainda com o copo de uísque na mão, caminhei até a escada onde ela estava e a envolvi pela cintura, ficando quase na mesma altura que ela, de forma a olhar diretamente em seus olhos. Então, aproximei meu rosto do seu.

V fechou os olhos e entreabriu os lábios, preparando-se para receber o beijo. Puxei-a mais um pouco para junto de mim e mergulhei em seu pescoço, aspirando profundamente.

Andou se divertindo sem mim, querida?

A pergunta ficou somente em minha cabeça.

— Durma bem, meu amor! — falei ao soltá-la.

Ela abriu os olhos, um tanto assustada, como se tivesse ouvido meus pensamentos e subiu a escada, apressada, deixando-me sozinho na sala.

De perto, todas as pessoas se encaixam em alguma forma de *perversão.* Mas, geralmente, não compartilham suas fantasias com ninguém, por puro receio de não serem aceitas pela sociedade comum. Estão sempre tentando estabelecer um padrão de normalidade para o sexo, quando, na realidade, deveriam aceitar de forma natural aquilo que as excita e se entregar aos seus impulsos.

A maioria dos membros da *Sociedade* era como eu, M ou P: pessoas acostumadas aos prazeres do sexo sem limites, em busca de novos parceiros para vivenciar suas aventuras. Essa era a proposta das nossas reuniões. Para isso a *Sociedade* existia. Mas durante os meses em que estive lá, presenciei alguns casos de pessoas totalmente despreparadas, que chegavam sem nenhuma experiência, além de suas rotinas sexuais conservadoras e enfadonhas. Porém, ávidas por viverem novas emoções.

Na maioria das vezes, acabavam se machucando.

Geralmente, cometiam o erro de se apaixonar. E, claro, decepcionavam-se ao encarar a realidade de que, ali dentro, todos tinham um único interesse: foder. De todas as maneiras que pudessem imaginar. E apenas isso.

Não raro, alguém se entregava de forma desregrada ao que a *Sociedade* oferecia de mais precioso: a liberdade total e esquecia de respeitar seus próprios limites, acabando por se perder.

De vez em quando, alguém se afastava. Dava um tempo para arejar a cabeça, respirar novos ares. Ou caía direto no divã de um analista.

A meu ver, esse era o grande perigo para pessoas como a minha V, que buscavam um pouco de aventura, mas não faziam a menor ideia de até onde estavam prontas para ir. Entretanto, é claro que até aquele momento eu não sabia que ela também estava frequentando a *Sociedade*.

Capítulo 30

Senhora V

Subi rapidamente a escada, entrando em meu quarto e fechando a porta.

Aquilo foi muito estranho!

F era muitas coisas, mas romântico não era uma delas e raras eram as ocasiões em que se dirigiu a mim daquela maneira quando estávamos a sós. Geralmente, isso acontecia quando pretendia me levar para sua cama, mas eu tinha certeza de que nessa noite, esse não era o caso. Afinal, ele também tinha acabado de chegar e eu duvidava que tivesse ficado até àquela hora preso em alguma *reunião de negócios*.

Cheirar meu pescoço era algo tão fora do comum...

Afastei o pensamento. Estava feliz demais e muito cansada para me ocupar disso. Despi o vestido e arremessei a sandália para um canto do quarto, jogando-me nua na cama. E em poucos minutos, adormeci.

Olhei ao redor e vi que as paredes do quarto eram pintadas de vermelho, um tom intenso como sangue. Embaixo de mim, um lençol de seda da mesma cor causava uma agradável sensação em minha pele quando P arrastava meu corpo na cama.

Ele estava usando a tradicional máscara negra da *Sociedade* e seus olhos verdes brilhavam através dela. Meu corpo estava quente, como se eu fosse consumida por uma febre.

Deitado à minha frente, P meteu a mão por entre minhas pernas e engasguei ao sentir o toque de seus dedos explorando minha vagina.

— Você é tão sexy! — falou, respirando em minha pele, introduzindo o primeiro dedo, testando minha umidade.

Por alguns segundos, detive-me, admirando seu peito nu. Ele era bem definido e arrematado por aquele músculo em forma de V, que delimitava o caminho para a perdição. Não resisti e me inclinei para frente, primeiro beijando sua pele rígida, depois o varrendo com a língua, mas recuei ao sentir o pênis do outro homem, que estava deitado atrás de mim, roçando em minha bunda.

Com os olhos pregados aos meus, P retirou o dedo com o qual brincava em minha vagina e o levou a boca, lambendo-o. Então, ergueu minha perna, facilitando o caminho para que o outro me penetrasse. Soltei um gemido ao sentir minha vagina invadida pelo pênis do homem misterioso, mas logo ele foi abafado pelo beijo de P e seus dedos voltaram a buscar minha parte mais íntima, dessa vez, detendo-se em meu clitóris.

Os movimentos eram mais vagarosos que o habitual, como se tudo acontecesse em câmera lenta, mais sensual e devastador. Eu gemia e me contorcia de prazer a cada nova estocada ante os olhos de P, que parecia satisfeito com o que via. Até que senti o pênis ser retirado de dentro de mim e P girou meu corpo na cama para que trocássemos de posição.

Pela primeira vez pude admirar o rosto do homem que tinha acabado de me comer. Ele agora estava à minha frente e usava uma máscara negra igual à de P.

F sorria para mim, enquanto me posicionava sentada sobre o quadril de P, que com a ajuda da mão, enterrava seu pênis em minha vagina.

Abri os olhos assustada, empurrando o lençol com os pés. Ainda conservava a sensação daquele membro poderoso me invadindo. Levei a mão até a vagina e constatei o quanto estava molhada.

Nervosa, saí da cama e fui direto para o chuveiro. Um banho frio colocaria um fim as sensações deixadas por aquele sonho insano.

Foi o dia mais arrastado da minha vida!

Por mais que tentasse me ocupar com meus afazeres, as imagens do sonho — ou teria sido um pesadelo? — insistiam em voltar. Precisava fazer alguma coisa para gastar energia até cansar não só o corpo, mas também a mente.

Tirei o carro da garagem e segui para a academia, determinada a só sair de lá quando estivesse exausta e não pudesse pensar em mais nada que não fosse um banho e cama. J havia regressado de Nova Iorque e se a sorte me ajudasse, talvez ela estivesse por lá. Então, eu teria com quem desabafar. Quem sabe até sair para beber alguma coisa antes de retornar para casa.

Duas horas depois, eu suava em cima de uma bicicleta, sentindo-me extenuada. Foi quando ela, finalmente, apareceu. Parei o exercício para cumprimentá-la. Estava pingando e, pela cara de J, minha aparência devia estar horrível.

— O que aconteceu com você? — ela perguntou, observando-me, enquanto eu descia da bicicleta.

— Talvez eu tenha cometido um erro — respondi, cabisbaixa. — Acho que não estava preparada para fazer parte da *Sociedade*.

— Bobagem! Você só precisa se acostumar e isso pode levar algum tempo — ela retrucou. — Quer saber? Eu não estou mesmo com nenhuma disposição para isso hoje — disse, movendo as mãos no ar, indicando a academia. — Vá tomar uma ducha e melhore essa cara, por favor! Vamos dar uma volta.

Obedeci e em poucos minutos deixávamos juntas a academia.

Estava observando os barcos ancorados na marina, enquanto, aos poucos, o céu perdia os tons avermelhados e se tornava azul cobalto, antecedendo a noite.

— Foi a experiência de dividir o sexo com outro casal que a deixou assim? — a *Senhora J* inquiriu.

— Não. Para ser sincera, eu gostei muito.

— Então, qual é o problema? Não vai me dizer que ficou abalada desse jeito por causa do tal sonho.

— Estou sendo boba, não é?

— Não, querida! — J segurou minha mão em um gesto de solidariedade. — Você estava nervosa porque encontrou com seu marido ao chegar e sua mente lhe pregou uma peça. Foi isso. Além do mais, tinha acabado de experimentar algo completamente novo e intenso.

— Essa foi a parte boa da minha noite — declarei com segurança. — Mas achei que você estaria lá — disse, bebericando o *Mojito* que o garçom havia colocado sobre a mesa.

— E eu estava! Cheguei por volta das nove, mas não a vi.

— A essa hora eu já estava no segundo andar, com P. É estranho, mas me sinto à vontade com ele, como se nos conhecêssemos há muito tempo.

— Era com ele que você estava ontem?!

— Sim. O mesmo com quem transei no dia da festa, lembra? Eu contei para você...

— Claro que eu lembro!

— Você o conhece? Quer dizer...

— Sim. Eu e todas as mulheres da *Sociedade*. — J riu. — Acho que dá para contar nos dedos quantas ainda não passaram pelas mãos dele. O que me surpreende é ele ter procurado por você de novo. P não é de repetir. Talvez, algum tempo depois, sim. Mas não seguidamente.

— Bem, talvez a química instantânea tenha funcionado com ele também — declarei sem muita convicção.

— Pode ser, mas confie quando digo: esse não é o estilo dele — ela disse, antes de levar sua taça de vinho branco à boca.

De certa forma, a revelação da Senhora J não me surpreendeu, mas foi inevitável pensar que, talvez, eu e P não tivéssemos outra noite juntos.

Capítulo 31

Senhora V

Quinze dias depois...

Aguardei até que meus olhos se acostumassem à meia luz da sala, na casa escolhida para a nova reunião da *Sociedade*. As palavras da *Senhora J,* na noite em que saímos para beber, ainda martelavam em minha cabeça. E como para confirmar meu temor, avistei P no centro da sala, conversando com uma morena de cabelos longos e corpo escultural. Ele sorria sedutor, enquanto enrolava uma mecha do cabelo dela com a ponta do dedo.

Ela aproximou o rosto para falar algo junto ao seu ouvido e nesse momento, ele se virou em minha direção e me viu. Sorri para ele e virei de costas, caminhando em direção ao bar improvisado do outro lado da sala. Estava aguardando pelo barman, que atendia a mulher ao meu lado, quando ouvi a voz de P à minhas costas.

— Por que não foi falar comigo?

Virei-me para ele, sentindo, de imediato, a atração que não me permitia resistir ao charme daquele homem.

— Você estava ocupado. Não quis atrapalhar — respondi, sorrindo.

— Atrapalhar?!

Ele me olhou de forma enigmática por alguns segundos e antes que eu tivesse tempo de pensar em qualquer coisa inteligente para dizer, enfiou um dedo em meu decote, puxando-me pelo vestido até que ficasse bem próxima a ele. Então, apoderou-se de minha boca.

Suas mãos seguraram minha cintura, obrigando-me a colar meu corpo ao seu e começou a deslizá-las, descendo até meu quadril.

Foi o suficiente para eu me render.

— Venha! — ele disse ao desgrudar nossos lábios —, quero experimentar uma coisa com você essa noite.

— Mas... e ela? — perguntei, apontando para a morena que permaneceu afastada.

P sequer olhou em sua direção.

— Ela vai encontrar alguém que lhe faça companhia ou pode se juntar a nós mais tarde, se você quiser.

Ele era diabólico e naquele momento eu tive certeza de que estava completamente perdida em suas mãos.

P me arrastou até outra sala, menor, decorada como uma biblioteca, na qual havia uma grande mesa de madeira maciça, no canto próximo à janela e um sofá encostado à outra parede. E como da outra vez, em que deixou a cortina aberta, ele não fechou a porta. Só então, percebi o volume em seu bolso.

Ele acompanhou a direção de meu olhar e para saciar minha curiosidade, retirou o objeto, estendo-o à minha frente.

— Sabe para que serve? — perguntou, segurando as duas pontas e esticando um cordão com várias bolinhas, que iam de uma bem pequena na ponta, aumentando gradativamente de tamanho, até a última.

— Sim — respondi sem titubear —, mas nunca usei um desses.

— Quer experimentar? — ele perguntou, soltando a bola maior e balançando o cordão em frente ao meu rosto, pendurado pela argola em seu dedo.

— Talvez — provoquei —, se você me disser qual o verdadeiro objetivo disso.

Ele se aproximou com um sorriso perigoso nos lábios e passou o braço ao meu redor, roçando seu corpo no meu.

— Você tem uma bunda linda! — sussurrou em meu ouvido, apertando minhas nádegas. — E eu quero sentir meu pênis sendo engolido por ela, mas não sei se está habituada. Então, pensei em brincarmos um pouco antes — e ergueu a mão, voltando a sacudir as bolinhas na minha frente.

Em resposta, levei as mãos até seu peito e comecei a desabotoar sua camisa, deslizando os dedos em sua pele, sentindo a rigidez de seu peito másculo sob as palmas de minhas mãos, descendo por seu abdômen. P se afastou apenas o suficiente para permitir que eu alcançasse sua cintura, desvencilhando-o do cinto, antes de abrir sua calça e liberar seu pênis.

Ajoelhei-me aos seus pés, envolvendo aquele membro poderoso em minhas mãos e levei-o à boca. Ele segurou minha cabeça com ambas às mãos, como se não quisesse me deixar escapar, exercendo sua força dominante, deixando claro que ali quem mandava era ele.

Chupei-o avidamente, saciando o desejo que tinha guardado desde a outra noite no restaurante.

Satisfeito, ele me ergueu, retirou meu vestido deixando-me apenas de calcinha e sugou meus seios, um a um. Depois, deslizou as mãos por meu quadril, descendo por minhas pernas e levando a calcinha junto. Quando chegou aos meus pés, me apoiei em sua cabeça para não perder o equilíbrio, enquanto ele me livrava da sandália.

Em seguida, beijou minha vagina, emitindo um rugido selvagem.

— Você é tão gostosa! Desculpe, mas não dá para esperar.

E espalhou a mão aberta abaixo de meu ventre, enquanto com a outra, puxou meu quadril em direção a sua boca e começou a me sugar.

Contorci-me de prazer, imaginando o que viria em seguida.

P ergueu a cabeça e com os olhos inflamados, girou meu corpo, posicionando-me de costas para si. Apalpou minhas nádegas apertando, mordendo, beijando... E usando a língua, brincou entre elas. Quando, por fim, levantou-se, ficou frente a frente comigo e voltou a provar meus seios, mordiscando os mamilos. Depois, me pegou no colo, depositando-me sobre a mesa.

— Fique de quatro — pediu e eu obedeci.

Ele se posicionou atrás de mim e dedicou toda sua atenção a minha bunda, dessa vez separando as nádegas para massagear a entrada do meu ânus com os dedos. Desceu uma das mãos até minha vagina e a acariciou por um tempo, mas logo retornou, enfiando lentamente a primeira bolinha do cordão em meu ânus.

— Então, é aqui que vocês estão! — declarou a voz feminina.

Olhei para trás e vi a ruiva simpática da noite da festa. Ela sorriu para mim e se aproximou da mesa, estendendo a mão para P, que a tomou na sua, puxando-a para si e depositando um selinho em seus lábios.

Ela o contornou e caminhou em minha direção.

— Faz ideia do quanto está sexy em cima dessa mesa? Chega a ser uma afronta! — ela completou sorrindo e se inclinou, repetindo o gesto de P e dando um beijo rápido em minha boca.

— Quer se juntar a nós? — ele perguntou.

— Só se me deixar ocupar seu lugar — ela respondeu, caminhando de volta em sua direção.

P deu um tapa em minha bunda e se afastou, abrindo os braços como se dissesse: *é toda sua*.

Com suas mãos macias, a ruiva alisou minhas nádegas e ainda mais lentamente que P, introduziu a segunda bolinha do cordão. Depois, deslizou as mãos por todo meu quadril e alcançou minha vagina.

Enquanto P observava, ela meteu dois dedos em minha cavidade úmida e moveu-os durante um tempo, arrancando-me alguns gemidos, até que os retirou e voltou a trabalhar em minha bunda, enfiando mais uma bolinha, um pouco maior que a primeira.

P contornou a mesa e amparou um de meus seios em sua mão. Apertou e seguiu adiante, posicionando-se à minha frente. Então, começou a se masturbar bem junto ao meu rosto, enquanto acariciava meu cabelo, oferecendo seu pênis para que eu o chupasse de novo.

Agarrei seu membro rígido e o levei até a boca, iniciando um movimento gostoso de vai e vem, mas ele não esperou. Tomou minha cabeça entre as mãos e fodeu minha boca vorazmente.

— É assim que pretendo comer seu cu, depois que tirar o cordão de lá — ele disse, enquanto eu sentia os dedos da ruiva empurrarem mais uma bolinha, maior que as anteriores.

Pela minha conta faltava apenas mais uma, mas não tinha certeza. Não conseguia me concentrar em mais nada com aquele pênis enorme me fodendo até a garganta e os dedos mágicos da ruiva massageando meu clitóris.

P soltou minha cabeça, aliviando o ritmo imposto até então e levou as mãos aos meus seios, que balançavam com o movimento que seu pênis infligia ao meu corpo. Agarrou os dois mamilos, torcendo-os levemente antes de soltá-los.

Os dedos da ruiva abandonaram meu clitóris, dando-me uma trégua que não durou muito, pois ela abriu ainda mais minhas nádegas para meter a última e maior bolinha, deixando apenas a argola do cordão para o lado de fora.

Satisfeita com o resultado do seu trabalho, ela se afastou e caminhou até o sofá, onde tinha deixado a bolsa. Retirou um vibrador grande, maior que o que eu mantinha em casa, e se aproximou da mesa.

— Use-o como preferir — ela disse, piscando e depositando o objeto em minha mão. Depois, dirigiu-se a P.

— Ajude-me aqui — pediu, subindo na mesa e se posicionando embaixo de mim.

Ele a segurou pelas pernas e a empurrou para trás, fazendo-a deslizar de costas na mesa até que seu rosto ficasse à altura de minha vagina. Senti as duas mãos da ruiva me tocando, dessa vez com muito mais liberdade por conta da posição em que estávamos e, por instinto, abaixei um pouco o quadril para facilitar quando sua língua buscou meu clitóris.

Ela o sugou avidamente, voltando a introduzir os dedos, enquanto P, à minha frente, erguia a barra de sua saia e retirava a calcinha que ela ainda usava.

Olhei para baixo, admirando sua vagina rosada, adornada por um pequeno tufo de pelos vermelhos acima do clitóris. Ela era bonita!

P abaixou a cabeça, olhou em meus olhos e abriu a vagina da ruiva, enfiando sua língua lá dentro. Quando ergueu a cabeça, pegou o vibrador de minha mão e sem deixar de me olhar, começou a introduzi-lo na ruiva, que gemeu de tesão e sugou ainda mais forte meu clitóris, fazendo com que eu gemesse também.

Ele deixou o vibrador ligado, enterrado dentro dela e com os dedos, expôs o clitóris, lambendo-o.

— Não quer provar? — perguntou, oferecendo-o a mim.

Baixei a cabeça e lambi a pele rosada e túrgida, roçando meus lábios nos dedos no P, que mantinha a região em torno do clitóris da ruiva bem esticada para que eu o sugasse livremente, como se oferecesse comida em minha boca.

Aquilo foi extremamente excitante!

Eu nunca tinha chupado outra mulher, nem nos tempos de escola, mas não pude resistir. E ela era gostosa. Muito gostosa!

Suguei com fervor até que a ruiva deixou escapar um gritinho junto à minha vagina, cravou as unhas em minhas nádegas e mordeu meu clitóris, desesperada de tesão.

— Sua vadia! — ela gritou. — Vou gozar na sua boca. Não pare!

P aguardou, movendo com uma das mãos o vibrador, que permanecia enterrado nela, enquanto a ruiva se contorcia embaixo de mim. Então, o retirou, afastando minha cabeça e puxando a ruiva pelo quadril em sua direção, e ocupou com seu pênis o lugar antes preenchido pelo vibrador, bem diante de meus olhos. Seu abdômen batia de encontro a minha cabeça, conforme ele arremetia dentro dela.

Aquela cena, somada a sensação de meu ânus preenchido pelas bolinhas e a ruiva gritando e convulsionando embaixo de mim, enquanto metia seus dedos ferozmente em minha vagina, deixou-me louca. A imagem do pênis de P se impondo dentro da ruiva, tão próximo ao meu rosto, era muito excitante. Eu precisava participar de alguma forma.

Levei a mão até seu abdômen, empurrando-o de leve para tirá-lo de dentro dela. Então, o abocanhei e lambi por inteiro, metendo-o novamente na cavidade úmida da ruiva, esforçando-me para massagear seu clitóris enquanto P a comia. Não demorou muito e ela gozou.

— Agora é sua vez — ele declarou, retirando o pênis.

Circundou a mesa e se posicionou atrás de mim.

Senti suas mãos apalparem minhas nádegas, enquanto a ruiva voltava a me chupar e eu a ela.

Numa lentidão torturante, P retirou uma a uma as bolinhas que me preenchiam e as substituiu por seu pênis. E como havia prometido, me comeu gostoso, agarrado ao meu quadril. A sensação de ter meu cu invadido pelo pênis poderoso de P, ao mesmo tempo em que a ruiva usava os dedos para não deixar minha vagina vazia, levou-me à loucura completa.

Meus joelhos já não me sustentavam e achei que ia desabar sobre ela, mas P enlaçou minha barriga com o braço e com a mão livre agarrou meu cabelo, mantendo-me cativa.

Nem se quisesse eu poderia escapar de seu domínio. Então, entreguei-me de vez ao gozo mais intenso de minha vida.

Exausta, desabei sobre a mesa.

— Você foi maravilhosa! — ele declarou, afagando meu rosto.

Sorri para ele, retribuindo o olhar de admiração.

— Preciso agradecer a você! — A ruiva declarou, dando-me um selinho.

— Por quê? — perguntei sorrindo, pensando que ela se referia ao gozo espetacular que teve em cima da mesa, enquanto eu a chupava.

— Bem, foi preciso você aparecer para ele, finalmente, me comer de novo.

Olhei para P, que ria do comentário, encostado de forma displicente na parede do banheiro, no qual nós três tínhamos acabado de tomar banho juntos, o que foi muito divertido.

— Quando quiser repetir, é só me chamar — ela disse, piscando em minha direção antes de sair.

Ao chegar em casa, de madrugada, reparei que o carro de F não estava na garagem, o que não era nenhuma surpresa.

Subi direto para meu quarto e caí na cama. Estava exausta e não demorei muito para ser arrebatada por um sono profundo, sem sonhos.

Capítulo 32

Senhor F

Após aquela noite, em que esbarrei com V na garagem ao voltar da reunião na *Sociedade* passei a observar seu comportamento com mais atenção e não demorou para que me desse conta das sutis mudanças em sua rotina.

Ela ainda mantinha velhos hábitos e alguns compromissos sociais, mas a frequência na academia, agora, era quase diária e as horas de ausência também haviam aumentado consideravelmente. Sem contar as eventuais escapadas à noite.

Definitivamente, estava tendo um caso.

Terminei de me vestir e liguei para a casa dos Campbell. Após alguns toques, a voz delicada de Sarah soou do outro lado da linha.

— Oi! Aconteceu alguma coisa? — ela perguntou, estranhando minha chamada tão cedo.

— Bom dia, Sarah! Está tudo bem. Cris comentou que o aniversário de Joshua é por esses dias.

— Isso mesmo! Estava prestes a ligar para vocês. Pensei em marcar uma hora naquele boliche que os garotos gostam. Já que eles não saem de lá, acho que é um bom lugar para a comemoração.

— Tenho uma ideia melhor — anunciei sem rodeios. — Tivemos um cancelamento na empresa, um coquetel para alguns investidores estrangeiros que não poderão mais vir. Não é nada parecido com um

Buffet para adolescentes, mas tenho certeza que com alguns ajustes você consegue adaptar e fazer uma festa para ele.

— Hum... Não sei. Não estávamos planejando dar uma festa.

— Ah! Vamos lá, Sarah! Você mesma disse que os garotos não saem daquele boliche — teria que mudar de estratégia ou não a convenceria. — Já está tudo pago mesmo e eles não devolvem o dinheiro se o serviço for cancelado em cima da hora. Será um desperdício não aceitar o presente. Além disso, preciso de uma força. Eu e V estamos tendo alguns problemas e precisamos de um tempo sozinhos. Seria perfeito se Cris pudesse passar o fim de semana com vocês.

— Bom... se é assim... Tudo bem. Vou providenciar a festa e falar com Robert para fazer um churrasco para o almoço do dia seguinte. Cris pode ficar conosco — ela fez uma pausa, antes de concluir: — Espero que você e V se acertem.

— Obrigado, Sarah! Fico devendo essa. E, por favor, não comente nada disso com ela. Não quero que se sinta constrangida.

Encerrei a conversa e desci para o café da manhã, determinado a esclarecer de vez aquela dúvida. Estava à mesa quando V surgiu.

— Achei que já estaria na empresa — ela comentou surpresa, olhando para o relógio para se certificar da hora.

— Bom dia, querida! — respondi encarando-a. — Como vê, você não foi a única a perder a hora essa manhã.

— Ah... Bom dia! — ela gaguejou. Estava nervosa. E eu, disposto a descobrir o motivo. — Desculpe! É que fiquei surpresa por vê-lo em casa.

Sem tirar os olhos dela, bebi lentamente o restante do café em minha xícara e me levantei, dando a volta na mesa. Puxei uma cadeira para que ela se sentasse e depositei um beijo em seu rosto, assim que o fez. V me olhou como se nunca tivesse me visto.

Aguarde, querida! As surpresas que preparei para você estão apenas começando.

— Tente reservar um tempo em sua agenda esse fim de semana — falei com a voz branda, afastando-me de volta ao lugar que ocupava à mesa. — Tenho sentido falta de minha esposa. Pensei em sairmos com a lancha, só eu e você — lancei e observei sua reação.

Ela titubeou e tentou se esquivar, usando Cris como desculpa, exatamente como previ que faria.

— Não sei se isso será possível. Não quero deixar Cris sozinho.

Dessa vez não vai funcionar, amor! Pensei, regozijando-me internamente pelo acerto feito há pouco com Sarah.

— Cris vai passar o sábado na casa dos Campbell — anunciei, mal contendo o sorriso de vitória. — É aniversário de Joshua e vão fazer uma festa para o garoto. Eles ligaram pela manhã, pedindo autorização para Cris ficar com eles até domingo à tarde e eu disse que não havia problema — concluí, olhando-a intensamente, aguardando para ver como ela reagia.

V não respondeu. Eu quase podia ouvir o som de seu cérebro trabalhando, tentando encontrar o motivo para minha atitude inusitada. Então, prossegui:

— Podemos ancorar a lancha em algum lugar bonito e passar a noite por lá, como costumávamos fazer antes de Cris nascer — sugeri, usando descaradamente meu poder de manipulação. — O que me diz?

— Bem, isso é inesperado e... Eu...

E a primeira partida estava ganha!

Quase soquei o ar comemorando, mas me contive. E sem dar chance para ela protestar, concluí:

— Então, está combinado! Saímos sábado à tarde. Depois que deixar Cris na casa dos Campbell eu volto para buscá-la. Vou mandar revisarem a lancha para não termos nenhum contratempo.

V ficou me olhando, atônita.

— Agora preciso ir, tenho uma reunião com os acionistas e já está em cima da hora — declarei, pegando a pasta que estava sobre a cadeira.

Ela fez menção de se levantar, mas impedi seu gesto.

— Não, amor! Fique e tome seu café da manhã com calma.

Dei um beijo rápido em seus lábios e saí.

Ao chegar ao escritório, pedi à secretária que fizesse uma ligação para o *Buffet* que costumávamos usar nos eventos da empresa e contratei o serviço, tomando o cuidado de alertá-los para manterem sigilo sobre os detalhes do contrato. Em seguida, liguei novamente para Sarah e passei o contato do *Buffet*. Ela me informou que já havia conversado com Robert e que estava tudo confirmado para o fim de semana. E também me tranquilizou, afirmando que não havia mencionado sobre nosso acordo de última hora. *Melhor assim!*

Capítulo 33

Senhora V

Custei a acreditar no que tinha acontecido. F não era assim. Alguma coisa estava errada. Era como se ele pressentisse que não era mais o único a desfrutar de meu corpo.

— Não é que eu não goste de transar com F ou que esteja tentando me esquivar. O sexo com ele sempre foi bom, mas essa atitude é muito estranha — falei para uma J não tão perplexa quanto eu imaginei que ela ficaria após me ouvir contar sobre o convite de F pela manhã.

— Bem, já era de se esperar — ela disse.

— Foi praticamente uma intimação. Ele nem esperou que eu concordasse. Nem sei se essa história dos Campbell é mesmo verdade ou se ele armou tudo isso só para tirar Cris do caminho.

— Mas é fácil de saber, basta dar um telefonema — J argumentou.

— Ficou maluca! E vou dizer o quê? Alô! Eu queria saber se seu filho está mesmo fazendo aniversário ou se meu marido pediu para você me dizer isso.

A Senhora J riu.

— Não acha que está sendo muito dramática? Talvez ele só queira uma chance de se aproximar de você. Deve estar sentindo cheiro de outro, querida!

— De outros, você quer dizer! — corrigi. — Mas, e se não for apenas isso?

— Quer saber? Acho que você está se preocupando à toa. E tem mais! É bom mesmo que ele comece a desconfiar, assim dá mais atenção a você. Tente ver o lado bom disso tudo. Seu marido está começando a notar que tem uma esposa linda em casa e que, se não se cuidar, pode acabar perdendo-a.

— Pode ser, mas ainda me sinto insegura. Sinceramente, não sei o que esperar desse *passeio*.

— Bem, não vejo saída. Você não pode se recusar a acompanhá-lo. Isso seria o mesmo que declarar que está sendo uma menina muito má em sua ausência.

Apesar da tensão, não consegui me conter e soltei uma gargalhada. J colocava as coisas de tal forma que fazia com que tudo parecesse um divertido jogo.

E, finalmente, o sábado chegou.

Cris parecia muito animado com a ideia de dormir fora e até me fez comprar um presente para o amigo.

— Prometa que vai me ligar caso aconteça alguma coisa — insisti pela segunda vez.

— Mãe, não vou para o outro lado do país — ele declarou, impaciente. — E se está pensando em bebidas alcoólicas ou drogas, pode ficar tranquila. Os pais do Joshua são muito caretas.

— Ah é, mocinho! Quer dizer que se eles não fossem *caretas* — frisei bem a última palavra —, você toparia experimentar essas coisas? Está ouvindo o que o seu filho acabou de dizer?

— Pare de implicar com o menino, querida! — F interveio, despenteando o cabelo de Cris com a mão.

— Pai! Olha o que o senhor fez! Agora estou parecendo um daqueles bonecos do shopping, com os cabelos espetados. Vou ter de subir para arrumar de novo.

— Devia me agradecer — F declarou. — Ela está rindo. Isso significa que vai largar do seu pé.

E eu estava mesmo.

— É, mas desse jeito as garotas é que vão rir de mim.

— Sua mãe está nervosa assim porque vamos sair por aí de barco, sem destino — ele disse, como se confidenciasse um segredo a Cris. — Agora, vá logo ou vamos ser os últimos a chegar à casa dos Campbell.

Cris subiu a escada correndo e eu dirigi um olhar de repreensão à F.

— O que foi? — ele perguntou, fazendo sua melhor cara de anjo.

Aproximou-se, olhando em meus olhos e deslizou as mãos suavemente por meu corpo, subindo até quase tocar em meus seios. Estava com aquele olhar seguro, tão perturbador.

Fechei os olhos em um convite para o beijo, mas fomos interrompidos por Cris que descia a escada, pronto para sair. Recuei e F me soltou, divertindo-se ao perceber meu embaraço, ao ser surpreendida em seus braços por nosso filho.

— Hã! Deixa para lá — respondi, desconcertada.

Observei, enquanto ele caminhava em direção à porta rumo à garagem, com Cris em seu encalço, carregando o presente que eu havia comprado para Joshua, até que ambos estivessem fora de meu campo de visão.

Capítulo 34

Senhor F

Cris estava crescendo rápido e não me surpreenderia se, em breve, aparecesse com uma namoradinha em casa. Aproveitei o percurso até a casa dos Campbell para conversar com ele de homem para homem, antes que começassem os problemas e dei algumas sobre como se comportar com as garotas, sem passar dos limites próprios para sua idade, é claro.

Ao retornar para casa encontrei V descendo a escada. Usava um biquíni azul bem pequeno, por baixo de uma saída de praia branca que pouco ocultava, e trazia uma sacola grande nas mãos. Ao que tudo indicava, ela havia se preparado para passarmos a noite fora, como sugeri.

— Está pronta? — perguntei satisfeito.

— Sim, podemos ir.

Coloquei a mão em suas costas e a conduzi pelo jardim dos fundos, passando pela piscina até alcançarmos o deck. Ao chegar à lancha, embarquei na frente e a ajudei a subir.

Assim que embarcou V desceu, levando a sacola com ela, desaparecendo em direção à suíte. Segui direto para a cabine e acionei o motor, fazendo a lancha deslizar suavemente para longe do atracadouro.

Por mais que tentasse não demonstrar, a tensão que emanava dela era quase palpável, o que, definitivamente, não me agradou. Não era minha intenção causar-lhe esse desconforto. Queria minha mulher livre e descontraída ao meu lado, mas precisava confirmar minhas suspeitas.

Decidido a fazer com que se soltasse um pouco, falei alto para que ela ouvisse da suíte:

— Quando subir traga alguma coisa para bebermos.

— Claro! Vou em um minuto — ela respondeu.

Esperava que ela encontrasse a garrafa de champanhe que deixei no balde de gelo, antes de sair com Cris.

Alguns minutos depois ela retornou ao convés, trazendo duas taças com o liquido borbulhante e me entregou uma, dando um gole na outra. No semblante, exibia uma expressão mais suave, revelando que eu estava no caminho certo.

— Para onde vamos? — quis saber.

— Lembra-se daquela praia em que você costumava fazer *topless*?

Ela confirmou com um movimento de cabeça e me brindou com um sorriso.

Mais um ponto a meu favor!

— Pensei em irmos até lá. O que acha?

— É linda, mas muito deserta — ela argumentou.

Tive a impressão de que V estava tentando evitar que ficássemos a sós por muito tempo.

— Será que é segura para passarmos a noite? — ela emendou e eu soube que precisava fazer alguma coisa, e rápido, para reverter o quadro de ansiedade em que ela se encontrava. Do contrário, nada funcionaria como eu havia planejado.

— Por acaso está com medo de ficar sozinha com seu marido em uma praia deserta? — perguntei, aproximando-me, puxando-a para mais perto.

— Claro que não — ela murmurou. — É que...

E antes que pudesse dizer mais alguma coisa, cobri sua boca com a minha, unindo ainda mais nossos corpos.

— Você está muito sexy! Que tal me deixar ver esse biquíni? — sugeri, afastando-me um pouco para alcançar o primeiro botão da camisa que ela usava como saída de praia. — Ou o que tem por baixo dele — deslizei os dedos em sua pele, inserindo-os por baixo do sutiã do biquíni.

Quando alcancei seu mamilo ela reagiu ao toque, inclinando a cabeça para o lado. Aproveitei o gesto involuntário para depositar um beijo em seu pescoço. Deixei que minha língua passeasse por sua pele, subindo até alcançar a pontinha de sua orelha e a mordi, enquanto apertava seu mamilo com a ponta dos dedos. Em seguida, percorri o caminho de volta até alcançar seus seios.

Quando afastei o tecido do biquíni para lamber o mamilo que já estava túrgido em minha mão, V soltou um gemido sensual, que só serviu para me incentivar a sugá-lo por mais algum tempo.

Satisfeito, afastei-a um pouco, mantendo meus braços ao seu redor e olhei direto em seus olhos.

— Se você continuar aqui em cima não vamos chegar à praia — sussurrei em seu ouvido. — Se bem que isso não faz a menor diferença. Faz?

E dizendo isso, voltei a puxá-la em minha direção e desci a boca novamente sobre seu seio.

— Não... — ela respondeu lânguida em meus braços.

Ergui a cabeça e busquei seu olhar.

— Volte lá para baixo, mas não tire nada. Desço em seguida e quero fazer esse trabalho eu mesmo.

Sentindo a pressão em meu pau que já se manifestava, por conta do contato tão próximo com o corpo delicioso de V, fiquei observando enquanto ela obedecia, dirigindo-se para a suíte. Desliguei o motor e lancei a ancora, descendo também. E no minuto seguinte, estava novamente ao lado dela.

Ao me ver entrar, V me dirigiu um olhar sensual. Seu rosto já não parecia queimar como há alguns minutos. Havia se recuperado um pouco, mas não o suficiente para resistir.

— Onde estávamos? — perguntei, trazendo-a novamente para meus braços. — Ah, sim... Bem aqui — sussurrei, abrindo os botões restantes que ainda mantinham a camisa sobre seu corpo e enveredando meus dedos por baixo do tecido transparente. E então, fiz com que ele deslizasse por seus ombros, indo parar no chão aos nossos pés.

Dei alguns passos em sua direção, obrigando-a a recuar até que estivesse junto à cama e a empurrei, inclinando-me sobre ela.

Sem perder tempo, enfiei a mão por baixo de seu pescoço e desfiz o laço que sustentava o biquíni, revelando seus seios. V era linda e, por alguns instantes, deliciei-me com a visão de seus mamilos rígidos apontados em minha direção, prontos para serem cobertos por minhas mãos. Mas não a toquei. Ao invés disso, deixei que minhas mãos deslizassem em suas costas até alcançar o outro laço do biquíni. E então, o desfiz.

Retirei a peça, arremessando-a ao chão, onde já estava a camisa, e voltei a percorrer seu corpo com as mãos até chegar ao quadril. Quando meus dedos se entrelaçaram na calcinha do biquíni, V fechou os olhos e, instintivamente, inclinou-se em minha direção.

Seu rosto havia adquirido uma tonalidade rosada, como se estivesse afogueada. Eu sabia que ela queria ser tocada, ansiava por sentir minha boca cobrindo as partes mais sensíveis de seu corpo. E a essa altura, meu pau pressionava a sunga como se quisesse rasgá-la para se libertar e tomar o que era seu. Porém, mais uma vez, controlei meus impulsos.

Vamos ver o quanto você aguenta, meu amor.

Lentamente, puxei a calcinha por seu quadril, fazendo com que deslizasse em suas pernas até chegar aos pés e a retirei, sem sequer roçar em sua boceta, onde eu sabia que ela desejava ardentemente ser tocada. Ergui sua perna até a altura de minha boca e, sem cerimônia, comecei a lamber os dedos de seu pé, os olhos presos aos dela para não perder nenhuma reação.

V gemeu e o som parecia o miado de uma gatinha no cio, doida para ser possuída. Quase não resisti ao desejo de liberar meu pau e mergulhá-lo dentro dela, mas me concentrei na prazerosa tarefa de lamber cada pedacinho de pele que havia no caminho entre os dedos de seu pé e sua virilha.

— Por favor... — ela murmurou, implorando.

Ergui a cabeça, parando no meio do caminho, quase chegando onde eu queria. O olhar que dirigi a ela não ocultava minha excitação.

— O que foi, querida? — perguntei, prolongando de forma proposital sua tortura. — Não está gostando? — e com um prazer quase sádico, passei a me ocupar da outra perna.

V não se queixou, mas seus olhos revelavam que estava à beira do desespero, controlando o orgulho para não voltar a implorar.

Sorri internamente com a constatação.

Afastei suas pernas e me ajoelhei na cama. De forma delicada, toquei em sua boceta, tão de leve que ela não deve ter sentido mais que um roçar.

— Está tão molhada, amor! — declarei um tanto surpreso. — Sabia que ela estava excitada, mas não esperava que fosse tanto. — Mais que isso, você está encharcada!

O pouco de sanidade que eu havia conseguido preservar sumiu como por encanto. Sem aviso, enterrei o dedo em sua cavidade úmida, retirando-o em seguida para levá-lo a boca e com o olhar preso ao dela, o lambi.

— Hum! Nunca me cansei do seu sabor. Mesmo depois de tantos anos.

E rendendo-me ao gosto de seu prazer, mergulhei a cabeça entre suas pernas, deixando que minha língua saciasse o desejo contido até então.

— Amor... Por favor!

O som de sua voz me tirou do delírio momentâneo ao qual permiti me entregar.

— O que você quer, querida? — perguntei, erguendo a cabeça apenas o suficiente para olhá-la.

— Você sabe — ela respondeu, ronronando.

— Não, eu não sei — provoquei, voltando a brincar com a língua em sua boceta.

— Faça logo, está me deixando louca!

Então, ela queria me apressar, justo quando eu estava começando a me divertir?

Ah, mas não mesmo, querida!

Disposto a prolongar ao máximo a tortura prazerosa a qual a submetia, decidi testar seu limite mais um pouco.

— Peça! Ou não terá o que quer.

Sabia que estava provocando a fera e a sensação era irresistível.

Ela me olhou intensamente, apertando os olhos. Podia jurar que havia uma pontinha de raiva brilhando em seu olhar e confesso que aquilo me divertiu.

— Quero que me chupe — ela finalmente se rendeu. — Chupe de verdade, até eu gozar. Por favor!

Puta que pariu! Ela está mesmo implorando para ser chupada até gozar!

Nenhum dinheiro no mundo pagaria o prazer que senti ao ouvir aquelas palavras. Deslizei as mãos por sua virilha, roçando de leve o dedo em seu clitóris, só para vê-la agoniar por mais um segundo antes de, finalmente, separar os lábios de sua boceta, abrindo-a por completo para enfiar minha língua dentro dela.

V agarrou meu cabelo, impedindo que eu voltasse a me afastar. Retirei a língua, metendo os dedos em seu lugar, enquanto buscava seu clitóris com a boca para sugá-lo avidamente. Ela se contorceu, sentindo os primeiros sinais do orgasmo que estava já muito próximo.

Intensifiquei os movimentos, fazendo com meus dedos trabalhassem rápido, enquanto a sugava ainda mais forte. Mordisquei seu clitóris e quando o prendi entre meus dentes, esticando-o para depois voltar a chupá-lo, ela gritou de prazer e acompanhou o grito gozando alucinada em minha boca.

Continuei castigando seu clitóris por um tempo após o gozo, até retirar os dedos de sua boceta e levá-los à entrada apertada de seu cuzinho. Era a primeira vez que tentava isso com V e não sabia se ela aceitaria numa boa.

Imediatamente, ela ficou tensa. Seus músculos enrijeceram, dificultando ainda mais o acesso ao buraco já apertado, quase esmagando meu dedo no caminho. Decidi arriscar mais um pouco e, para minha surpresa, apesar da tensão, ela não protestou.

Na verdade, esperava que ela reclamasse ou se revelasse chocada com minha atitude. Estava preparado para sua recusa. Mas após o primeiro momento, ela se soltou e o primeiro dedo entrou com facilidade.

Que porra é essa?

Movi o dedo em círculos, testando o espaço recém-descoberto e olhei fixamente para ela, ao enfiar mais um. Sua expressão de prazer foi o suficiente para despertar minha suspeita.

— Andou preparando ele para mim, querida?

Ela não respondeu. Parecia em choque. Um bichinho acuado, esperando o ataque do predador.

Puta que pariu! Alguém se incumbiu de inaugurar seu traseiro no meu lugar?!

Naquele momento, foi como se eu devastasse sua alma com o olhar. De repente, ela estava completamente despida de pudores à minha frente. Não restava nada para impedir que eu a possuísse à minha maneira. E a possibilidade de ter sido preterido aguçou uma ira, até então, desconhecida em mim.

— Que bom! Assim não preciso me preocupar com essa parte, posso pular logo para o que interessa — e dizendo isso, retirei o dedo de seu cu e a girei bruscamente na cama.

Agarrei-a pelo quadril, seu rosto pressionado contra o colchão, e ergui o máximo que pude sua bunda linda em minha direção, roçando o pau onde antes estavam meus dedos.

— Quero comê-la com força, mas não quero machucá-la — anunciei, movido pelo resquício de hombridade que me restava, abrandando a voz para não assustá-la ainda mais com meu repentino furor.

— Eu gosto — ela disse num fio de voz. Foi quase inaudível, mas bastou para liberar o animal selvagem que habitava meu corpo. E no instante seguinte, empurrei meu pau para dentro, deslizando-o até que estivesse totalmente enterrado em seu rabo.

Cavalguei-a com vontade, aumentando a velocidade, puxando ainda mais seu quadril para estocar o mais fundo possível, como se pudesse rasgá-la ao meio, enquanto acariciava seu clitóris com meus dedos.

— Goze de novo para mim — ordenei e ela não se negou, soltando um grito abafado quando retirei o pau quase todo e voltei a metê-lo de um só golpe, enterrando-o até o fundo.

— Seu cu é delicioso, mulher! — rosnei, insano.

V rebolava de forma majestosa, suportando toda a fúria imposta por meu pau sem se queixar, até que eu me saciasse por completo.

Senti sua umidade aumentar, molhando meus dedos quando ela gozou e urrei em suas costas, erguendo ainda mais seu quadril, quase a tirando da cama.

Agarrei seus seios e estoquei fundo mais uma vez, inclinando meu corpo para trás para fodê-la com toda minha força. E então, deixei meu gozo se despejar dentro dela, inundando seu cu com meu leite.

Quando a soltei, ela desabou sobre a cama como se fosse uma boneca de pano. Joguei-me ao seu lado, envolvendo-a em um abraço, minha perna sobre as dela para manter meu pau colado em suas nádegas. Então, afaguei seu cabelo e enchi suas costas de beijos. V fechou os olhos e se aconchegou ainda mais. E, nesse momento, tive duas certezas: a de que ela estava tão satisfeita quanto eu, e a de que eu não havia sido o primeiro a comê-la dessa forma.

Capítulo 35

Senhor F

O céu estava limpo, sem nuvens, o que indicava que teríamos uma noite tranquila. Ou talvez não, já que, passado algumas horas, o êxtase se dissipou e restou apenas o desejo de esclarecer aquela porra toda.

Ancorei a lancha próximo à praia. V ainda estava lá embaixo. Não havia saído da suíte, desde que a comi à tarde. Certamente, temia o confronto inevitável diante do que não poderia negar. Mas se estava pensando que escaparia assim tão fácil, refugiando-se longe de meus olhos pela noite inteira, teria uma surpresa.

Desci, passando direto pela cozinha e entrei na suíte, escancarando a porta, disposto a ir direto ao ponto. Ela dormia ou fingia dormir, mas despertou com minha entrada repentina.

— Acho que agora precisamos ter uma conversa, não concorda? — perguntei sem rodeios.

V me olhou com ar de quem não havia entendido. Esfregou os olhos como uma menina e o movimento do braço afastou o lençol, a única coisa que ocultava seu corpo delicioso de meus olhos.

Por um segundo, detive-me junto à porta, sentindo meu pau começar a latejar novamente, diante da visão de seus seios nus.

Agora não, caralho!

Depois da conversa, talvez eu decidisse castigá-la mais um pouco. Mas primeiro, precisava me controlar.

É a sua V. Lembre-se disso!

A voz pareceu brotar do fundo da minha consciência.

Decidi pegar leve até saber exatamente o que tinha acontecido. Aproximei-me da cama e afaguei seu cabelo com ternura.

— Vista alguma coisa e suba. Vou esperá-la lá em cima — falei, afastando-me em direção à porta, dando um tempo para ela se preparar.

Não demorou muito e ela surgiu.

— Nossa! A noite está linda — exclamou, olhando admirada para o céu. — Tinha me esquecido dessa quantidade de estrelas.

Devagar, me aproximei e segurei sua mão.

— Está mesmo, mas nós precisamos conversar, amor.

Puxei-a delicadamente em minha direção e fiz com que se sentasse ao meu lado na beirada da lancha. O movimento leve do mar nos embalando, enquanto a brisa suave soprava seu cabelo. Os fios cor de ouro trazendo seu perfume até mim.

— Quer me contar alguma coisa? — perguntei.

— Acho que não sei do que você está falando — ela respondeu me dirigindo um olhar inexpressivo.

— Ora! Vamos lá, querida! É claro que você sabe.

— Se está se referindo ao que aconteceu de tarde... Bem...

Estreitei os olhos e aguardei, decido a não facilitar para ela.

V virou o rosto, olhando em direção à praia, como se buscasse por auxílio na areia deserta. Então, voltou-se novamente, encarando-me em silêncio por um tempo.

— Eu tenho um vibrador — anunciou num fio de voz, como se confessasse ter cometido um crime.

— Um vibrador?

— É... Você sabe...

É claro que eu sei o que é um vibrador, porra!

Mas aquela história não estava me convencendo. Mesmo assim, decidi dar um crédito a ela pela tentativa.

— E? — incentivei para que prosseguisse.

— Eu uso... quando... quando estou sozinha.

— Um vibrador — repeti. — Está me dizendo que você brinca com seu vibrador e foi assim que descobriu que gosta de sexo anal?

— É...

— Se queria experimentar, por que não falou comigo?

— Não sei. Tive medo, eu acho. O que você pensaria...

— Estamos casados há dezesseis anos e você não me disse nada porque não sabia o que eu iria pensar?!

Ela abaixou a cabeça.

— Olhe para mim, querida! — pedi, segurando seu queixo, obrigando-a a erguer o rosto.

Ela encontrou meus olhos e a prendi em meu olhar.

— Da próxima vez que quiser *experimentar* alguma coisa, avise-me e faremos juntos. Entendeu?

— Eu... Prometo que vou deixá-lo a par de tudo, de agora em diante — ela respondeu, um tanto sem jeito.

Sem desviar meus olhos dos seus, sorri e a peguei no colo, depositando seu corpo, delicadamente, no piso do deque. O cabelo dourado espalhado ao redor de seu rosto, brilhando ao capturar os reflexos da lua.

— Nunca me canso de admirá-la — declarei ao me inclinar sobre ela e me apoderar de sua boca.

Passamos o resto da noite na lancha, fazendo amor no convés sob as estrelas, e tentei me redimir pela forma como a havia tratado mais cedo. V era a mulher da minha vida. Eu a amava acima de qualquer coisa e não podia, em sã consciência, julgá-la, já que eu mesmo vinha levando uma vida dupla a mais tempo do que poderia me lembrar.

Ainda assim, a sombra que turvou seu olhar ao fim daquela conversa não saiu da minha cabeça, mesmo depois de voltarmos para casa na manhã seguinte.

Durante os dias que se seguiram, tentei, em vão, afastar o pensamento de que ela estava me escondendo alguma coisa. Mas a sensação de que sua falta de confiança a impedia de se abrir comigo, permanecia.

Saí do escritório por volta das sete horas e fui para casa tomar uma ducha e me trocar, antes de seguir para o local onde aconteceria o encontro da *Sociedade* naquela noite. Esperava encontrar V em casa, mas para minha surpresa, ela não estava.

Ao depositar a chave do carro sobre o aparador do *hall* encontrei um bilhete. A caligrafia desenhada e a marca de beijo feito com batom, não deixavam dúvida de que pertencia a ela.

Fui ao cinema com as meninas e depois, vamos parar em algum lugar para jantar. Não se preocupe, pois chegarei tarde. Deixei rosbife e salada na geladeira, caso esteja com fome.

Com amor, V!

Melhor assim, pensei.

Subi a escada e fui direto para o quarto, ignorando a oferta de *rosbife com salada*. Meia hora depois, estava de volta à garagem, tirando o carro para ir à reunião da *Sociedade*.

Capítulo 36

Senhora V

Alguns dias depois, recebi o recado habitual da *Sociedade*, informando o local da próxima reunião. Pensei em não ir. Eu e F estávamos nos entendendo e não queria que nada atrapalhasse essa nova fase da nossa relação. Mas a verdade é que, apesar de estarmos bem, eu sentia falta de P. Precisava encontrá-lo de novo.

Então, como uma adolescente apaixonada que se prepara para ir ao encontro do namorado, me produzi e fui para a reunião, torcendo para que ele não tivesse se cansado de nossas brincadeiras.

E como de costume, ele estava a minha espera. Bebemos um drink no bar e fomos vasculhar a casa em busca de diversão.

Com P me levando pela mão, chegamos ao corredor e me detive em frente a uma porta aberta. A Senhora J estava ajoelhada aos pés de um homem jovem e muito bonito. Era a primeira vez que encontrava minha amiga em uma reunião da *Sociedade*, mas ela estava ocupada demais, chupando o pênis dele, para me dar atenção.

De repente, outro homem surgiu em meu campo de visão. Achei que ele a tocaria, talvez fazendo com que ela o chupasse também. Mas, ao invés disso, ele apenas afagou sua cabeça e se colocou atrás do rapaz, que sorriu para ele.

O homem beijou sua boca, um beijo longo e cheio de desejo, e então, apalpou sua bunda, sussurrando alguma coisa em seu ouvido. O rapaz virou o rosto e voltou a beijá-lo, e ele começou a brincar com os dedos, buscando seu ânus.

Vi quando o rapaz puxou J, fazendo com que ela se erguesse à sua frente, de forma a poder abocanhar seu seio e acariciar sua vagina. Enquanto isso, o outro homem o penetrava com o dedo e beijava seu pescoço.

— Eles vão...

— Sim — P respondeu. — Ela gosta. Sempre se divertem juntos.

J se virou para a porta e sorriu ao me ver. Acenei para ela, dando uma piscadinha. Achei fascinante o jogo ao qual se entregavam, sem fazer distinção entre gêneros.

— Venha! — P me puxou pela mão. — Vamos encontrar algo mais interessante.

Seguimos para outro quarto em que a porta também estava aberta e encontramos nossa amiga ruiva, completamente nua, de pé, sendo acariciada por um homem.

— Olha quem chegou! — ela declarou, animada ao nos ver. — Era dela que eu estava falando. A boceta mais gostosa que já tive o prazer de chupar, desde que entrei na *Sociedade* — disse, dirigindo-se ao homem à sua frente.

Ri largamente de sua declaração exagerada.

— Hum... Será mesmo? — ele perguntou com olhar malicioso.

— É claro que sim! — ela respondeu. — Mas não vou deixá-lo provar. Ela é só minha e de P. Não é P?

— Acho melhor deixar que ela decida — ele disse, rindo. — Não sou tão possessivo quanto você.

— Tudo bem! — O homem se deu por vencido e piscou em minha direção. — Posso lhe oferecer outra coisa.

Ele caminhou até onde eu estava e colocou seu pênis em minha mão. Olhei para P sem saber se deveria ou não aceitar a proposta.

— Vá em frente! — ele me incentivou.

Eu o envolvi com meus dedos e comecei a masturbá-lo, sentindo-o enrijecer ainda mais.

— Você tem mãos de feiticeira — o homem declarou, deslizando um dedo em meus lábios. — Será que sua boca também é assim?

— Isso você terá de descobrir — respondi, sentindo-me atrevida.

— Prometo deixar um pouco para você — P interferiu, erguendo-me no colo e levando-me até a cama, seguido de perto pela ruiva.

Ele me depositou sobre a cama e com a ajuda da ruiva, rapidamente me despiu, deixando-me totalmente nua. Só depois, começou a tirar as próprias roupas.

Sem perder tempo, a ruiva afastou minhas pernas e mergulhou a cabeça entre elas. Lambeu algumas vezes os lábios de minha vagina, antes de usar os dedos para separá-los.

Eu sabia que ela estava doida para ter novamente meu clitóris em sua boca e não demorou muito para que sentisse sua mão pressionando a área ao redor de seu objeto do desejo, expondo-o para que pudesse sugá-lo à vontade.

P se aproximou e acariciou meus seios, roçando o rosto neles. Antes de se afastar, fez um sinal, convidando o outro homem a ocupar seu lugar. Ele se aproximou e seus dedos se apossaram de meus mamilos, enquanto P se ajoelhava na cama sobre meu rosto, deixando seu pênis na altura de minha boca.

Aceitei de bom grado o que ele me oferecia, sentindo os primeiros espasmos de prazer percorrerem meu corpo, motivados pela boca da ruiva que me chupava e pelos lábios úmidos do outro homem, que agora, sugava avidamente meus seios.

Chupei o pênis de P, sentindo-me extremamente excitada diante daquele banquete de corpos sedentos por prazer. Até que ele o retirou de minha boca, ordenando que eu ficasse de quatro. A ruiva liberou minha vagina, deitando-se de barriga para cima e eu fiquei de quatro sobre ela como P indicou que fizesse.

Ele se ajoelhou na cama atrás de mim e massageou meu ânus com o dedo, metendo-o e tirando, girando-o lá dentro antes de usar seu pênis para penetrá-lo, enterrando-o a tal ponto que suas bolas batiam em minha vagina conforme estocava.

De pé à minha frente, vi quando o outro homem passou um vibrador para a ruiva e quase gozei, só de imaginar o que viria a seguir.

O homem deu batidinhas com seu pênis em meu rosto, enquanto a ruiva, embaixo de mim, introduzia lentamente o vibrador em minha vagina.

Aquilo foi demais! Eu estava totalmente preenchida e fiquei ainda mais quando, finalmente, o amigo da ruiva decidiu enfiar seu pênis em minha boca, permitindo que eu o chupasse.

P arremetia com tudo em meu traseiro, quando senti os lábios da ruiva apoderando-se, de novo, de meu clitóris. Tentei gritar, mas o pênis enterrado em minha boca me impediu e meu corpo foi sacudido por fortes contrações que me varreram por inteira, culminando com uma pressão que liberou um jato quente de minha vagina, atingindo o rosto da ruiva embaixo de mim.

Eu tinha perdido completamente o controle! Não conseguia parar de gozar.

— Isso querida! Não tente deter — ela disse, voltando a sugar meu clitóris.

Foi nesse momento que percebi o movimento de outro casal entrando no quarto. P também percebeu, pois reduziu o ritmo das estocadas por um instante. Acho que acenou para eles, não tenho certeza. Deviam ser conhecidos.

Pouco tempo depois, ouvi a voz feminina:

— Encontrei um lugarzinho para mim — disse em tom jovial e caminhou animada em direção à cama.

— Não vai se juntar a nós? — P, que estava ajoelhado na cama atrás de mim, perguntou. Provavelmente, estava falando com o homem que permaneceu distante.

Ele respondeu algo, mas não consegui ouvir direito, pois a mulher que tinha acabado de chegar havia se ajoelhado no chão, à minha frente, e acho que estava chupando minha amiga, já que a ruiva começou a gemer alto.

Agora éramos cinco e aquilo me deixou ainda mais excitada, apesar de começar a sentir um certo incômodo nos joelhos por conta do tempo que permanecia de quatro na cama.

P voltou a arremeter forte em meu ânus, enquanto a ruiva, deitada por baixo de mim, continuava a gemer, ao mesmo tempo em que fazia o vibrador trabalhar em minha vagina. Ergui os olhos, buscando o rosto do homem que eu chupava. Queria observar sua expressão enquanto eu engolia todo seu pênis, para depois tirá-lo da boca e mordiscar a ponta.

Aproveitei para dar uma olhada na direção do outro, que acabara de entrar, mas na posição em que me encontrava não conseguia ver seu rosto. Sabia apenas que ele havia se sentado em alguma cadeira que encontrou no quarto e nos observava.

Voltei a me concentrar no pênis que chupava, rodeando-o com a língua antes de metê-lo novamente na boca para sugá-lo, mas fui interrompida por P, que me puxou pelos ombros, urrando, pronto para derramar seu gozo em minha bunda.

O movimento me fez erguer a cabeça e, então, pude ver claramente o rosto de nosso voyeur. Ele olhou diretamente em meus olhos, reconhecendo-me.

No mesmo instante, levantou-se, com o olhar incrédulo e todos os músculos do meu corpo travaram. Senti como se tivesse levado um choque, mas ninguém parecia se dar conta do que estava acontecendo, pois a ruiva continuava a mover o vibrador e o homem à minha frente tentava agarrar minha cabeça para fazer com que eu voltasse a chupá-lo. Somente P percebeu que havia algo errado.

Ele me ergueu na cama, aconchegando-me em seu peito.

— O que foi? Machuquei você? — perguntou com voz gentil em meu ouvido, enquanto afagava meu cabelo.

Não consegui responder. Meus olhos estavam vidrados nas costas do homem que caminhava em direção à porta.

— V, olhe para mim — ele insistiu, virando meu rosto para si. — O que houve?

Eu estava congelada no tempo. Não conseguia acreditar no que tinha acabado de ver. A essa altura, todos já haviam percebido que algo não estava bem. As ações cessaram, mas ninguém disse nada. Esperavam que eu me manifestasse.

— V, fale comigo!

A voz de P me trouxe de volta a realidade.

— Quem era ele? — perguntei aflita.

P me olhou como se não tivesse certeza de que havia entendido a pergunta.

— Você o conhece? Por favor, responda!

— Um amigo... — ele respondeu, confuso. — Qual a importância disso agora?

— É o Senhor F — declarou a jovem loura que tinha chegado na companhia do homem. — Ficamos juntos algumas vezes. Ele é muito gostoso!

Olhei para P e meu rosto devia estar refletindo o desespero que eu sentia, pois ele tratou de me girar para que ficássemos frente a frente.

— V, de onde o conhece? — perguntou, encarando-me seriamente.

— Ele é... F é meu marido — declarei, trêmula.

Capítulo 37

Senhor F

Uma hora antes...

Ao chegar ao endereço indicado, encontrei M acomodada em uma mesa conversando com uma mulher morena. Ela acenou ao me ver e caminhei até lá.

— Achei que você não viria mais.

— Não pretendia chegar tão tarde, mas fiquei retido em uma reunião — expliquei, depositando um selinho em seus lábios. — Não vai me apresentar sua amiga?

— É claro! — M respondeu, fazendo as apresentações e a morena me brindou com um sorriso.

— Estávamos falando de nosso amigo P. Parece que ele, finalmente, foi fisgado.

— P, fisgado?! Tem certeza de que estamos falando da mesma pessoa? — perguntei sem muito interesse, apenas para satisfazer M, que estava nitidamente ansiosa para prosseguir com o assunto.

— Estou falando sério! Estão todos comentando. Bem... Todas — ela riu. — Mas é verdade. Parece que ele se encantou por uma *novata*. E isso já vem durando algum tempo.

Aquilo não combinava com P. Raramente eu o via comer uma mulher mais de uma vez. Por isso, estranhei quando soube através de M sobre seu comportamento nas últimas reuniões. Mas precisava dar um crédito, já que ela não era de se envolver em mexericos.

— Acredita que ele agora só quer saber da tal loura? Ela deve ter mel na boceta, porque nunca o vi agir assim com mulher nenhuma. Até eu já estou ficando curiosa para saber quem ela é.

A morena ao nosso lado demonstrava não ter muito interesse pelo tema da conversa e logo nos deixou para se juntar a um grupo mais *animado,* digamos assim. Quando ela se afastou, levantei e segurei a mão de M, obrigando-a a fazer o mesmo.

— Venha! Vamos dar uma volta por aí para ver o que encontramos.

Ela não protestou e em minutos estávamos percorrendo os cômodos da casa à procura de alguma diversão. Para alegria de M encontramos P em um dos quartos, fazendo uma festinha particular com sua nova *preferida,* acompanhado de mais um casal.

— Vamos ficar aqui, por favor! — M falou eufórica ao vê-los. — Quero conhecê-la — e me arrastou para dentro do cômodo.

P acenou em nossa direção, convidando-nos a nos juntarmos a eles. Era tudo que M queria: uma chance de se aproximar da loura.

Feito uma criança empolgada com a novidade, ela prontamente aceitou.

— Encontrei um lugarzinho para mim — disse, caminhando em direção à cama.

— Você não vem? — P perguntou.

— Talvez mais tarde — respondi, puxando uma cadeira.

Sentei diante do grupo e observei a cena que se desenrolava à minha frente. A loura misteriosa estava de quatro na cama e gemia, alucinada com as estocadas fortes de P em seu traseiro, enquanto a ruiva embaixo dela, castigava sua boceta com um vibrador.

Seu rosto e parte do corpo estavam ocultos pelo homem de pé à minha frente, junto à beira da cama. Mesmo assim, dava para perceber que ela era escultural, cheia de curvas, e pelos sons que ele emitia, a chupada que ela dava em seu pau era muito boa.

De repente, P a puxou pelos ombros, erguendo seu tronco. O movimento colocou-a inteira em meu campo de visão e o rosto de V se revelou ante meus olhos incrédulos.

Mas que porra é essa?!

O choque me paralisou por um momento, e a ela também ao me identificar.

Sustentei o olhar, encarando-a firmemente.

Tente imaginar, por um segundo, como me senti ao descobrir que aquela mulher deliciosa e insaciável, que estava sendo comida por P diante dos meus olhos, em meio a uma orgia, era a *minha* V.

É claro que, àquela altura, eu já imaginava que havia alguém entre nós. V estava diferente. O comportamento arredio, ao mesmo tempo em que demonstrava uma alegria e uma espontaneidade que há muito tinham desaparecido de seu rosto. E minhas suspeitas foram confirmadas ao fodê-la na lancha.

Cheguei a pensar que se tratava de algum instrutor da academia. Um desses garotões sarados, doidos por uma mulher mais velha, bonita e, de preferência, com bastante dinheiro. Seria típico. Mas, jamais passou por minha cabeça que ela pudesse fazer parte da *Sociedade*.

Anotação mental Nº 1: descobrir quem a convidou e quando isso aconteceu.

No primeiro momento, o ciúme me corroeu por dentro, como um ácido percorrendo minhas veias. Mas, de certa forma, a cena que me fez lembrar o quanto ela era desejável.

De repente, dei-me conta de que eu havia negligenciado suas necessidades. Nunca questionei sua postura em nosso casamento, sequer tentei inseri-la em meu mundo. E agora, o choque de vê-la naquela situação inimaginável roubou-me a visão dos dias comuns, da esposa que esperava tranquila em casa, enquanto eu desfrutava, sozinho, os prazeres que o mundo podia proporcionar.

Pela primeira vez, enxerguei minha mulher como ela era realmente e essa visão foi altamente estimulante.

Surpreendê-la transando com outras pessoas revelou um desejo que violava todas as normas aceitáveis de conduta. Ao mesmo tempo, saber que ela podia sentir tanto prazer sem minha participação me fez perceber o quanto nossa relação era frágil, apesar de tão antiga.

Nada era estável. O futuro deixou de ser garantido, passou à posição de algo a ser conquistado. Agora, eu precisaria me esforçar para mantê-la ao meu lado.

Levantei-me sem dizer nada e caminhei em direção à porta. Ao alcançar o corredor, um sorriso brincou em meus lábios. Minha mente, habituada a lidar com os desafios do mundo empresarial, começou a desenvolver uma estratégia de ação para converter aquele problema a meu favor.

Algumas atitudes precisavam ser tomadas de imediato e a mais difícil seria convencer V de eu que não estava *puto* com ela.

Bom, na verdade eu estava, mas não pelo fato dela frequentar a *Sociedade* e, sim, por nunca ter me dito nada. Por ter me excluído, mantendo-se em uma redoma de vidro, inascível, intocável.

Mais uma vez, sua criação e as crenças arraigadas nas regras que impunham a conduta para uma mulher de sua posição impediram-na de se abrir e ela optou por ocultar seu verdadeiro *Eu* do homem com quem vivia há dezesseis anos.

Certamente, em sua cabecinha linda e preconceituosa, a única opção agora seria aceitar a vergonha e o divórcio. Eu estava disposto a mudar esse conceito, mas para isso precisava contar com a colaboração de P. Não sem antes ter uma conversa com ele. E esse era o problema Nº 2.

Eu e P não mantínhamos uma relação de amizade fora da *Sociedade*. Sequer sabia em que ramo de negócios ele atuava, mas lá dentro era diferente. Compartilhávamos algumas ideias e já tínhamos dividido várias beldades. Conhecia bem o vigor com que ele se dedicava a comê-las e seu gosto pela variedade, e tinha visto o suficiente para perceber que naquele caso em especial, havia uma predileção que não condizia com sua atitude costumeira.

P era solteiro e se orgulhava dessa condição. Até onde eu sabia, ele não tinha a menor intenção de mudar de *Status* ou sequer assumir uma relação com alguém. Nunca soube de seu envolvimento com uma mulher, fosse ela da *Sociedade* ou não. Para ele, tudo se resumia a diversão. Mas eu não precisava ser nenhum Guru para perceber que com V a história era diferente.

A forma como se preocupou com ela, o temor com a possibilidade de tê-la machucado, o carinho com que a envolveu em seus braços e afagou seu cabelo... Não restava dúvida, ele estava emocionalmente envolvido. E conhecendo bem as reações de V, ela também havia se ligado a ele. Do contrário, não teria concordado em mergulhar tão fundo nas práticas da *Sociedade*.

Por isso, a conversa com P seria a primeira providência a ser tomada. E exigiria toda minha atenção.

Capítulo 38

Senhora V

— F é seu marido?! — P repetiu, aproximando-se mais, envolvendo meu rosto com delicadeza em suas mãos. Então, sorriu.

— Por que está rindo? — perguntei ainda mais aflita. — Não está entendo? Somos casados! Ele é meu marido.

— Calma! Não sei nada sobre seu casamento, mas acredite em mim, não há motivo para entrar em pânico.

— Você não entende! Como vou explicar isso para minha família? O que vou dizer para o meu filho?

— Não vai precisar dizer nada — ele respondeu firme, olhando em meus olhos para me tranquilizar.

P fez um sinal e logo os outros nos deixaram a sós no quarto. Em seguida, sentou-se, recostando-se à guarda da cama e me levando com ele. Seus braços me envolviam em um abraço reconfortante, mas não era o suficiente para me acalmar.

— Você está nervosa, é natural. Mas não está enxergando todos os ângulos da situação — ele disse, enquanto acariciava meu rosto. — Tudo ficará bem.

— Como pode ter tanta certeza?

— Conheço F há algum tempo. Posso apostar que sei exatamente o que se passa em sua cabeça agora.

— De qualquer forma, preciso voltar para casa — declarei, levantando-me.

Recolhi o vestido do chão e segui para o banheiro. P veio atrás de mim.

— Deixe seu carro aqui, pode pegar depois — falou, enquanto girava a torneira, liberando o jato forte da ducha sobre meu corpo. — Vou levá-la para casa. Você não está em condições de cruzar a cidade dirigindo.

— Como sabe que preciso cruzar a cidade? — exasperei-me.

— Você é esposa de F, não é? — e me beijou, como se aquilo bastasse para explicar tudo.

Deixei a água morna bater em meus ombros, na esperança de que ela fosse capaz de reduzir um pouco a tensão em que eu me encontrava.

Tentei refletir sobre as palavras de P e sua aparente segurança em relação à atitude que F teria quando nos confrontássemos, mas nada disso serviu para me acalmar. Era inevitável pensar que meu casamento, provavelmente, tinha acabado naquele quarto, no momento em que meu olhar cruzou com o de F.

Vencida pelo pânico que se apoderou de mim, aceitei a carona de P e permiti que ele me levasse para casa.

Capítulo 39

Senhorita M

É claro que eu sabia que F era casado!

Sinceramente? Isso não fazia a menor diferença. Não até o momento em que olhei para a mulher ajoelhada no centro da cama, o corpo ereto, rígida de tensão, e no rosto a expressão de desespero.

Nossas atenções se dirigiram a ela quando anunciou, em alto e bom som, que era esposa de F. Todos ficaram perplexos diante da revelação da loura. E eu, é claro, não fui indiferente.

Na mesma hora, senti um frio no estômago.

Então, foi por isso que F deixou o quarto daquele jeito?!

Olhei para P, que permanecia abraçado a ela. Seu olhar era um alerta para que eu não dissesse mais nada. Claro que não voltei a abrir a boca!

Mas afinal, que relação existe entre eles?

Estava na cara que não era só mais uma foda na *Sociedade*.

E F? O que será que estava passando por sua cabeça depois de presenciar aquela cena?

Desde que pedi demissão da empresa nossa relação ganhou um status diferente, nos tornamos amigos de cama. Acho que posso chamar assim. Sempre que possível eu vinha de Nova Iorque para participar das reuniões da *Sociedade e me encontrar com F*. Conversávamos e bebíamos juntos tanto quanto trepávamos, e pela forma como ele sempre se referia a ela, eu sabia que a idolatrava.

A relação que ele mantinha com a esposa era muito mais do que amor. Era como se ela fosse uma espécie de divindade, a quem ele deveria adorar. Como se ela estivesse muito além de seus desejos mundanos.

Definitivamente, aquilo não era saudável!

Nada daquilo fazia sentido. Para falar a verdade, era muito estranho.

Durante todo o tempo em que convivi com P na *Sociedade* e mesmo antes, quando eu nem sonhava em fazer parte dela, nós conservamos uma relação puramente de amizade. Nunca tivemos nenhum tipo de contato sexual, mas conversávamos abertamente sobre nossa intimidade e ele nunca mencionou alguém especial em sua vida. Talvez por isso eu tenha ficado tão curiosa para conhecer a mulher que, aparentemente, havia fisgado seu coração, ao ponto de deixar o pudor de lado e me juntar ao grupo, arrastando F comigo.

Minha primeira reação ao vê-la foi constatar sua beleza. Ela era muito bonita! Tinha traços sofisticados e os olhos, de um azul bem claro, brilhavam de excitação. Parecia muito nervosa e P tratou de colocar todos para fora, inclusive eu.

Incrédula, permaneci no corredor, sem saber se deveria ir atrás de F ou aguardar até que P saísse do quarto. Não demorou muito e ele surgiu, amparando a loura que parecia em frangalhos.

— Como ela está? — perguntei, sinceramente preocupada.

— Ela vai ficar bem, mas não está em condições de dirigir. Vou levá-la para casa — ele respondeu e se afastou pelo corredor, conduzindo-a em direção à saída.

Isso não vai terminar bem!

Tentei imaginar a reação de F ao ver sua esposa chegando amparada pelos braços de P e uma cena trágica se desenhou em minha mente.

Àquela altura, não havia muito que eu pudesse fazer. Só me restava prevenir F. Quem sabe, se não fosse pego de surpresa, talvez conseguisse se controlar e evitar o pior.

Teclei seu número, rezando em silêncio para que ele me atendesse e soltei um suspiro de alívio ao ouvir sua voz. Informei brevemente sobre a decisão de P de levar sua esposa para casa e encerrei a ligação, torcendo para estar enganada sobre o desfecho daquela história.

Talvez, o mais sensato a fazer fosse dar a noite por encerrada e ir para casa também. Mas, alguma coisa que ainda não sabia explicar, me fez ficar por ali por mais algum tempo.

Capítulo 40

Senhor F

Estava ao volante, quase chegando em casa, quando o celular tocou. Atendi no viva-voz e de imediato reconheci a voz de M.

— Onde você está? — perguntou, aflita.

— A caminho de casa. Por quê?

— P a está levando para casa — ela informou sem rodeios. — Achei que deveria avisá-lo para que não seja pego de surpresa.

— Ela está bem?

— Acho que sim, mas está muito abalada.

— Obrigado! Ligo para você depois que resolver essa confusão.

— Tudo bem — ela respondeu, encerrando a chamada.

M era outra questão. Ela era alegre, extrovertida e possuía a mente mais aberta que eu já havia encontrado em uma mulher. Nada de cobranças ou desejos ocultos, além do que eu poderia oferecer. Com ela o jogo era claro, sempre. Eu gostava de mantê-la por perto, mas agora que sabia sobre a relação de P com minha mulher, essa passou a ser minha prioridade.

Estacionei o carro na garagem, entrei e me servi de uma dose de uísque, agradecendo aos céus por não ser final de semana e Cris estar na escola. Precisava da bebida para me ajudar a relaxar, já que meus planos para aquela noite na *Sociedade* foram interrompidos abruptamente.

Alguns minutos depois, ouvi o motor de um carro sendo desligado à frente da casa e, em seguida, a voz de V, vinda do jardim, chegou aos meus ouvidos. Não aguardei que ela entrasse. Depositei o copo sobre o aparador do *hall* e saí.

Capítulo 41

Senhor P

Estávamos cruzando o jardim quando fomos interceptados por F. No primeiro momento, pensei que ele fosse partir para cima de mim, enraivecido como um furacão violento. Talvez, eu o tivesse feito em seu lugar.

V se adiantou, soltando minha mão e foi até ele, insistindo por uma chance de se explicar. Tive o ímpeto de segurá-la pelo braço e puxá-la de volta, mas me contive. Ele poderia estar puto da vida pelo que tinha acabado de presenciar, mas não seria louco ao ponto de agredi-la na minha frente. Em todo caso, achei melhor permanecer por perto para interceder se fosse preciso.

Refiz meus passos até o carro, mas não abri a porta. Ao invés disso, recostei-me na lataria, os braços cruzados sobre o peito, e fiquei observando a cena que se desenrolava à minha frente.

F estava tranquilo demais para quem tinha acabado de ver a esposa se esbaldando em uma orgia. Alguma coisa estava errada ali, mas eu não podia nem de longe imaginar o que a noite ainda nos reservava.

— Você precisa me ouvir. Eu não pretendia... — V tentou iniciar um diálogo, mas foi interrompida pelo gesto inesperado de F.

Observei atentamente, enquanto ele tomava uma mecha do cabelo de V em sua mão, dispensando-a de forma carinhosa.

— Agora não, querida! Depois conversamos.

Nervosa, ela veio atrás dele.

— O que vai fazer? — perguntou, observando enquanto ele caminhava em minha direção.

— Por favor, entre! — Novamente ele a dispensou, dessa vez imprimindo um pouco mais de firmeza à voz, mas ela se mostrou irredutível e prosseguiu atrás dele.

— Eu não vou entrar!

E quando ela insistiu na conversa, F agarrou seu braço de forma abrupta, impedindo-a de prosseguir.

— Vá para dentro! — A ordem saiu exasperada. — Já disse que depois nós conversamos.

Ali estava o homem furioso que eu esperava encontrar, tentando conter sua raiva por algum motivo que eu ainda desconhecia.

— Não vou entrar para que vocês possam se confrontar feito dois trogloditas por um erro que é meu. Isso é insano! — V esbravejou, puxando o braço para se soltar, recusando-se a entrar em casa.

Apesar do nervosismo evidente, ela não se dava por vencida, mas eu sabia que a fachada de boas maneiras que F sustentava estava a ponto de se romper e se isso acontecesse, ele despejaria toda sua ira sobre ela.

Caminhei de volta ao gramado bem cuidado até alcançá-la e fiz com que se virasse em minha direção.

— Faça o que ele pede — falei, mantendo a voz tranquila. Ela me olhou em dúvida, hesitando entre acatar ou não meu pedido. — Nós dois precisamos ter uma conversa, mas garanto que será civilizada. — Busquei a anuência de F, que assentiu de modo nada convincente, o que não colaborou para que V se desse por satisfeita.

— Agora chega! Entre e me espere! — ele vociferou e eu soube que aquele era o momento de tirá-lo de lá.

V protestou com veemência, tentando apelar para o bom senso que, àquela altura, estava por um fio.

Ignorando seus apelos, segui F em silêncio até o carro. Não precisei olhar para trás para reconhecer o desespero da mulher que há pouco estava em meus braços, ou para saber o quanto ela se sentia impotente diante daquela situação.

Somente quando já estávamos dentro do veículo, questionei a intenção de F.

— Primeiro, vamos voltar à *Sociedade* para buscar o carro de V — foi a resposta inesperada e fria que ele me deu —, depois... eu e você vamos nos entender — e quando dei a partida, ele explodiu: — Que porra foi essa de levar minha mulher para a *Sociedade* e comê-la sem minha permissão?

— Eu não sabia que ela era sua mulher e pelo visto, nem você sabia que ela frequentava a *Sociedade* ou não estaria tão alterado.

— Você a convidou? — F perguntou furioso, dando vazão à raiva que até então tentava moderar. — Como isso aconteceu? Como se conheceram, afinal?

— Não, eu não a convidei — limitei-me a responder.

— Mas, então...

— Exatamente. Eu a conheci lá dentro.

— Há quanto tempo estão trepando?

— Essa pergunta você deve fazer a ela.

— Não me faça perder a paciência! Eu quero algumas explicações e se não as receber de você, arrancarei dela.

— Não acha que está exaltado demais para alguém que foi tão negligente com a própria esposa? Você está mordido pelo ciúme, eu entendo, e puto pra caralho por descobrir tudo dessa maneira. Lamento que sua vida conjugal seja tão frágil e superficial, mas eu não devo satisfação a você sobre a relação que mantenho com as mulheres da *Sociedade*, mesmo que uma delas seja a sua esposa.

— Eu deveria esmurrá-lo até sangrar.

— Deveria, mas não vai, porque sabe que tenho razão.

Aguardei que F retrucasse com sua arrogância natural ou que me desse o soco prometido e até certo ponto, merecido. Mas, surpreendentemente, não aconteceu uma coisa nem outra.

Olhei em direção ao banco do carona e observei a reação de F, que pela primeira vez parecia vencido, como quem se dá conta de uma verdade irrefutável. Por um momento, tive pena do homem ao meu lado e, mais uma vez, tentei me imaginar em sua posição. A visão não foi nada confortável.

— E agora, o que pretende fazer? — perguntei, tentando resolver de vez a questão, mas ele me interrompeu.

— Agora não.

Havíamos chegado à *Sociedade*.

Estacionei e saímos do carro, praticamente ao mesmo tempo. Caminhamos até o local onde V havia deixado seu carro. F assumiu o volante e antes de dar a partida, pediu que eu o seguisse até um pub pelo qual havíamos passado na estrada.

Refizemos o caminho de volta, dirigindo por cerca de quinze minutos até estacionarmos em frente ao bar, pouco movimentado pelo adiantado da hora. Entramos, pedimos uma garrafa de uísque no balcão e fomos nos sentar em uma mesa no fundo do salão, o que nos garantiria a privacidade necessária para termos aquela conversa.

— Você vai deixá-la? — perguntei sem rodeios.

— Gostaria que isso acontecesse? — F questionou como quem sonda o terreno antes de se decidir por qual caminho seguir.

— Não cabe a mim essa opção, mas me preocupo com ela. V não me parece o tipo de mulher que suportaria bem um rompimento, principalmente dessa forma.

— Vamos deixar uma coisa bem clara aqui: não é porque está comendo a minha mulher que a conhece melhor do que eu, ou sabe do que ela precisa. Está preocupado que eu peça o divórcio e de alguma forma ela o responsabilize por isso? É nisso que está pensando? Ou por acaso pretende assumir o posto, se eu o deixar vago? Porque, se bem me lembro, isso não faz o seu estilo.

— Não seja hipócrita! Você não está numa posição muito melhor do que a dela.

— E você não respondeu minha pergunta. Então, vamos direto ao ponto: está apaixonado pela minha mulher?

Um silêncio incômodo caiu entre nós antes que eu o rompesse.

— Abominei duas coisas durante toda minha vida: relacionamentos sérios e filhos — respondi, após alguns segundos que pareceram horas.

— Mas se apaixonou por V — ele sentenciou e não neguei. — Você sabe aonde isso vai nos levar. — F argumentou. — Ela está fascinada, descobrindo-se em meio a um mundo que sequer fazia ideia que existia. Já vimos isso acontecer antes e sabemos como termina.

— Não pretendo sair da vida dela, se é isso que está sugerindo. A não ser que ela própria peça para eu me afastar.

— Sabe que ela não o fará. Conheço V o suficiente para saber que também se apaixonou por você ou não teria se sentido tão segura para mergulhar de cabeça nas experiências que a *Sociedade* pode proporcionar. A questão é: como vamos conduzir essa situação daqui por diante, já que nenhum de nós está disposto a abrir mão dela?

Havíamos chegado a um impasse que somente um acordo de cavalheiros poderia resolver, mas antes que tivéssemos tempo para sequer cogitar a questão, senti o celular vibrar no bolso interno do paletó. Peguei o aparelho, disposto a desligá-lo e prosseguir com a conversa, mas ao olhar o número registrado no visor, mudei de ideia.

— Só um minuto, preciso atender — anunciei, afastando-me da mesa.

Capítulo 42

Senhorita M

Deixei a *Sociedade* quase uma hora depois, pensando em chegar logo em casa, jogar-me na cama e tentar esquecer aquela noite maluca, mas no meio do caminho, deparei-me com o carro de F. Aparentemente, ele tinha derrapado ou sido jogado para fora da pista por algum motorista imprudente.

Estacionei, sentindo meu coração pular dentro do peito e corri até lá para verificar seu estado, estranhando o fato de, após tanto tempo, nenhum resgate ter chegado para socorrê-lo.

Para minha surpresa, ao me aproximar do carro, avistei a loura ao volante. Estava desacordada, sua cabeça apoiada sobre o *airbag* que inflou com o impacto e filetes de sangue escorriam de sua boca e testa. Assustada, corri de volta até meu carro e peguei o celular dentro da bolsa. Acionei a chamada de emergência e tentei descrever a cena o mais rápido possível.

Num impulso, fiz a chamada seguinte. A voz de P soou ao meu ouvido.

— Você precisa voltar — falei, apressada. — Ela sofreu um acidente na estrada e estão vindo buscá-la.

— Do que você está falando? Quem sofreu um acidente?

— V — respondi, tentando me acalmar, mas no fundo estava assustada. — Ela está desacordada, mas acho que está respirando. Tem muito sangue e...

— Onde vocês estão? — P perguntou e eu pude sentir o desespero em sua voz. Passei o endereço e ele desligou.

Fiquei ali, de pé no meio da estrada, sentindo-me desolada, aguardando, até ouvir o barulho das sirenes ao longe.

Tentei imaginar como aquilo tudo acabaria, mas tive a nítida sensação de que aquela história estava apenas começando.

Capítulo 43

Senhor P

Quando deixei a casa de V naquela noite, com F ao meu lado no banco do carona, não pensei que ela pegaria o carro dele e viria atrás de nós. Nenhum dos dois pensou.

Deveríamos, já que a deixamos sozinha e nitidamente transtornada. Mas aquela possibilidade não passou por nossas cabeças até o momento em que recebi o telefonema de M. Ela falava apressada, tornando o diálogo quase incompreensível, mas no instante em que soube o que havia acontecido senti o sangue gelar em meu corpo.

— Está desacordada, mas acho que está respirando. Tem muito sangue e... — M continuava a falar sem parar, tornando tudo ainda mais irreal aos meus ouvidos.

Diabos! Mas o que elas estavam fazendo juntas?

Queria perguntar como as duas se encontraram e quem, afinal, estava indo buscar V, mas pelo desespero na voz de M não havia tempo para isso.

Caminhei de volta à mesa, memorizando a localização que ela explicava ao telefone e assim que desliguei dei a notícia à F.

— Fica a pouco mais de três quilômetros — ele declarou.

— Ela deve ter vindo atrás de nós — dei voz à única explicação que minha mente conseguia formular naquele momento. — Não devíamos ter deixado ela sozinha.

Joguei algumas notas sobre o balcão, enquanto deixávamos o bar de volta aos carros, sem imaginar, nem por um instante, a gravidade do acidente. Encontramos o local em menos de cinco minutos e só então me dei conta do quanto era sério.

Uma ambulância de resgate, com a sirene ligada e as luzes piscando, parecia ter acabado de estacionar à nossa frente e a equipe de socorristas corria em direção ao carro, que estava inclinado para fora da estrada, com as lanternas traseiras ainda acesas e a frente completamente esmagada contra o tronco de uma árvore.

M, que estava ao lado da janela do motorista, afastou-se quando eles se aproximaram, dando espaço para que trabalhassem. Quando me viu, caminhou apressada em minha direção.

— Eu tentei falar com ela, mas ela não responde — sussurrou desolada, apoiando o rosto molhado de lágrimas em meu peito. — O *airbag* abriu — ela balbuciou —, mas tem muito sangue em seu rosto.

Ergui seu queixo delicadamente, fazendo com que me olhasse.

— Você agiu bem. Agora, tente se acalmar. Nós já estamos aqui e vamos fazer o que for preciso para que ela fique bem.

Só então ela notou a presença de F, que se aproximou após estacionar o carro de V um pouco atrás do meu.

— Mas... o que ele... Vocês...

— É uma longa história — ele retrucou. — Conversamos sobre isso outra hora — completou, afastando-se para interpelar o socorrista que vinha em nossa direção.

— Vocês são parentes da vítima? — o rapaz perguntou.

— Sou marido dela, o carro que estava dirigindo é meu. Como ela está? Quero ver minha esposa.

F começou a caminhar em direção ao carro, mas o socorrista o deteve.

— Senhor, é melhor não se aproximar.

— Por que não? Já disse que ela é minha esposa. Quero ter certeza que será levada para um bom hospital, com todos os recursos que precisar — ele falou, voltando a caminhar em direção ao carro, onde outros dois integrantes da equipe prestavam os primeiros socorros, livrando o rosto de V do que restava do *airbag* para colocar uma máscara de oxigênio.

— Não podemos removê-la agora, por favor, entenda e colabore conosco.

— Como assim, não podem removê-la?! Que história é essa? — F bradou, exacerbado.

Ao ouvir seus gritos, instruí M para esperar em meu carro e fui até ele. Confesso que eu mesmo me sentia abalado, fora de meu estado normal, mas nervoso como ele estava só dificultaria ainda mais o resgate.

— Por favor, explique melhor! — pedi ao me aproximar, tentando manter a calma diante da situação. — Por que ela não pode ser removida?

O rapaz me direcionou um olhar agradecido pela interferência e começou a explicar:

— Precisamos de outro carro, o nosso não é equipado com as ferramentas adequadas e uma das pernas dela está presa nas ferragens. Não parece ter causado uma lesão grave, mas sem o equipamento adequado não podemos tirá-la de lá. É claro que essa é uma avaliação superficial. Somente depois de tirá-la do carro poderemos fazer uma verificação mais precisa.

Olhei para F, que parecia em choque com a notícia. Aquelas palavras tiveram o poder de desmontar o homem decidido e um tanto arrogante que eu conhecia. E, de repente, ele já não tinha mais o mesmo ímpeto de antes.

Ficamos os dois congelados, presos ao solo, sentindo o mundo se desfazer ao nosso redor. O rapaz se afastou em direção a ambulância, desligou a maldita sirene, deixando apenas as luzes piscando, e ouvimos quando pediu auxílio pelo rádio.

Em poucos minutos uma *pick-up* de resgate se aproximou, trazendo uma nova equipe, e os trabalhos para a remoção começaram.

Durante todo o tempo, V permaneceu desacordada e eu não sabia se devia agradecer aos céus por isso ou rezar para que ela retomasse a consciência.

Quando, finalmente, colocaram-na na maca, meus olhos percorreram suas pernas, centímetro a centímetro, para ter certeza de que tudo estava em seu devido lugar. E apesar do sangue e das roupas rasgadas durante o processo para retirá-la do carro, aparentemente estava.

Logo a cobriram para levá-la para dentro da ambulância, impedindo que eu prosseguisse com minha inspeção silenciosa. E pela primeira vez na vida me peguei orando mentalmente, pedindo a Deus, caso ele existisse, para garantir que ela se recuperasse.

— Eu vou com ela — F anunciou.

— Acho que você deveria pegar seu carro e ir para casa. Não há mais nada que possa fazer — falei para M ao voltar para o carro. — Está se sentindo melhor?

— Eu estou bem, não se preocupe. Vá com eles e, quando puder, dê-me notícias.

Despedi-me dela, depositando um beijo em sua testa e segui a ambulância até o hospital. A cada quilômetro sentindo os laços que me uniam a V se estreitarem ainda mais e torcendo para que a trégua recém-instaurada entre eu e F não fosse apenas momentânea.

Ao chegar, estacionei atrás da ambulância, o motor ligado, as mãos fixas no volante. Assisti, imóvel, enquanto V era retirada na maca e levada para dentro. Tudo que eu queria era estar ao lado dela, acompanhando de perto cada minuto do atendimento, mas precisava encontrar uma vaga. Não podia simplesmente largar o carro na entrada da emergência.

Esperei, pacientemente, até que a ambulância liberasse o caminho e segui para o estacionamento destinado aos clientes, que ficava nos fundos do hospital.

Quando entrei no saguão, cruzei o recinto em poucos passos, sem me importar com o olhar apreensivo da recepcionista atrás do balcão, que na certa esperava que eu me identificasse e pedisse informações sobre algum paciente. Mas eu não tinha tempo para formalidades, não enquanto não soubesse como V estava realmente.

Encontrei F dois corredores adiante, sentado em uma cadeira encostada à parede. Com os cotovelos apoiados nas pernas e as mãos espalmadas sobre o rosto, ele era o retrato da desolação.

— Como ela está? — perguntei, apoiando a mão em seu ombro para chamar sua atenção.

— Não sei — ele respondeu, abaixando as mãos e erguendo o olhar em minha direção —, não me deixaram entrar.

Sentei ao seu lado sem saber o que dizer. Sentia-me tão desolado quanto ele.

— Está mesmo disposto a passar a noite aqui? — F perguntou me encarando, direto como sempre. Mas em seu tom não havia a costumeira arrogância ou qualquer vestígio de rivalidade. Apenas a preocupação de um homem aflito.

— Não pretendo sair daqui enquanto não tiver alguma notícia sobre o estado de V. E, talvez, nem depois disso — enfatizei e ele não retrucou.

Permanecemos em silêncio, cada qual absorto em seus próprios pensamentos, por longos minutos que pareciam não ter fim, até que um médico finalmente cruzou a porta da sala para onde ela havia sido levada.

Imediatamente, nos pomos de pé.

— Qual de vocês é o marido da paciente? — ele perguntou, olhando de um para o outro.

— Sou eu. — F se identificou e por mais insano que isso possa parecer, senti uma pontada de ciúme. — Como estão as pernas dela?

— Ela teve sorte. Não ouve ruptura nos ossos, mas o corte na perna direita foi profundo. Os exames de imagem revelaram fragmentos de vidro e metal alojados no tecido. Não há risco aos nervos ou vasos sanguíneos, mas ela precisa passar por um procedimento cirúrgico para remoção dos estilhaços.

A cada palavra meu estômago se contorcia e ao meu lado, F não parecia estar em melhor estado.

O médico prosseguiu com explicações técnicas que minha mente se recusava a assimilar, como se um imenso vazio tivesse se apossado dela.

— Quanto ao traumatismo craniano... — De repente, aquelas duas palavras exerceram uma espécie de poder sobrenatural, colocando-me imediatamente em alerta outra vez. — A ressonância magnética revelou que não houve afundamento do crânio, mas estamos monitorando para ter certeza de que não haverá aumento da pressão intracraniana. As funções vitais estão controladas, porém, mesmo uma concussão cerebral leve pode causar lesões.

— De que tipo de lesões estamos falando, doutor? — perguntei aflito, vencendo a batalha contra o medo para proferir as palavras.

— Nesse caso, nada muito grave, mas ela pode sentir dores de cabeça e apresentar problemas de memória durante algum tempo. É bom que entendam que um diagnóstico preciso nesse momento seria precipitado. Vamos mantê-la em coma induzido após a cirurgia e ver como reage nas próximas vinte e quatro horas. Agora, se me dão licença, preciso voltar ao centro cirúrgico.

— Doutor — F interpelou quando o médico já nos dava as costas —, quanto tempo até que eu possa ver minha esposa?

— Não antes de duas ou três horas — ele respondeu. — Minha sugestão é que tome um café e tente descansar. De qualquer forma, ela estará sedada e não será transferida para um quarto antes do amanhecer. — E suavizando o tom, completou: — Temos uma cantina no segundo andar. A recepcionista pode explicar o caminho — e então, ele se foi.

F permaneceu parado, de frente para a porta por onde o médico havia desaparecido. Imaginei se ele estaria cogitando a possibilidade de invadir a sala.

— Eu preciso mesmo de um café. Vamos descobrir onde fica essa cantina — sugeri e fiquei aliviado quando ele concordou.

A cantina era pequena e não havia muita opção, mas ao menos o café era forte.

— O carro de V ficou no local do acidente. Preciso buscá-lo — F falou, após alguns goles de café fumegante.

— Posso levá-lo até lá.

— Então, é melhor irmos logo. Quero estar aqui, quando a cirurgia terminar.

Deixamos o hospital em meu carro e voltamos ao local onde V havia colidido contra a árvore. O que sobrou do carro de F não estava mais lá. Provavelmente, havia sido rebocado, enquanto aguardávamos por notícias na emergência. Mas o carro de V permanecia estacionado onde ele o deixou.

— Eu vou voltar para lá, você vem comigo? — ele inquiriu, antes de entrar no veículo.

— Estarei bem atrás de você — respondi.

Demos partida e fizemos o caminho de volta até o hospital.

Aguardei do lado de fora, acompanhado pela enfermeira, por quinze intermináveis minutos, tempo pelo qual foi permitida a presença de F na UTI. Segundo fomos informados, V permanecia inconsciente.

A impaciência começava a me dominar quando ele surgiu de volta ao corredor.

— E então? — interpelei, ansioso.

— Ela perece bem... acho.

— Eu quero vê-la — anunciei, encarando-o firmemente e F sustentou meu olhar.

— Não será possível, lamento! — a enfermeira declarou. — Só é permitida a presença de parentes próximos e, mesmo assim, apenas uma visita.

— Ele é irmão dela — F intercedeu, surpreendendo-me. — Será que não há nada que você possa fazer?

A enfermeira ponderou por alguns segundos.

— Tudo bem! Mas só por cinco minutos.

Passei por ele, sussurrando um *obrigado* antes de entrar na sala. V respirava com ajuda de uma máscara de oxigênio e um frasco de soro repousava em um suporte ao lado da cama, um tubo levando o líquido transparente até a veia em seu braço. Em sua boca era possível ver alguns cortes, assim como em seu rosto, mas sua expressão era serena, como se estivesse apenas dormindo.

Segurei sua mão inerte, acariciando a pele suave e morna entre meus dedos. Afaguei sua cabeça através tecido da touca que cobria seus cabelos e me curvei para depositar um beijo em sua testa, tomando o máximo de cuidado para não deslocar a máscara. Só então meu coração se tranquilizou.

Retornei ao corredor, ainda tomado pela emoção de vê-la naquele estado. F me aguardava próximo ao balcão da enfermeira, que permaneceria de plantão na UTI por toda a noite.

— Não há muito que possamos fazer agora — falei, sentindo o cansaço e o desânimo me abater.

— Não quero deixá-la — ele proferiu as palavras, a angustia refletida em sua voz —, mas preciso ir até em casa. Cris está sozinho com a empregada.

Ponderei por alguns segundos, mas na verdade minha resposta já estava pronta:

— Eu vou ficar por aqui — anunciei. — Não conseguiria dormir, de qualquer forma.

F me direcionou um olhar agradecido.

— Senhor! — a enfermeira interrompeu, desviando nossa atenção. — Temos uma sala para acompanhantes. As poltronas são confortáveis. Pode descansar um pouco se desejar.

— Obrigado — balbuciei.

— Vou até lá, vejo como Cris está e volto em seguida.

— É melhor ficar com seu filho e descansar um pouco também. Já é madrugada. Não acredito que tenhamos alguma novidade até o dia amanhecer. Eu ligo se houver qualquer mudança no quadro dela.

— Venha por aqui, por favor! — a enfermeira voltou a interromper, indicando uma porta alguns metros à frente.

Observei, enquanto F se afastava cabisbaixo rumo à saída e segui a enfermeira.

A área destinada aos acompanhantes se resumia a uma sala pequena composta por quatro poltronas reclináveis, todas desocupadas, um crucifixo preso à parede, uma mesa baixa no centro e uma segunda porta, que a enfermeira informou ser o lavabo.

— Posso trazer uma manta, se o senhor quiser — ofereceu, solicita.

— Seria bom, obrigado!

Ela se retirou, retornando em poucos minutos com a peça embalada em um saco plástico.

— Aqui está. Tenha uma boa noite! Eu venho avisá-lo, caso ela acorde.

Agradeci novamente e a mulher se retirou.

Rasquei o plástico que embalava a manta e fui arrebatado pelo cheiro característico dos objetos do hospital, o mesmo odor que impregnava a sala da UTI onde V repousava em seu coma induzido pela medicação.

Retirei o celular do bolso e o depositei sobre a mesa, tentando abstrair a estranha sensação que me dominou.

Estendi a manta sobre as pernas, reclinando-me na poltrona, e deixei minha imaginação vagar de volta à casa de V.

Quão difícil era a missão que F tinha pela frente?

Eu não tinha filhos, não convivia com crianças, não sabia nada sobre elas. Mas sabia que não seria fácil.

Como dizer a uma criança que a mãe tinha sofrido um acidente, acabara de passar por uma cirurgia delicada e estava em coma na UTI de um hospital?

Capítulo 44

Senhor P

Nem mesmo me dei conta de ter cedido ao sono e já estava sendo despertado pela enfermeira.

— Senhor? Seu celular está tocando há algum tempo — ela falava, estendendo o aparelho em minha direção.

— Ah... Obrigado! Já amanheceu? — perguntei, apanhando o celular.

— São quase seis da manhã — ela respondeu, afastando-se.

Atendi a chamada insistente e apesar do número desconhecido, não tive dúvida sobre de quem se tratava.

— Bom dia! Alguma novidade durante a noite?

— Nada. Ela continua desacordada. E seu filho?

— Ficou nervoso, mas reagiu melhor do que eu esperava. Cris é muito maduro para a idade. V o criou bem, é uma ótima mãe.

— Imagino que sim.

E o silêncio reinou por alguns segundos.

— Estou indo para o hospital, quer alguma coisa?

— Não — respondi prontamente. — Espero você na cantina. Preciso de um café.

Uma escova de dente não seria nada mal, pensei ao encerrar a chamada.

Livrei-me da manta e fui até o lavabo. Joguei uma água no rosto, na tentativa de melhorar a aparência da noite mal dormida e segui para a cantina. Um café me ajudaria a despertar de vez.

O aroma de panquecas frescas fez meu estômago reclamar, lembrando-me que não havia comido nada na noite anterior. Pedi duas panquecas com mel, ovos e uma xícara de café, e fui me sentar em uma das mesas. Estava devorando meu desjejum quando F chegou.

— Você está com uma aparência péssima! — ele exclamou ao se sentar na cadeira à minha frente.

— Pena que não posso dizer o mesmo de você — retruquei, observando o cabelo ainda úmido e as roupas limpas que ele ostentava. Mas, apesar disso, seu rosto também exibia as marcas de uma noite mal dormida.

— Conversei com o médico. Ela está estável, mas vão mantê-la sedada na UTI por mais algum tempo. — F compartilhou comigo a informação.

— E o que pretende fazer?

— Não há muita opção, há? Já mandei cancelar todos os compromissos na empresa. Vou passar parte do dia no hospital e parte em casa com Cris. Ele está insistindo em vê-la, mas acho melhor aguardar até que ela seja transferida para o quarto.

— Podemos revezar. Preciso passar no apartamento, tomar um banho e resolver alguns assuntos, mas posso voltar à tarde para você passar um tempo com ele.

F pareceu considerar minha proposta. Eu quase podia ver as engrenagens de seu cérebro funcionando.

— Está mesmo disposto a fazer esse arranjo?

— Não estaria propondo se não pretendesse levar adiante.

— O que está sugerindo não se resume apenas aos dias passados à beira de um leito no hospital.

Eu sabia que aquela não era uma pergunta. F entendeu exatamente a extensão da minha proposta. Mesmo assim, respondi:

— Não.

— Já considerou a hipótese de ela não concordar?

— Já, mas tenho certeza que nós dois, juntos, podemos dar um jeito nisso. Seria muito pior se a forçássemos a uma escolha, não acha?

Ele meneou a cabeça, concordando.

F conhecia tão bem quanto eu a fragilidade de V. Ela não estava pronta para tomar aquela decisão e nenhum de nós era tão altruísta ao ponto de abrir mão dela para o outro.

— Antes de selarmos um acordo, eu preciso saber: você a ama?

— Tanto quanto você — respondi sem titubear.

Depois de passar no meu apartamento para tomar banho e trocar de roupa, fui até o escritório. Precisava tomar algumas providências para que tudo funcionasse bem na minha ausência. Por sorte, contava com uma equipe eficiente. Sabia que eles dariam conta pelos próximos dias, desde que eu monitorasse à distância.

Os detalhes finais para o show da banda que se apresentaria na casa noturna dali a duas noites já haviam sido arranjados. Se houvesse algum contratempo, Natalie saberia onde me encontrar. E Donald, certamente, cuidaria do restaurante com a mesma dedicação de sempre.

De volta ao hospital, aguardei do lado de fora da UTI até que F viesse ao meu encontro.

— Como ela está?

— Na mesma. Segundo os médicos, se nas próximas horas não houver nenhuma alteração no quadro, suspenderão a sedação e em breve ela poderá deixar a UTI. Mas ainda vai levar alguns dias até que possa retornar para casa — ele explicou, desanimado.

— Não me parece uma má notícia.

— Eu sei, mas cada vez que entro lá e a vejo naquele estado me sinto impotente. Queria poder fazer alguma coisa, além de observar e esperar.

— Você está precisando de um descanso — falei, apoiando a mão em seu ombro. — Vá para casa ficar com seu filho. Se decidirem transferi-la, eu aviso para você.

— Volto para passar a noite com ela.

F se despediu e eu entrei na UTI para ter meus cinco minutos com V. Duas horas depois, o médico informou que a sedação havia sido suspensa.

— Estamos monitorando para ver como ela vai reagir.

— Ela poderá passar a noite no quarto? — perguntei, esperançoso.

— Acho pouco provável. Amanhã pela manhã, talvez.

A conversa foi interrompida pelo som da chamada em meu celular e ele se foi. Olhei o nome brilhando no visor, era M.

— Oi! Passei no seu escritório, mas disseram que você estava no hospital. Como ela está?

— Vai ficar bem. Só precisa de tempo para se recuperar. E você?

— Estou terminando de organizar a mudança. O período de experiência acabou. Amanhã parto de vez e você terá seu Studio de volta.

— Você tomou a melhor decisão para sua carreira. Tenho certeza que terá sucesso. É pena não poder oferecer um jantar de despedida para você, como a ocasião merece.

— Eu entendo. Precisa ficar com ela. E, afinal, Nova Iorque não fica do outro lado do mundo. Ainda podemos nos ver nas férias.

— É claro que sim! — confirmei. — Não deixe de dar notícias.

— Pode deixar! Você não vai se livrar de mim tão facilmente — ela riu e o som de seu riso foi, de certa forma, um bálsamo em meio aos acontecimentos das últimas vinte e quatro horas.

— F já sabe que está de partida?

— Falei com ele antes de ligar para você. Ele me contou que vocês fizeram um tipo de acordo. Quase não acreditei que estávamos falando da mesma pessoa. Você, envolvido com alguém a esse ponto?! Que loucura foi essa?

— Bem... Um dia isso tinha de acontecer.

— Se eu não tivesse de pegar um voo na primeira hora da manhã, não o deixaria em paz até saber de todos os detalhes.

Foi a minha vez de rir. Aquilo era mesmo a cara de M.

— Prometo explicar tudo em outra oportunidade.

— Preciso desligar — ela informou. — Estão tocando a campainha. Deve ser o táxi que pedi. Vou jantar na casa dos meus pais.

— Boa viagem e se cuida!

Encerrei a chamada no momento em que F chegou e tratei logo de dar a notícia sobre a suspensão da medicação que mantinha V no coma induzido.

— Então, isso significa que ela pode despertar a qualquer momento — ele concluiu, parecendo menos abatido.

— Sim, mas eu preciso dormir um pouco. Queria ficar, mas não sei se vou conseguir passar outra noite naquela poltrona. — Foi a minha vez de demonstrar desânimo. — Estou quebrado.

— Não se preocupe, eu aviso se ela acordar.

Deixei o hospital, divido entre a necessidade urgente de meu corpo por algumas horas de sono, em uma cama confortável e o desejo de estar ao lado de V, quando ela abrisse os olhos.

Capítulo 45

Senhor P

Abri os olhos e encarei o visor do relógio disposto sobre o móvel próximo à cama. Passava um pouco das sete da manhã. Conferi o celular. Não havia nenhuma chamada perdida. Levantei, esfregando os olhos e caminhei, vagarosamente, até o banheiro.

Trinta minutos depois, estava dentro do meu carro, deixando a garagem, devidamente arrumado para encarar mais um dia difícil. Mas, ao menos, existia a esperança de que V despertasse.

Dei uma passada rápida no escritório para verificar se estava tudo em ordem e tomar o café da manhã como de costume. Eram quase onze horas quando cheguei ao hospital e foi uma grata surpresa receber a notícia de que ela havia sido transferida para um quarto.

— Fica no terceiro andar, no corredor à esquerda do elevador — informou a enfermeira que estava de plantão na UTI naquela manhã.

— Obrigado! — respondi, voltando apressado para o hall dos elevadores.

Subi até o andar indicado e fui direto para o quarto ocupado por V. Ao abrir a porta, deparei-me com F de pé ao lado da cama, falando ao telefone.

Aguardei até que encerrasse a ligação.

— E então, como ela passou a noite? — perguntei, observando V que ainda dormia.

— Ela despertou e segundo o médico, está reagindo bem. A mente está um pouco confusa, não se lembra direito dos acontecimentos dos últimos dias, mas ele disse que é assim mesmo. Aos poucos, isso vai passar.

— E por que não me avisou? Eu teria vindo na mesma hora.

— Para quê? Para me fazer companhia, enquanto observamos ela dormir? — F retorquiu.

Encarei-o seriamente, sem fazer a mínima questão de disfarçar meu descontentamento.

— Escute — ele apoiou a mão em meu ombro, apaziguador. — Ela está se recuperando conforme o previsto, mas ainda sente muita dor. Desde que a trouxeram para o quarto estão mantendo-a com altas doses de medicação. A não ser por poucos minutos, entre um despertar e outro, ela passa a maior parte do tempo dormindo. Por isso, achei que não era necessário fazê-lo vir até aqui.

— Essa decisão cabia a mim — retruquei.

Estava puto da vida com ele. Queria estar presente quando ela acordasse, para que soubesse que eu não a havia abandonado depois do que aconteceu na *Sociedade*.

F retirou a mão do meu ombro e abriu um meio sorriso. Um ar de cinismo brilhando em seu rosto, como se estivesse me testando.

— Se está tão ansioso para servir de acompanhante, pode aproveitar e passar a tarde toda com ela. Recebi uma ligação da empresa. Preciso ir até lá para assinar alguns papéis que não podem esperar e resolver um assunto urgente. Depois, pretendo passar em casa para ver Cris antes de retornar ao hospital. — E me direcionou um olhar interrogativo, como se aguardasse uma resposta.

— É claro! Pode ir. Não sairei daqui até que volte.

Durante todo o tempo em que estive no quarto, V permaneceu dormindo. Por volta de uma da tarde, a enfermeira entrou para trocar o soro e aplicar mais uma dose de medicação.

— O senhor não vai almoçar?

— Não quero que ela acorde e se sinta sozinha — respondi sem pensar, pois era exatamente assim que eu me sentia.

Ela pareceu entender.

— Se quiser, pode comer aqui mesmo. A cantina oferece alguns pratos na hora do almoço. Não tem a variedade de um restaurante, mas não é de todo ruim.

Aceitei a sugestão e esperei até que ela saísse do quarto. Desci até a cantina, que ficava no primeiro andar e fiz uma refeição leve, retornando imediatamente.

Apoiei-me à janela e espiei o movimento exterior sem muito interesse, pensando em tudo que vivemos até ali e tentando imaginar como seria de agora em diante. Virei-me para a cama e observei V, que dormia profundamente, os longos cabelos dourados espalhados sobre o travesseiro. O lençol que cobria seu corpo ocultava as marcas da recente cirurgia na perna. Não fosse pelos curativos em seu rosto, ninguém diria que tinha acabado de sofrer um grave acidente.

Aproximei-me um pouco e contive o impulso de tocá-la. Não sei por quanto tempo fiquei ali, parado ao lado de sua cama, observando-a, mas foi o suficiente para ter certeza de que deixá-la não seria tão fácil como costumava ser com as outras.

Lentamente, ela acordou e um par de lindos olhos azuis me fitou. Ao encará-los, meu coração acelerou como o de um adolescente frente à menina mais linda da escola.

Ela parecia confusa. Tentou balbuciar alguma coisa, mas a impedi, colando um dedo sobre seus lábios feridos. V fez mais uma tentativa, agora no intuito de se mover, mas era nítido o grau de fraqueza de seu corpo. Fez apenas um leve movimento com o braço livre do soro, ao que pareceu, com grande esforço.

— Shhh! Não se esforce. Vai se cansar — falei, aproximando-me um pouco mais para alcançar sua mão, e mergulhei fundo em seus olhos.

Ela piscou e me devolveu um olhar questionador, vasculhando o quarto em seguida. Na certa, tentava entender porque eu e não F estava em seu quarto no hospital, velando seu sono.

— O que aconteceu? — ela conseguiu balbuciar. A voz, um sopro quase inaudível.

— Você sofreu um acidente — respondi sem dar detalhes.

— Onde está... — ela engasgou, tomou ar e se agitou um pouco. — Ele me deixou? É por isso que você está aqui?

— Ele não a deixou. Esteve aqui até há pouco — respondi, puxando a cadeira para me sentar perto dela. — E você não deve se agitar.

Ela ignorou meu aviso para que permanecesse quieta e ergueu um pouco o pescoço. Imediatamente, levantei-me e acomodei melhor o travesseiro sob sua cabeça, voltando a me sentar em seguida.

— Mas, então...

Eu sabia que ela queria uma explicação para minha presença, mas eu não estava preparado para ter essa conversa. Não agora, com ela presa a uma cama de hospital. Então, resumi rapidamente tudo o que aconteceu depois do acidente. Contei sobre a trégua com F, mas ocultei nosso acordo.

V não pareceu acreditar muito naquilo. Tive a impressão de que não seria tão fácil convencê-la. Mas os remédios voltavam a produzir seus efeitos e ela já dava sinais de cansaço.

— Está tudo bem — tranquilizei-a, afagando delicadamente seus dedos entre os meus até que ela voltasse a fechar os olhos, entregando-se novamente ao torpor proporcionado pela medicação.

Havia muito para ser dito, mas aquele não era o momento nem o local apropriado.

Por volta de seis da tarde F retornou e para minha surpresa, estava acompanhado de um jovenzinho. Magro, a estatura alcançando os ombros de F, cabelos negros como os dele e os mesmos olhos azuis que se destacavam no rosto de V, não foi difícil adivinhar que se tratava de Cris.

— Eu não queria trazê-lo já, mas ele sabe ser muito insistente quando quer. Puxou a mãe. — F falou ao nos apresentar.

— Quem é você? — o garoto perguntou, estranhando o fato de encontrar um desconhecido no quarto da mãe, sem a presença do pai.

Olhei para F, esperando que ele desse a explicação que o menino pedia, mas ele se limitou a me dar um de seus sorrisos cínicos e percebi que não receberia nenhuma ajuda de sua parte. Tive a nítida sensação de que ele estava se divertindo com a situação.

— Sou um velho amigo de seu pai e de sua mãe — respondi, encarando F à espera de uma confirmação.

— Se são velhos amigos, por que nunca o vi em nossa casa ou em nenhum outro lugar?

Só então ele se manifestou.

— Porque ele estava fora do país. Você era muito pequeno para se lembrar de quando ele partiu. — F completou, deixando morrer o sorriso em seu rosto. — Agora chega de perguntas. Você veio aqui para ver sua mãe ou para fazer interrogatórios?

E dizendo isso, bagunçou o cabelo do garoto com um gesto carinhoso, que foi o bastante para quebrar o clima.

— Que droga, pai! Já pedi um monte de vezes para o senhor não fazer isso. — Cris reclamou, afastando-se de F em direção à cama onde V dormia serenamente.

— Ei! Não fale alto. Não queremos acordá-la. Ela precisa descansar para se recuperar mais rápido.

Observei o menino se aproximar de V e analisar seu rosto por algum tempo. Em seguida, levantou a beira do lençol que cobria suas pernas, mas logo o deixou cair novamente.

— Ela se machucou muito, não foi? — ele perguntou, mas não esperou pela resposta. — Você me disse que ela estava bem, que só tinha batido forte com a cabeça.

F desviou o olhar, como se estivesse em dúvida sobre o que responder para o garoto.

Foi a minha vez de intervir.

— Na verdade, ela está muito bem. Eu conversei com o médico há pouco e ele me confirmou que em mais alguns dias ela poderá ir para casa. Acho que seu pai não lhe falou sobre o machucado na perna para você não ficar preocupado à toa.

Ele me olhou ainda em dúvida.

— É, mas isso aí — e apontou para a perna de V — parece bem feio. Uma vez eu caí da bicicleta quando ainda era pequeno. Tive de levar alguns pontos e até hoje tenho uma marca na perna. Será que ela vai ficar com uma daquelas cicatrizes horríveis? Tem uma garota lá na minha escola que tem uma cicatriz enorme no braço — ele parou de falar e voltou a se aproximar de V. — Minha mãe é tão bonita! O senhor não acha? Ela não ia gostar de ter uma cicatriz como a daquela garota.

Uma sombra de tristeza nublou o rosto do menino.

— Tem razão. Sua mãe é muito bonita — respondi, cedendo ao impulso de me aproximar também —, mas não acredito que ela vá ficar com uma cicatriz como a que você mencionou. Talvez, fique com alguma marca pequena, daquelas que servem para nos lembrar de nossas aventuras, sabe? — Pisquei um olho para ele em um gesto de cumplicidade.

— É, pode ser. — A expressão dele se desanuviou. — E meu pai tem dinheiro — o menino completou em tom de confidência. — Ele pode pagar uma plástica para ela, se precisar. Não é papai?

— É claro, querido! Faremos qualquer coisa para sua mãe continuar linda como sempre foi. Agora, que tal dar um beijinho nela antes de irmos?

— Eu queria ficar um pouco mais, até ela acordar e me ver aqui.

— Acho que ela não vai acordar tão cedo. Além disso, está ficando tarde. Preciso voltar para passar a noite com sua mãe e ainda tenho que lavá-lo para casa.

— Se quiser, posso deixar o garoto em casa — ofereci. — Já estou de partida e não fica muito fora do meu caminho.

— Isso facilitaria muito.

— Posso voltar amanhã para ver se ela está acordada? — Cris quis se certificar antes de ir.

— Pode sim, mas amanhã nós combinamos, ok? Agora vá, antes que ele desista de dar uma carona a você. — F afagou mais uma vez a cabeça do menino, tomando cuidado para não despenteá-lo e curvando-se para ficarem na mesma altura, completou: — E lembre-se do que eu disse: obedeça a Jessy e não fique acordado até tarde jogando.

— Tudo bem, pai. Mas não me beija na frente do seu amigo. Eu não sou mais criança. Isso pega mal.

F riu e eu ri junto com ele.

Deixamos o hospital, Cris sentado ao meu lado no banco do carona. Não demorou muito para que o garoto soltasse a língua, voltando a me interrogar.

— Você conheceu meu pai na faculdade?

— Por que a pergunta?

— É que meu pai disse que eu não me lembro de você porque eu era muito pequeno quando você foi morar fora. Então, acho que vocês se conheceram antes de eu nascer, não foi?

— É, foi isso mesmo — respondi, prevendo que as perguntas não parariam por ali.

— E a minha mãe? Você também a conheceu lá?

— Sim — respondi, desviando o olhar da estrada por um momento para observar o garoto.

— Deve ser muito legal morar em outro país — ele comentou, seu rosto se iluminando. — Você morou em muitas cidades?

— Não muitas — voltei a atenção para o trânsito.

— Em quais cidades você morou?

As perguntas do garoto começavam a me deixar nervoso, mas era melhor manter a atenção dele em algo que eu poderia improvisar, do que ter de responder sobre a minha *amizade* com seus pais.

— Passei a maior parte do tempo em Londres — respondi, escolhendo a cidade com a qual tinha mais intimidade, porque eu sabia que a curiosidade do menino estava longe de ser saciada.

— Londres! Uau! Você deve ter se divertido muito.

— Nem tanto. Eu trabalhava a maior parte do tempo.

— Ah! Mas deve ter aproveitado. Eu tenho um amigo que foi para a Europa com os pais nas férias e disse que Londres é incrível. Imagina morar numa cidade assim! Aqui não acontece nada. Quando eu for maior de idade vou querer conhecer vários lugares do mundo. Você tinha uma namorada lá?

E assim foi durante todo o percurso. Cris era um garoto esperto, cheio de vida, e em alguns momentos até engraçado. Contei algumas histórias reais de quando estive na cidade e ele se deu por satisfeito. Ao estacionar na frente da casa de V, já havíamos nos tornado bons amigos.

— Obrigado pela carona! — ele agradeceu ao sair do carro. — Você vai visitar minha mãe amanhã?

— Provavelmente.

— Legal! Então vamos nos ver de novo.

Observei ele cruzar o jardim até a casa. Antes de entrar, o garoto se virou e acenou em minha direção. Respondi, dando um toque leve na buzina e quando a porta se fechou atrás dele, dei a partida.

Quando cheguei ao hospital na tarde seguinte, V estava acordada e parecia bem disposta. A cama estava levemente elevada, deixando seu corpo reclinado e ela conversava com F.

— Oi, tio P! — O garoto foi o primeiro a notar minha presença. — Olhe! Minha mãe acordou e não está sentindo dor. Bom... Não muita. Não é, mãe?

— Tio P?! — ela me direcionou um olhar inquiridor. Ergui um pouco os braços como se dissesse que aquilo era inédito para mim também. — Pelo visto, aconteceu muita coisa enquanto eu dormia — ela completou sorrindo, o que me trouxe uma inesperada sensação de paz.

— É bom ver que está se recuperando rápido. Ficamos todos preocupados — falei, olhando firme em seus olhos.

— Eu sei. Dei um susto grande em vocês, não foi? — ela retrucou, sustentando meu olhar.

— Mas agora está tudo bem, querida. — F interveio, desfazendo o clima intenso que começava a se instaurar. — É bom que esteja aqui — ele se voltou em minha direção. — Precisamos tratar de uns assuntos.

— Se importa se formos até a cantina? — perguntei, olhando para V.

— Claro que não! Desde que vocês voltem.

— Posso ir com vocês?

— É melhor você ficar e fazer companhia para a sua mãe. Não queremos que ela se sinta sozinha. — F retrucou, piscando para o filho.

— Está bem, pai! Mas me traz uma Coca quando voltar.

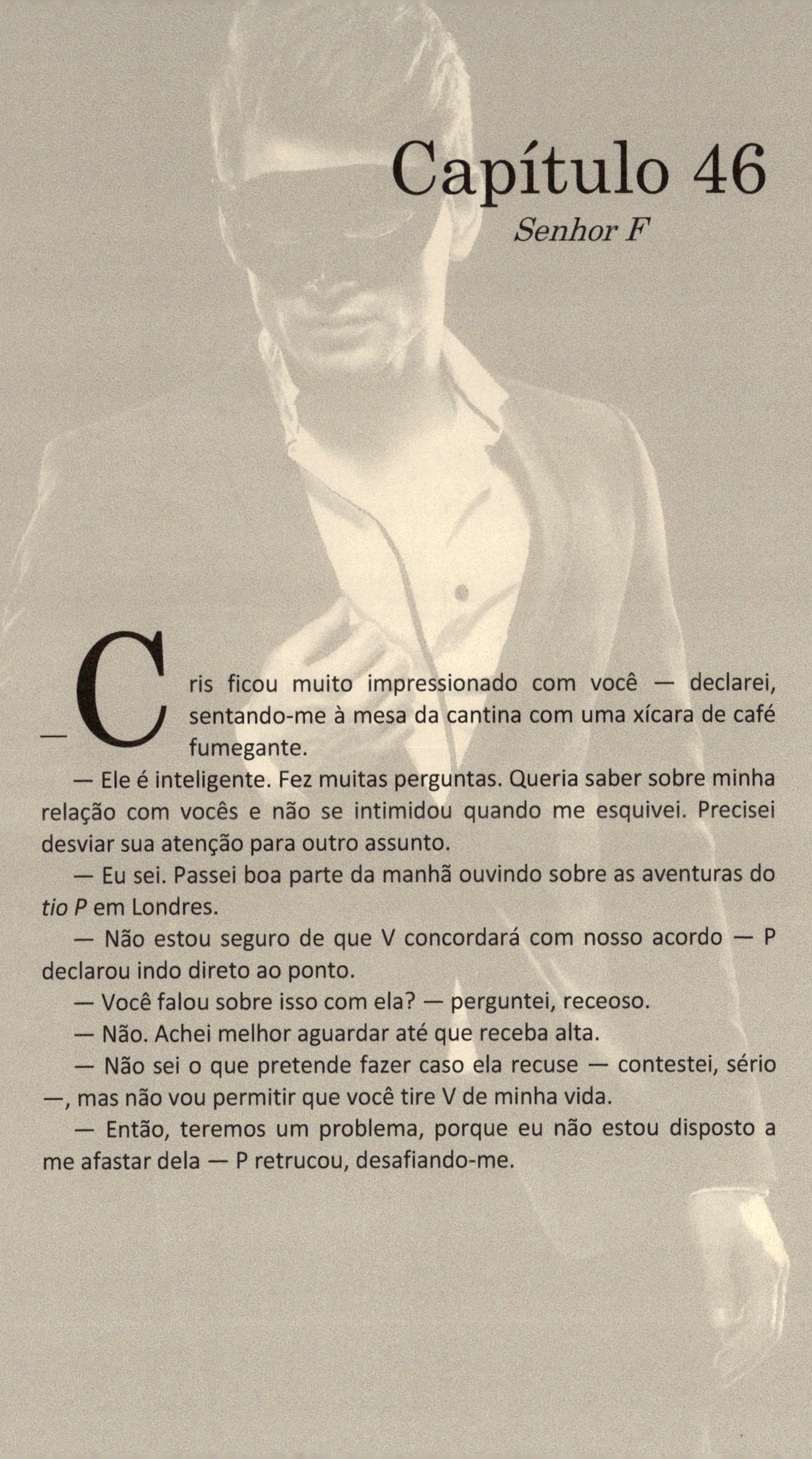

Capítulo 46

Senhor F

— Cris ficou muito impressionado com você — declarei, sentando-me à mesa da cantina com uma xícara de café fumegante.

— Ele é inteligente. Fez muitas perguntas. Queria saber sobre minha relação com vocês e não se intimidou quando me esquivei. Precisei desviar sua atenção para outro assunto.

— Eu sei. Passei boa parte da manhã ouvindo sobre as aventuras do *tio P* em Londres.

— Não estou seguro de que V concordará com nosso acordo — P declarou indo direto ao ponto.

— Você falou sobre isso com ela? — perguntei, receoso.

— Não. Achei melhor aguardar até que receba alta.

— Não sei o que pretende fazer caso ela recuse — contestei, sério —, mas não vou permitir que você tire V de minha vida.

— Então, teremos um problema, porque eu não estou disposto a me afastar dela — P retrucou, desafiando-me.

Capítulo 47

Senhora V

Dois dias depois...

E por fim, após ouvir atentamente as recomendações médicas, recebi a notícia de que poderia retornar para casa. Agora, sentada na beira da cama, observava os objetos tão familiares do meu quarto. Era estranho pensar que não havia se passado sequer uma semana desde que sofri o acidente. Mesmo assim, não conseguia me livrar daquela incômoda sensação, como se dez anos me separassem da última vez em que estive aqui.

Uma leve fisgada na perna, no local da cirurgia recente, trouxe-me de volta à realidade. O médico havia me prevenido de que seria assim, até que os pontos estivessem completamente cicatrizados.

Voltei minha atenção para F, de pé à minha frente, esperando que eu dissesse alguma coisa que me redimisse e colocasse um ponto final na questão, mas eu sabia que aquela discussão estava longe do fim.

— Afinal, o que está acontecendo? Em que momento vocês ficaram tão próximos? — questionei, sem dar chance a ele de escapar mais uma vez do assunto que me interessava.

— Você não deve se exaltar. Lembre-se das recomendações do médico. — F respondeu, mas apesar das palavras gentis, a frieza em seu tom era indisfarçável.

— Não estou me exaltando, mas tenho o direito de saber. Preciso entender o motivo de tudo isso. Acordei no hospital e encontrei vocês dois agindo como se fossem amigos de longa data. E agora, você me traz para casa e se comporta como se nada tivesse acontecido.

— E o que esperava que eu fizesse? — O tom de voz baixo e ameaçador, e a forma intensa como ele me encarava, revelavam sua raiva até então contida e antecipavam o que estava por vir. — Que pedisse o divórcio e ficasse assistindo, enquanto você se jogasse nos braços dele?

— Talvez, fosse o mais correto a fazer — murmurei, pensando sobre a possibilidade do divórcio. F me encarou furioso, sequer tentava ocultar sua contrariedade. Só então, dei-me conta do que eu havia dito. — Quer dizer... Não! Não era isso que eu queria. Nem sei o que imaginei. Mas como espera que eu reaja diante da sua aparente passividade? Por que está agindo assim, afinal?

— Quer mesmo saber? — ele perguntou e uma risada sarcástica acompanhou as palavras. — Acha que está preparada, *querida*? — A ênfase com que proferiu o termo carinhoso só serviu para me deixar mais assustada. E antes que eu tivesse chance de responder, ele prosseguiu, alterando e muito a voz: — Só porque viveu uma fase de *garota rebelde,* como se fosse uma adolescente desmiolada, e participou de duas ou três orgias, agindo como uma vagabunda qualquer, acha mesmo que está pronta para saber de tudo?

— Tudo o quê? — Elevei o tom de voz e me ergui da cama, enfrentando-o de igual para igual. — O que mais eu deveria saber, além do fato de que você também estava lá? Não pode me condenar. Eu não sou a única errada nessa história — completei, dando as costas para ele.

— Condenar?! — Sua gargalhada reverberou pelo quarto. — Ora! Não me venha com essa! *Eu* peguei você trepando com dois homens. Sem falar na piranha que a chupava. Será que me esqueci de alguém?

— Ao menos agora está sendo verdadeiro! Então, é isso que eu passei a ser para você? Uma piranha? Uma vagabunda qualquer?

Talvez eu deva sair e procurar novos lugares para praticar minhas orgias. Ou, quem sabe, *você* possa me indicar algum?

F me fuzilou com o olhar.

Por um instante, senti meu corpo estremecer diante da fúria estampada em seu rosto, mas alguma coisa estava errada. Aquilo não fazia o menor sentido. Se ele estava tão furioso comigo, por que então a aproximação com P?

Permaneci calada, observando, enquanto ele respirava profundamente, tentando se acalmar sem muito resultado.

— Você não faz ideia do que existe lá fora! — ele falou, moderando o tom de voz.

— Então, diga! Vamos, fale! O que está esperando?

— O que você viveu não é nada, comparado ao que fiz. — F declarou, exasperado.

Eu ainda não compreendia, mas estava claro que ele se sentia de alguma forma responsável pelo que havia acontecido, por minha traição. Seu olhar espelhava repulsa. Mas, ao mesmo tempo, não escondia a culpa.

— E o que você fez? — perguntei num fio de voz, quase inaudível, as mãos geladas diante da expectativa para descobrir até onde aquilo nos levaria.

— Eu coloquei tudo a perder — ele declarou, baixando o olhar.

— Do que estamos falando, afinal? Está me deixando confusa...

— Venha cá — F disse, puxando-me devagar pelas mãos —, sente-se aqui.

Obedeci, sentando ao seu lado na beira da cama, e ouvi atentamente seu relato enquanto ele expunha mais de uma década de aventuras extraconjugais, desde os primeiros anos de casamento até sua predileção evidente pela última amante, a *senhorita M*, a mulher que o acompanhava na noite em que me flagrou na *Sociedade*.

É claro que eu já tinha conhecimento da maioria dos fatos. Mesmo assim, ouvi-lo confessar daquela forma doeu profundamente. Muito mais do que eu poderia supor.

— Por que está me contando tudo isso agora? É para me punir pelo que eu fiz?

— Não. É para que entenda que, por mais puto e decepcionado que eu esteja, não tenho o direito de julgá-la.

— Eu... não sei o que pensar. Não sei o que espera que eu diga... — respondi, sentindo-me atordoada. Estava sufocada, não conseguia respirar. Tudo que eu queria naquele momento era sair daquele quarto, afastar-me de F. — Preciso de ar — anunciei, fazendo menção de me levantar, mas ele me deteve. — Eu necessito de um tempo para assimilar tudo que...

— Só preciso saber uma coisa — ele me interrompeu, impedindo que eu me afastasse. — Você o ama?

— Eu... Que pergunta é essa agora?

— Ama ou não? — ele insistiu, voltando a imprimir firmeza à voz e postando-se de pé à minha frente, bloqueando minha passagem. — Responda! Você o ama? Ou tudo isso não passou de uma aventura?

Eu estava encurralada. F exigia uma resposta para a pergunta que sequer tive coragem de fazer a mim mesma. Mas eu sabia qual seria a única resposta que poderia dar.

— Sim! Eu o amo. Está satisfeito agora? — respondi aos berros. E então, senti as lágrimas rolarem descontroladamente por meu rosto.

Desvencilhei-me dele num impulso e saí do quarto. Desci a escada o mais rápido que a minha condição permitia, chorando copiosamente até alcançar o jardim.

Capítulo 48

Senhor P

Olhei o relógio pela décima vez naquela manhã, imaginando se V já teria deixado o hospital. Certamente, àquela hora, já estava em casa.

Tratei de afastar o desejo que me impelia a ir até lá conferir com meus próprios olhos se ela estava bem. Precisava aguardar, dar espaço para que ela retomasse sua rotina. E, só então, eu a procuraria.

Tentei me concentrar no trabalho. Havia muito a ser feito, já que nos últimos dias tinha deixado tudo nas mãos dos funcionários. Por mais que fossem competentes, algumas coisas apenas eu poderia resolver.

A tática funcionou bem e quando dei por mim já estávamos no meio da tarde.

— Você não comeu nada o dia inteiro. — Donald observou. Tínhamos acabado de definir as mudanças no cardápio para a próxima temporada. — Quer que eu prepare uma refeição leve antes que vá para casa?

De repente, a fome que parecia adormecida surgiu com aquele simples comentário.

— Acho que estou mais para um bom filé — respondi, rendendo-me a sugestão.

— Complemento com uma salada?

— Hoje não. Pode mandar umas fritas e um pouco daquele molho de gorgonzola.

— Ok! Você é quem manda — ele falou, estranhando meu pedido.

Após a refeição, mergulhei na papelada que o contador havia deixado sobre a mesa pela manhã. Já era noite quando voltei para o sossego do meu apartamento. Ou seria solidão? De qualquer forma, não estava com a menor disposição para sair novamente. Pretendia passar a noite em casa e descansar um pouco. Mas foi só terminar o banho e me acomodar na sala, depois de me servir de uma dose de uísque, para que V dominasse a minha mente.

Pensei em ligar para ela, mas me contive. Precisava cumprir com o combinado e aguardar até que F me desse alguma notícia.

A ideia de passar a noite sozinho, pensando no que estaria acontecendo com ela, agora que estava de novo em casa com o marido, deixou o uísque com um gosto amargo. Desanimado, voltei ao quarto e fui direto para o closet.

Meia hora depois, estava de volta à casa noturna, mas em vez de me dirigir ao escritório, ocupei uma das mesas reservadas aos clientes Vips e me dediquei a observar o movimento, enquanto degustava a segunda dose de uísque da noite. Tudo que eu queria era ficar quieto no meu canto e encher um pouco a cara até conseguir afastar os pensamentos sobre V. Então, eu pegaria meu carro e voltaria ao apartamento, cairia na cama e dormiria um sono profundo e restaurador.

Mas nada é tão ruim que não possa piorar e lá pela quarta dose, ela apareceu. A loura estonteante, num vestido preto revelador, aproximou-se da mesa, sorrindo.

— Oi! Tenho certeza de que já o vi por aqui — ela falou com voz melosa, sem recolher o sorriso.

— Provavelmente porque sou o proprietário — respondi, sorrindo também para amenizar as palavras, mas ela pareceu não notar meu mau humor.

— Reparei que você está sozinho a noite toda. Posso me sentar aqui?

Em outra ocasião eu não dispensaria o convite. Ao contrário, seria agradável com ela e terminaríamos a noite em alguma cama confortável. Mas a única loura que eu desejava agora estava em casa, provavelmente dormindo ao lado de F.

— Claro! Pode ficar com a mesa se quiser. Eu já estava mesmo de saída — levantei, depositando o copo sobre a mesa e me afastei sem olhar para trás.

De volta ao apartamento, rendi-me ao leve torpor que a bebida começava a produzir. Caminhei até o quarto, me despi e me atirei sobre a cama.

O sono, durante a madrugada, foi permeado por imagens de V. Seu rosto bem próximo ao meu, sorrindo, os imensos olhos azuis brilhando para mim. Seu corpo nu, a pele macia, os sussurros, o cabelo roçando em meus ombros enquanto ela cavalgava meu pênis. E, estranhamente, não havia mais ninguém. Éramos apenas eu e ela.

— Merda! — exclamei ao abrir os olhos, procurando o relógio sobre a cabeceira para verificar a hora.

Quase cinco da manhã e eu havia despertado como um adolescente na puberdade: o coração acelerado, a respiração ofegante, sentindo o pênis tão duro que parecia prestes a explodir se eu não fizesse nada para evitar.

Comecei a massageá-lo devagar, deslizando a mão pela cabeça do meu pênis. Fechei os olhos, deixando que as imagens recentes do sonho retornassem e quase pude ouvir os gemidos de V.

Imprimi um pouco mais de velocidade aos movimentos, para cima e para baixo, desejando que ela estivesse realmente aqui, até que finalmente gozei.

Capítulo 49

Senhor F

Alguns dias depois...

Ergui os olhos da tela do computador à minha frente quando a porta do escritório foi aberta e a nova secretária, que o RH havia contratado para substituir a *senhorita M*, entrou. Ao contrário de sua antecessora, Samantha era mulher elegante por natureza. Com longos cabelos negros, pele morena e um corpo repleto de curvas, não dava para negar o quanto era atraente.

Observei, enquanto ela percorria, sem pressa, o espaço que a separava da minha mesa. A blusa branca, ajustada ao corpo por baixo do tailleur, permitindo vislumbrar a curva dos seios através do decote formado pelos primeiros botões abertos.

Até pouco tempo ela seria perfeita e eu não demoraria a lhe atribuir outras funções, além das que já desempenhava como secretária. Mas agora, nada daquilo tinha importância. Toda aquela ostentação de beleza e sensualidade tornou-se meramente algo agradável de observar e apenas isso.

— Aqui estão as pastas que solicitou.

— Obrigado! Pode deixar sobre a mesa.

— O senhor pediu para lembrá-lo da reunião de hoje.

A voz era melodiosa e suave, mas não o suficiente para me deixar interessado, servindo apenas para fazer com que eu me lembrasse de V.

Entediado, conferi a hora: 15h40. Ainda havia tempo.

— Entre em contato com os diretores e transfira a reunião para amanhã — falei, pegando a chave do carro e me levantando. — Estou indo para casa, minha esposa precisa de cuidados.

— Deseja mais alguma coisa? — ela perguntou de forma insinuante, mas eu já havia dado as costas.

— Não. Depois que fizer as ligações, pode tirar o resto da tarde de folga — respondi, caminhando em direção ao elevador.

Ao chegar em casa, encontrei V acomodada em uma espreguiçadeira na piscina, com um livro nas mãos. Um ombrelone inclinado em sua direção garantia que seu rosto e parte do corpo ficassem protegidos do sol da tarde. Estava concentrada na leitura e não notou minha presença.

Caminhei até lá devagar e somente quando já estava bem próximo, ela ergueu o olhar em minha direção, mas não sorriu ao me ver.

— Chegou cedo — comentou simplesmente, voltando sua atenção para o livro.

— Quis ver como você está.

— Não precisa se preocupar — ela pôs o livro de lado e voltou a me olhar —, sinto-me melhor.

— Não deveria estar lá em cima? — questionei. — Não acho prudente ficar se esforçando na escada antes de tirar os pontos.

— Não sinto mais dor, então, acho que não tem problema. Mais alguns dias e estarei livre deles. E você, por que está em casa tão cedo?

— Já disse: queria ver se estava bem.

Ela me dirigiu um olhar inquisidor.

É claro que não era apenas isso. Havia algo me incomodando desde nossa discussão, uma pergunta que eu precisava fazer.

— Bem, se não tem nada para me dizer, vou entrar — V anunciou, recolhendo o livro e pondo-se de pé. — Você vem? — E, sem pressa, pegou o caminho que levava ao interior da casa.

Segui atrás dela em silêncio, cruzando o jardim, a cozinha e o corredor. Quando alcançamos a escada, inclinei-me para pegá-la no colo.

— Não precisa fazer isso — ela protestou —, já disse que não estou mais sentindo dor.

— Eu quero fazer — retruquei com veemência e antes que pudesse se desvencilhar, a ergui em meus braços.

Subimos a escada sem trocar uma palavra, mas a expressão em seu rosto não ocultava o quanto minha atitude a deixara confusa. Segui para o quarto que ela ocupava e empurrei a porta com o pé para nos dar passagem. Em seguida, depositei-a sobre a cama.

— Quer que eu pegue alguma coisa para você? — perguntei após acomodá-la.

— Um pouco de água, por favor! — ela respondeu, largando o livro sobre o colchão.

Caminhei até o frigobar do outro lado do cômodo e peguei uma das garrafinhas que ela mantinha no refrigerador. Voltei para junto da cama e me sentei ao seu lado.

— Precisamos conversar — anunciei, entregando-lhe a água.

V não disse nada, apenas me olhou e aguardou.

— Preciso saber uma coisa — externei, a voz soando receosa até para meus ouvidos. Ela notou minha ansiedade, mas manteve-se tranquila. — Você teria me deixado, se ele tivesse pedido?

V me encarou por um tempo e cheguei a pensar que refutaria a perguntar. Mas após alguns segundos, ela respondeu:

— Não sei. Talvez — fez uma pausa, baixando os olhos —, mas não pelo motivo que você imagina.

A resposta foi como um soco em meu estômago, mas eu não me daria por vencido. Precisávamos esclarecer a situação entre nós de uma vez por todas.

— Não quero que se sinta constrangida, mas é importante que tenhamos essa conversa. Talvez seja a conversa mais importante que já tivemos e precisamos ser sinceros um com o outro. Eu preciso entendê-la e quero que você me entenda também.

— Acha possível alguém amar uma pessoa e mesmo assim, apaixonar-se por outra? — ela perguntou, de repente.

— Não sei — respondi com toda sinceridade. — Nunca amei outra pessoa além de você. Nenhuma das mulheres com quem me relacionei foi importante. Sempre foi apenas pelo sexo. Uma aventura, nada mais. Você é única para mim.

— Menos a *senhorita M* — ela me corrigiu.

— Não vou negar que Michelle despertou minha afeição, mas é um sentimento completamente diferente. Um carinho de amizade por alguém a quem queremos bem. Não se aproxima em nada ao que sinto por você. Eu amo você e só você.

— Eu também o amo. Nunca deixei de amá-lo. Só que... Não conseguia imaginar como poderíamos continuar juntos depois daquilo, entende? Achei que você nunca me perdoaria.

— Talvez não devesse. Quando a vi participando daquela orgia na *Sociedade* fiquei puto, muito puto. E fiquei mais puto ainda por saber que vocês estavam tendo um caso, mas você é a mulher da minha vida e não quero que deixe de ser.

— Como vamos resolver isso? — ela perguntou, as lágrimas começando a brotar em seus olhos. — Eu...

— Shhh! — Coloquei o dedo sobre seus lábios, impedindo que prosseguisse. — Nós vamos encontrar uma maneira.

V jogou seus braços ao redor de meu corpo e afundou a cabeça em meu peito. Acariciei seu cabelo, inalando forte, permitindo-me embriagar em seu perfume.

— O que eu não daria para poder estar dentro de você agora, meu amor.

Ela afrouxou o abraço e buscou meu olhar. O desejo estampado em seus olhos, revelando que eu havia verbalizado meu último pensamento.

— Você pode.

— Mas você não. Ainda não — respondi, afagando seu rosto. — Não podemos correr o risco dos pontos abrirem, falta pouco agora. E se eu pegar você do jeito que estou querendo, não vai sobrar nenhum deles no lugar.

— Isso não é justo! — ela se queixou. — Nenhum casal deveria ser impedido de fazer amor depois de uma briga.

Sua carinha triste e o biquinho que fez me deixaram ainda mais louco de tesão.

— Você é diabólica, mulher! Olha o que está fazendo comigo.

Guiei sua mão até meu pau, que já estava a ponto de romper a calça. V se ergueu, alcançando minha boca com a sua e entre um beijo e outro, declarou:

— Posso não estar em condições de ser comida por você, mas acho que ainda sei como dar prazer ao meu marido.

E então, abriu meu zíper e me libertou, deixando meu pau completamente exposto. Observei extasiado, enquanto ela baixava a cabeça e dava início ao balé de sua língua, deslizando-a delicadamente por toda a extensão do meu pau, indo e voltando, deixando-o cada vez mais duro.

— Importa-se de ficar de pé? — ela perguntou sem se afastar, a cabeça do meu pau roçando em seus lábios.

— Tudo que você quiser — respondi, pondo-me de pé na mesma hora.

Quem era eu para desobedecer?

V sentou na beira da cama, abrindo as pernas e eu me encaixei entre elas, admirando, enquanto ela voltava a se dedicar com afinco, disposta a me proporcionar a melhor chupada da minha vida.

Agarrei-a pela nuca, enterrando meus dedos em seu cabelo quando ela enfiou meu pau inteiro em sua boca. Mas não forcei, dando-lhe espaço para trabalhar. Deixei que me sugasse no seu ritmo, até que senti sua mão macia acariciando minhas bolas.

Um urro escapou de minha garganta e ela apertou ainda mais os lábios, comprimindo meu pau cada vez que o enfiava e tirava da boca, até que o engoliu inteiro novamente.

— Se continuar assim, vou gozar na sua boca — avisei, dando uma chance para que ela me liberasse, mas ao invés disso ela retomou os movimentos, intensificando-os ainda mais.

Era impossível resistir àquilo!

Puxei sua cabeça e dessa vez não fui generoso. Enterrei-me nela até sentir que não havia mais espaço e, então, gozei. Inundei sua garganta, ouvindo meus próprios rugidos, deixando que ela sugasse tudo de mim.

Aquela mulher diabólica em nada se comparava à antiga V, mas ainda era minha e eu estava gostando muito de descobrir do que ela era capaz.

— Acho que precisamos de um banho — ela disse, quando finalmente libertou meu pau de sua boca.

— O caralho que eu vou tomar banho agora! — empurrei-a delicadamente pelos ombros e erguendo suas pernas, fiz com que se deitasse na cama. — Achou que ia fazer isso e se livrar assim? Está muito enganada. Agora é minha vez!

Com cuidado para evitar o atrito do tecido com o curativo em sua perna, retirei o short que ela usava. A calcinha seguiu o mesmo caminho. Despi sua blusa e aproveitei a proximidade para sugar seus mamilos, um depois o outro.

Desci, lambendo sua barriga, sem me demorar muito por ali, deliciando-me com os gemidos que ela já deixava escapar. Afastei suas pernas e usei os dedos para acariciar, sem pressa, o clitóris rosado e túrgido, observando, enquanto ela se rendia aos primeiros espasmos de prazer.

Deslizei a mão e enfiei um dedo em sua cavidade. Testei sua umidade, retirei-o e o levei até ela, que não o recusou. Deixei que o lambesse e o puxei de volta, metendo-o novamente em sua boceta, enquanto usava a outra mão para deixar seu clitóris totalmente à mercê de minha boca. E então, mergulhei a cabeça e o suguei com vontade.

V estremeceu, o quadril se contorcendo embaixo do meu rosto, seu corpo inteiro dominado pelas contrações do orgasmo. E eu continuei a chupá-la. Enfiava a língua em sua cavidade, sugava os grandes lábios, mordiscava seu clitóris como se pudesse devorá-la.

Deliciei-me com cada gemido, cada gritinho que escapava de sua garganta, enquanto ela se contorcia alucinada, implorando para que eu lhe desse uma trégua. E eu não dei.

Chupei aquela boceta gostosa até deixá-la completamente exausta, até que seu clitóris passasse do rosado tímido ao vermelho e eu me saciasse com seus gozos múltiplos. E quando nenhum de nós aguentava mais, só então despi minhas próprias roupas e me aconcheguei na cama ao seu lado para desfrutar do contato com sua pele.

Ela acomodou a cabeça em meu peito e coloquei sua perna sobre as minhas para ter certeza que ficaria confortável. E permanecemos assim, abraçados, por um longo tempo.

Capítulo 50

Senhor P

Vários dias se passaram desde que V retornou para casa, após deixar o hospital na companhia de F, e eu não havia recebido nenhuma notícia até então. Tinha prometido aguardar, mas aquela espera já estava me deixando nervoso. Por várias vezes, resisti ao ímpeto de pegar o telefone e acabar logo com aquilo. Cheguei a me imaginar tocando a campainha da casa sem ser convidado.

Foi só no meio do dia, quando eu terminava o almoço, que o celular vibrou e o número de F surgiu no visor.

— Achei que precisaria lembrá-lo do nosso acordo — falei ao atender.

Ele riu e tive vontade de mandá-lo à merda.

— Tem algum compromisso para essa noite ou posso convidá-lo para uma dose de uísque em minha casa?

— Ela sabe que eu vou?

— Não, mas sei que está ansiosa para vê-lo.

— Estarei lá — confirmei.

Trocamos mais algumas palavras e encerrei a chamada.

Pontualmente, às sete da noite, estacionei em frente ao jardim bem cuidado da casa de V. Cruzei o gramado, carregando a delicada orquídea, que segundo o dono da floricultura era de uma espécie rara, o que justificava seu preço e sua fragilidade. Toquei a campainha e aguardei não mais que meio minuto até que a porta fosse aberta e um F sorridente me convidasse a entrar.

— Seja bem-vindo! — ele disse, tocando em meu ombro. O gesto sincero e caloroso, desarmando qualquer animosidade que ainda pudesse existir entre nós.

— Como ela está? — perguntei, deixando que ele me guiasse pelo hall.

— Ótima! Mas você verá com seus próprios olhos — ele fez uma pausa ao nos aproximarmos da escada que levava ao andar superior da casa. — Quer colocar isso aqui? — perguntou, apontando para um aparador.

Deixei a orquídea sobre o móvel indicado e já estávamos nos afastando em direção à sala de estar, quando fomos surpreendidos pela chegada de Cris.

— Tio P! — O menino veio em minha direção, parecia surpreso em me ver. — Veio visitar minha mãe?

— Sim. E conversar um pouco com seu pai.

— Que bom! Ela vai gostar. Ela não recebe muitas visitas, sabe? — ele confidenciou. — Acho que não tem muitas amigas. Minha avó é a única que vem de vez em quando, mas nunca fica mais de dois ou três dias.

— Cris! Isso não é jeito de falar da sua mãe — F o repreendeu, mas o garoto não deu muita atenção.

— Foi você que trouxe? — ele perguntou, apontando para a flor em cima do aparador.

— Foi. Acha que ela vai gostar?

— Ah, vai sim! Orquídeas são as preferidas da mamãe. Você acertou. Não é pai?

— É sim. Mas agora, que tal dar uma trégua nas perguntas e deixar nosso convidado à vontade? — F interveio. — Venha por aqui.

Segui-o até a sala de estar e me acomodei em uma das confortáveis poltronas à disposição. Cris não se deu por vencido e veio atrás de nós.

De certa forma, sua curiosidade juvenil deixava o ambiente mais descontraído.

— Aceita um uísque ou prefere outra coisa?

— Uísque está bom.

F me serviu uma dose e preparou outra para si, vindo se sentar junto de nós.

— Ela já deve estar descendo. Desde que retornou do hospital faz questão de jantarmos em família.

— Mas ela não devia subir e descer essa escada no estado em que está.

— Diga isso a ela! Quem sabe *você* consiga convencê-la. Eu já desisti.

— Vai jantar com a gente, tio P?

Eu pretendia dizer que não, mas antes que tivesse chance, a voz de V soou na antessala.

— Eu ouvi a campainha. Seu convidado já chegou, querido? — No instante seguinte, ela surgiu. — Desculpe não recebê-lo, mas eu estava...

V interrompeu a frase. A surpresa estampada em seu rosto. Na mesma hora me pus de pé e F acompanhou meu movimento, estendendo a mão em sua direção.

Por mais que eu tentasse disfarçar, foi impossível desviar meus olhos do par de joias azuis que eram os seus. Nossos olhares presos um ao outro, enquanto ela alcançava a mão estendida e se deixava conduzir para perto de mim.

— Venha, querida. Sente-se conosco. Vou servir uma bebida para você.

F se afastou, retornando em seguida com uma taça de vinho branco e a entregou à V.

— Eu... eu não sabia que... — Ela aceitou a taça sem desviar os olhos dos meus.

Minha vontade era abraçá-la, cobri-la de beijos e conferir bem de perto o machucado em sua perna. Mas, ao invés disso, falei:

— Eu precisava saber como você está.

— Eu... — V bebericou um gole de vinho antes de prosseguir: — Estou bem melhor — e apertou os lábios involuntariamente.

Aquele pequeno gesto foi o suficiente para eu saber que ela também estava fazendo um enorme esforço para se conter, o que me deixou ainda mais desnorteado.

— Cris — a voz de F nos trouxe de volta —, que tal irmos até a cozinha conferir se o jantar já está pronto?

— Mamãe, ele trouxe um presente para você — o garoto anunciou antes de deixar a sala. — Quer que eu vá buscar?

— Sua mãe terá bastante tempo para isso depois do jantar. — F interferiu. — Vamos até a cozinha ver o que Jessy está preparando.

Assim que eles saíram, cruzei o espaço que me separava de V e a ergui da poltrona.

— O que está fazendo aqui? — ela perguntou ainda confusa, mas tudo que eu queria era uma chance para beijá-la e não desperdicei o momento.

Estreitei-a em meus braços e senti cada parte de seu corpo relaxar em contato com o meu.

— Senti sua falta — murmurei em seu ouvido.

— Também senti a sua — ela retrucou, buscando meu olhar. — O que está acontecendo?

— Não sei que graça vocês veem em cordeiro. Eu prefiro a carne de boi mesmo.

A voz de Cris soou à distância.

Retive V no abraço por mais um segundo.

— Logo você vai entender — e então, soltei-a.

— Mamãe, você bem que podia ter mandado Jessy fazer outra coisa. Sabe que eu não gosto muito de cordeiro. Você gosta? — o garoto perguntou, dirigindo-se a mim.

— Venha cá, querido. — V o abraçou, beijando sua bochecha. — E então, onde está o meu presente?

— Eu vou buscar! — ele anunciou, animado. — Posso pegar, tio P?

— Claro que pode!

— O jantar está servido, senhora — a empregada anunciou da porta.

— Vamos passar para a outra sala? — F convidou.

Observei-o conduzir V pela mão e os segui mais atrás. Logo Cris se juntou a nós na mesa de jantar, trazendo a orquídea. Ao vê-la, V não disfarçou a alegria.

— É linda! Como adivinhou que eu adoro orquídeas?

— Foi um palpite.

— Um palpite muito bom. — F piscou em minha direção.

— Ah! Já entendi — Cris comentou rindo.

Ao voltar para o apartamento, após o jantar, uma sensação de leveza se apossou de meu coração. Agora eu tinha certeza de que V estava bem e que não demoraria muito para ficarmos juntos novamente.

Na manhã seguinte, liguei para V.

— E então, como foi? — perguntei, torcendo para que as notícias fossem boas.

F a tinha levado para retirar os pontos e confesso que sua teimosia em não seguir o repouso recomendado me deixou um pouco preocupado.

— Acabei de sair do consultório. Segundo o médico, está tudo certo. Os pontos internos foram absorvidos pelo organismo e já estou livre dos externos. Vou ter de fazer algumas sessões de fisioterapia, mas já posso retomar minha rotina. A única restrição, por enquanto, é a academia.

— Que ótimo! — exclamei, aliviado. — Precisamos comemorar. F está com você?

— Está aqui, ao meu lado.

— Pode colocar no viva-voz?

— Claro! — ela respondeu, sem ocultar a surpresa. — Pode falar, ele está ouvindo.

— Tem algum compromisso para essa noite ou posso convidá-lo para uma dose de uísque em meu apartamento?

F riu, percebendo que eu usara as mesmas palavras proferidas por ele alguns dias atrás.

— Só se for às oito. Tenho alguns compromissos na empresa no fim da tarde.

— Gostaria de retribuir o jantar. Não mantenho uma cozinheira como Jessy em casa, mas segundo alguns críticos, meu Chef prepara pratos divinos.

— Imagino que sim.

— Alguma restrição quanto a frutos do mar?

— Nenhuma. Adoro frutos do mar! — V respondeu.

— Deixe o vinho por minha conta — F anunciou.

— Então, vejo vocês às oito. Estou enviando a localização para seu telefone.

Capítulo 51

Senhor P

Chequei atentamente os pratos que Donald havia preparado sob minhas instruções: petiscos de maçã caramelizada, envoltas em presunto Parma e delicadas folhas de rúcula, para entrada. E risoto de lagosta com vieiras salteadas no champanhe, como prato principal. Essa noite, tudo deveria estar perfeito.

Eram 08h10 quando o porteiro anunciou que o casal estava subindo. Antecipei-me até o hall no momento exato em que a porta do elevador se abria.

— Você está linda! — declarei ao pousar os olhos em V. Ela usava um vestido tomara-que-caia preto, que alcançava a altura dos joelhos. As longas mechas douradas caindo sobre seus ombros nus.

— Não sabia o que seu *Chef* ia preparar, então trouxe um *Châteauneuf-du-Pape* branco. Espero que harmonize bem — F comentou me passando uma garrafa da casa francesa *Maison Bouachon*.

— Vamos colocá-la para gelar e logo descobriremos — pisquei para ele, indicando que havia acertado na escolha. — Entrem! Fiquem à vontade.

Caminhei até o outro lado da sala e coloquei a garrafa em um balde com gelo, onde já repousava um Prosecco italiano.

— Você está bem instalado aqui, meu amigo — ele comentou, observando a sala ampla com vista para o *Rio Neuse* e sua magnífica ponte.

— O que imaginou que encontraria? Um dois quartos classe média?

— Não exatamente. Mas você não parece o tipo de pessoa que gosta de viver cercada de luxo.

— O luxo não é uma prioridade, mas faz parte do meu negócio e acaba se fazendo presente em outras áreas da minha vida também.

— É um *Steinway*? — V perguntou, deslizando a mão sobre a cauda do piano no centro da sala.

— É sim. Você toca? — seu conhecimento sobre o instrumento despertou meu interesse.

— Costumava tocar até ir para a universidade. Tive aulas de piano e equitação, duas coisas imprescindíveis na educação de uma dama, segundo minha mãe — ela fez uma pausa, durante a qual admirou as linhas elegantes do instrumento. — Eu concordaria com ela, se tivesse nascido um ou dois séculos antes e não morresse de medo dos cavalos.

— Quer experimentar? — sugeri, levantando a tampa do teclado.

— Acho melhor não, já faz muito tempo — ela refutou, girando o corpo para se afastar, o que nos deixou frente a frente.

— Se quiser tentar algum dia, é só dizer — declarei, encarando-a por alguns segundos antes de anunciar: — Donald preparou uns aperitivos para nós. Vamos nos sentar — e dirigindo-me a F, completei: — Importa-se de abrir o Prosecco que deixei no gelo? Vai encontrar as taças sobre o aparador à sua direita.

V se acomodou no sofá, enquanto fui até a cozinha. De lá, ouvi o estampido da rolha sendo retirada da garrafa. Quando retornei à sala com os petiscos de maçã, F já havia servido as taças e estava sentado ao lado de V saboreando o Prosecco.

Depositei a bandeja sobre a mesa próxima ao sofá e sentei do outro lado, deixando V entre nós.

— Experimente, são deliciosos.

Ela estendeu a mão e pegou um dos rolinhos de maçã, levando-o a boca. Em seguida, bebericou calmamente um gole de Prosecco e então, inquiriu:

— Agora, será que podem me explicar o que está acontecendo?

Encarei F, que permaneceu calado.

— A notícia do seu acidente nos pegou de surpresa e me fez repensar meu estilo de vida — antecipei. — Descobri algumas coisas nesse processo e uma delas é que não posso me afastar de você — completei, envolvendo uma mecha de seu cabelo em meus dedos.

V sustentou meu olhar em silêncio, absorvendo a informação. E então, desviou os olhos para F.

— Tive muito medo de perdê-la, principalmente depois do que havia acontecido na *Sociedade* — ele declarou. — Amo você, querida! Não estou preparado para abrir mão de tudo que já vivemos.

— Nós a amamos — o corrigi, ganhando novamente a atenção de V — e não seria justo obrigá-la a fazer uma escolha. Por isso, chegamos a um acordo.

— Estou entendendo errado ou vocês estão querendo dizer que... — ela contestou, incrédula. Seus olhos fixos nos meus.

— Se você não concordar, se disser que não sente o mesmo que eu e preferir que me afaste, vou respeitar sua decisão. Mas, realmente, acredito que temos uma chance de fazer isso dar certo — afirmei com segurança, acariciando seu rosto de forma delicada.

— É claro que para funcionar precisamos estabelecer algumas regras — F anunciou.

— Regras?! — ela perguntou. Sua expressão, um misto de surpresa e confusão.

— As regras são necessárias para que nenhum de nós se machuque, amor — expliquei. — Para começar, vamos nos afastar da *Sociedade*. Seremos apenas nós três.

— *Vocês* vão deixar de frequentar as reuniões da *Sociedade?!* — Ela parecia não acreditar no que ouvia.

— Nós e você também — reafirmei.

— E a partir de agora, só haverá outra mulher se você desejar mais alguém entre nós e apenas se você a aprovar — F completou.

— Suponho que não há brecha para a possibilidade de haver outro homem — V argumentou.

— Não há — respondi, enfático. — Isso é um problema para você?

E então, inesperadamente, ela riu. Um riso franco e aliviado.

— Eu vou passar a ter... Ah! Dois maridos? É isso que estão propondo? Vou poder viver com os dois homens que eu amo, sem restrições? Sem me preocupar se um vai descobrir e pedir o divórcio ou se o outro estará disponível na próxima vez em que nos encontrarmos?

— É claro que teremos que manter a discrição — F interveio. — Não podemos, simplesmente, oficializar que vivemos uma relação a três. Mas, sim, seria como um casamento. E eu ficaria mais tranquilo, sabendo que quando precisar me ausentar você não ficará sozinha, terá alguém que a ama tanto quanto eu para lhe fazer companhia.

— E então? — perguntei, ansioso. — Você concorda?

— É claro que sim! — ela respondeu, entusiasmada. — Mal posso acreditar que isso está realmente acontecendo. Eu...

Não esperei que ela terminasse a frase. Não era preciso. O brilho em seus olhos era a confirmação que eu precisava para saber que ela estava feliz.

Num impulso, envolvi seu rosto em minhas mãos e a puxei para um beijo. Não foi muito longo, mas intenso o suficiente para selar nosso compromisso.

— Isso merece um brinde! — F declarou, enchendo novamente as taças. — Está feliz, querida? — ele perguntou, segurando sua mão para ajudá-la a se levantar.

— Muito! — ela respondeu, retribuindo seu olhar e o beijando. — Obrigada!

Entreguei-lhe uma taça e peguei outra.

— Que essa união seja duradoura e nos proporcione muitos momentos como este! — brindei, erguendo a taça. F e V acompanharam o movimento.

Após o jantar, mostrei-lhes o restante do apartamento.

— Para um homem que vive sozinho, até que você é organizado. Essa cozinha é muito bem montada — V comentou.

— Deixe-me mostrar uma coisa. Tenho certeza que vai apreciar, meu amigo. — Guiei F até a porta no final da cozinha e a abri, revelando meu pequeno tesouro particular.

A adega climatizada continha algumas dezenas de garrafas, dispostas em prateleiras apropriadas para preservar a umidade das rolhas e o sabor dos vinhos.

— Você tem uma preciosidade aqui — ele enalteceu, pegando a garrafa de Heidsieck Monopole Diamant Bleu, safra de 1907.

— Ela fazia parte do lote que foi recuperado de um navio naufragado durante a 1ª Guerra Mundial. Estava entre as três mil garrafas enviadas para a Corte Imperial do Tsar Nicholas II e apenas poucas foram retiradas do mar em perfeito estado quando encontraram o navio em 1997.

— Lembro de ter lido em algum lugar que esse *champagne* ainda é servido para os membros da elite russa por uma bagatela de US$270 mil.

— Algo em torno disso — confirmei, pegando a garrafa com cuidado e a devolvendo ao seu lugar de destaque na adega.

— Meninos e seus brinquedos caros! — V exclamou atrás de nós. — Não entendo qual a graça de pagar tanto por um *champagne* que, provavelmente, você nunca beberá. Vai mantê-la escondida aqui para sempre, não vai?

— A ideia é essa — respondi e ela revirou os olhos. — Ao menos você entende — falei, dando um tapinha amistoso no ombro de F ao sairmos da adega. — Venha! Quero que vejam o resto.

Voltamos à sala e seguimos pelo corredor.

— Mantenho esse quarto para receber hóspedes eventuais, o que raramente acontece — comentei ao abrir a primeira porta. Fizemos uma pequena pausa, sem entrar no cômodo. — E esse é o escritório — falei, abrindo outra porta mais adiante.

— Você costuma trabalhar aqui? — V perguntou, entrando no cômodo.

— Não muito.

Ela correu os olhos pelos livros, organizados em uma estante ao fundo.

— Já leu todos eles? — Quis saber, retirando um dos exemplares da prateleira e folheando-o.

— Gostaria de dizer que sim, mas, infelizmente, não tive tempo de ler nem a metade. Talvez nunca consiga ler todos, mas é um vício comprá-los. Gosto de tê-los por perto.

— Eu adoro ler! É meu passatempo preferido — ela comentou, erguendo o livro aberto e inalando suas páginas. Em seguida, o fechou e devolveu à estante.

Observei o gesto, surpreso. Havia tanto sobre aquela mulher que eu ainda não sabia e estava ansioso para aprender tudo sobre ela.

— Pode pegá-los sempre que quiser — ofereci, buscando seus olhos. Ela retribuiu meu olhar.

— Obrigada!

Voltamos ao corredor e entramos no último cômodo.

— Esse é o seu quarto... suponho — ela disse, tentando parecer indiferente, mas não havia como disfarçar. O simples fato de estarmos os três ali, juntos, pela primeira vez, instaurou certa tensão no ar.

— Agora ele é nosso — respondi, encorajando-a. F se aproximou, parando atrás de V, envolvendo-a em um abraço protetor. — Quero que se sinta à vontade aqui, como se sente em sua casa — concluí.

— É bonito — ela observou — e a cama parece muito confortável.

V percorreu o ambiente com os olhos, detendo-os nas portas duplas de correr, do outro lado do quarto.

— O que tem ali?

Segui na direção de seu olhar e empurrei uma das portas.

— Aqui é o *closet* — respondi, dando-lhe passagem para que observasse o interior.

Ela deslizou as mãos pelas camisas enfileiradas nos cabides, testou o aroma de um vidro de perfume, acariciou as gravatas arrumadas sobre a prateleira e retornou em silêncio, como se pudesse desvendar meus segredos apenas com aqueles gestos simples.

— E desse lado — falei, fazendo a outra porta deslizar paralelamente à parede —, fica o banheiro.

Observei, encostado à parede, enquanto ela caminhava à minha frente.

— Não acredito que tem uma hidromassagem no quarto! — Sua voz soou efusiva à distância.

— Agora estou convencido. Você sabe mesmo viver — F comentou ao passar por mim. — Vamos conferir isso. — Ele entrou no banheiro e se aproximou de V. — Não é que tem mesmo! E essa é Master, querida. Acho que tem espaço suficiente para nós três. O que acha? — Ele perguntou, olhando em minha direção.

— Parece que sim — respondi, entrando também no banheiro. E buscando o olhar de V, completei: — Quer testar?

— Hum... — Ela olhou para cima e levou o dedo ao rosto, como se estivesse avaliando a proposta. E então, perguntou: — Depende, você tem espuma?

Foi minha vez de hesitar.

— Não sei, mas vamos descobrir.

— Pelo visto, essa banheira não é usada há um bom tempo — F comentou, enquanto revirávamos os armários atrás de espuma.

— Achei! — V anunciou sorridente, exibindo o vidro com líquido azul.

Acionei o botão e a água começou a correr. V derramou uma parte do conteúdo do vidro na água e aguardamos por alguns minutos.

— Você primeiro, madame! — F disse, ajudando-a a se despir e entrar na banheira.

— Preciso de alguma coisa para prender o cabelo — ela anunciou, já na água, sustentando as mechas no alto da cabeça para evitar que molhassem.

De pé, em frente à banheira, busquei o olhar cúmplice de F.

— Não precisa não.

— Não mesmo — ele concordou, rindo maliciosamente.

— Decididamente, não!

E nos despimos também, entrando na banheira para nos juntarmos a ela.

— Então vai ser assim? — V protestou. — Vão fazer complôzinhos para que eu sempre saia perdendo?

— Perdendo?! Que garota mal-agradecida! — Ele disse, puxando as pernas dela para que ficassem paralelas as suas.

O movimento a obrigou a soltar o cabelo para se segurar na lateral da banheira, ao ter o corpo arrastado para o fundo. As mechas louras foram direto para a água repleta de espuma perfumada.

Posicionei-me atrás dela, encaixando minhas pernas ao lado de seus ombros, juntei seu cabelo, agora completamente molhado, e o enrolei em minha mão, trazendo-a de volta para cima. Passei o outro braço ao redor de seu corpo e com a mão livre, envolvi seu seio.

V reclinou a cabeça em meu peito sem protestar e se entregou ao prazer que o toque delicado de meus dedos produzia em seu mamilo, enquanto F erguia a perna dela, levando os dedos de seu pé até a boca para lambê-los, um por vez.

Soltei seu cabelo, acomodando-a melhor junto ao meu corpo e deslizei a mão por seu ventre. Ela deixou escapar um gemido quando alcancei seu clitóris e permiti que meus dedos brincassem ali por um tempo.

F devolveu a perna de V à água e levantou-se, vindo até nós. Aproximou-se, massageando o próprio pênis, roçando-o de leve nos lábios de V, que os entreabriu para recebê-lo, iniciando um suave movimento de vai e vem com a cabeça, enquanto o chupava.

— Hum! Vou querer um pouco disso também — sussurrei, afastando seu cabelo para mordiscar seu pescoço, enquanto enterrava meus dedos em sua boceta. E apesar da água morna que nos envolvia até a cintura, senti-a estremecer contra meu corpo. Meu pênis latejando de desejo por aquela mulher, exercendo pressão em seu quadril.

Virei-a de frente para mim quando F se afastou e me sentei na borda da banheira com os pés dentro da água. Ela se ajoelhou à minha frente, preparando-se para me presentear com uma bela chupada. F puxou seu quadril para trás e a penetrou.

V se apoiou em meus joelhos e seus olhos se pregaram aos meus. A cada estocada dele, ela gemia baixinho, encarando-me.

— O que você quer, gatinha manhosa? — perguntei maliciosamente, enquanto me masturbava, mirando seu rosto.

— Ele — ela respondeu, baixando os olhos para o meu pênis.

— Venha buscar — provoquei e abri um pouco as pernas para lhe facilitar o caminho.

V escorregou para frente, encaixando a cabeça entre minhas pernas e no instante seguinte, deliciei-me, observando meu pênis desaparecer em sua boca, para ressurgir em seguida ainda mais duro e voltar e sumir, novamente envolto em seus lábios carnudos.

Agarrei seu cabelo, afastando-o do rosto para desfrutar melhor daquela visão privilegiada e deixei escapar um urro quando ela intensificou os movimentos.

Eu poderia facilmente gozar em sua boca, mas o desejo de estar dentro dela novamente era maior e me contive.

Já havia dividido outras mulheres com F e sabia que ele não era egoísta. Tínhamos um bom entrosamento, um *time* propício para satisfazer a ambos. Mas com V era diferente, havia uma carga emocional muito grande envolvida, o que tornava tudo ainda mais intenso. E o tempo que me mantive afastado dela, desde o acidente, gerou uma necessidade ainda maior de possuí-la outra vez.

Fechei os olhos e enterrei meus dedos nas mechas louras, comprimindo os lábios para me controlar. Estava no meu limite. Se ela continuasse me chupando daquele jeito...

A urgência devia estar estampada em minhas feições, porque no mesmo instante senti um tapinha em meu braço e ao abrir os olhos, vi que F a tinha soltado.

— Ela é todo sua, parceiro — ele anunciou, acomodando-se na água do outro lado da banheira, os braços esparramados sobre a borda.

Seu prazer em ser mero espectador não era novidade para mim e não me incomodava. Ergui V e a virei de costas, fazendo com que se sentasse em meu colo.

— Não vai ficar conosco? — Ela ensaiou um protesto, encarando F à nossa frente.

— Shhh — murmurei junto ao seu ouvido. — Feche os olhos e se concentre em mim. Finja que ele não está aqui.

Ela pareceu confusa, mas obedeceu.

Guiei meu pênis até a entrada úmida de sua boceta e ela desceu o quadril sobre ele, enterrando-o todo em si. Então, começou a se mover para cima e para baixo, cavalgando-o, agarrada em minhas pernas.

Passei meus braços ao seu redor para sustentá-la e massageei seu clitóris, deixando que ela se satisfizesse um pouco. Até que passei o outro braço por baixo de suas nádegas, retirando meu pau de dentro dela e me levantei, mantendo-a em meu colo.

— Agora que a bonequinha já brincou, vamos esquentar isso aqui — falei, encarando-a com olhar selvagem.

Coloquei-a de pé na água, o corpo inclinado para frente, as mãos apoiadas à parede e me enterrei nela outra vez até sentir minhas bolas roçando em sua carne macia.

Estoquei forte, rápido, agarrado ao seu cabelo, puxando sua cabeça em minha direção para que pudesse lamber seu pescoço, sua orelha, devorar sua boca com a minha, enquanto meu pênis devorava sua boceta. V se contorcia, a expressão atordoada em seu rosto, seu corpo devastado por ondas de intenso prazer.

Ergui sua perna e apoiei seu pé sobre a borda da banheira, largando seu cabelo. Forcei seu corpo para frente, segurando-a pelos ombros e arremeti ainda mais fundo. Ela tentava se equilibrar, manter-se de pé, apesar do vigor empenhado em meus movimentos.

— Quero comer seu cu, amor — a frase foi praticamente rosnada em seu ouvido, enquanto eu afastava um pouco o quadril para testar seu ânus com meus dedos. V estremeceu mais uma vez e soltou um gritinho quando enfiei mais um dedo em seu cu. — Vou castigá-lo do mesmo jeito que castiguei sua boceta e você vai gostar — anunciei, retirando meu pau de dentro dela, ao mesmo tempo em que liberei meus dedos, deixando-a completamente vazia por um instante.

Na mesma hora ela protestou.

— Calma! Eu vou dar o que você quer.

Ergui ainda mais seu quadril, fazendo com que ficasse completamente curvada na banheira e mergulhei meu pau naquela bunda gostosa. Seu corpo sacudia e a cada estocada ela emitia gritinhos alucinados.

Busquei sua boceta e meti alguns dedos nela, mantendo o ritmo incansável das arremetidas em seu cu. V tremeu e gozou em minha mão, até que finalmente a libertei e ela se deixou cair na água, rendida e satisfeita. Mas eu precisava de mais.

Saí da banheira e a peguei no colo. Só então, dirigi-me a F, observando o olhar surpreso de V que parecia ter realmente se esquecido da presença dele.

— Vamos para a cama. Você vem? — perguntei.

— Depois desse espetáculo — ele disse, saindo também da banheira e acariciando o corpo de V em meus braços —, fiquei com vontade de experimentar uma coisa, querida. Mas será que você vai gostar?

Olhei sério para ele.

— Apesar do tempo que frequentou a *Sociedade*, eu posso garantir que ela nunca fez isso. Não sei se ela aguenta.

— Se quiser tentar...

— Do que vocês estão falando? — V quis saber.

Aninhei-a ainda mais em meu colo, antes de responder:

— Dupla penetração, amor. Nós dois dentro de você, ao mesmo tempo — e perscrutei seu rosto, observando sua reação.

— Nem toda mulher consegue, mas as que praticam dizem que é muito prazeroso — F completou a explicação.

— Está disposta a fazer uma tentativa? — inquiri.

— Se você não gostar ou se não se sentir confortável, vamos entender e não vamos insistir — F declarou, transmitindo-lhe segurança.

V nos olhou de um para o outro, como se tentasse se decidir. E então, dirigiu-se a mim, assumindo que nesse ponto eu a conhecia melhor:

— Acha que vou gostar?

— Na verdade, nós já ensaiamos isso, amor. Lembra-se quando estávamos na *Sociedade*? Você gostou de ter o vibrador em sua vagina enquanto eu a comia — comentei, referindo-me a última vez que transamos em grupo, na noite do acidente.

— Então, eu quero tentar — ela declarou, confiante.

— Essa é a minha garota! Sempre corajosa — F exclamou.

Seguimos para o quarto e a depositei sobre a cama.

— Precisa ficar bem relaxada. Escolha a posição que for mais confortável para você — instruí. — Nós nos encaixamos de qualquer forma.

— Hum... — Ela pensou por alguns segundos. — Melhor não ficar de joelhos. Acho que me esforcei demais lá dentro e senti um pouco de dor na perna.

— Então, é melhor não forçar. Você tirou os pontos há poucos dias — tranquilizei-a. — Existem outras formas para fazer isso. — Olhei para F. — Em cima?

— Embaixo — ele respondeu e se deitou, colocando V sobre seu corpo. E sem parar de acariciá-la, foi explicando, pacientemente, o que ela deveria fazer. — Vou meter em seu cu agora, amor, mas não quero que se empolgue muito, ok? Tente ficar quieta, por enquanto. — E quando já estava dentro dela, completou: — Isso! Relaxe a cabeça em meu peito. — V obedeceu. — Assim. Deixe o quadril bem solto.

Observei, enquanto ele colocava as mãos por baixo de suas nádegas para sustentar seu peso durante os movimentos. Só então, me aproximei.

Ajoelhado na cama, com as pernas de F esticadas entre as minhas, segurei as pernas de V e as ergui um pouco, mantendo-as abertas.

— Está confortável? — perguntei e ela sorriu para mim, balançando levemente a cabeça de forma afirmativa.

Abaixei-me e beijei sua boceta linda. Deixei que minha língua brincasse com ela um pouco, preparando-a para me receber e ergui novamente o corpo, posicionando-me. Então, comecei a penetrá-la bem devagar, para testar seu limite.

Enterrei até a metade, parei e me movi um pouco dentro dela, deixando que se familiarizasse com aquela nova sensação. E para minha grata surpresa, sua vagina me acomodou muito bem. Podia senti-la mais apertada, pressionada pelo pênis de F enterrado em sua bunda, mas nada que indicasse que eu não poderia ir até o fim.

Esquadrinhei seu rosto, tentando decifrar sua expressão. V mantinha os olhos fechados, mas deixou escapar um gemido e mordeu o lábio inferior quando mergulhei mais um pouco dentro dela. Aquilo era tudo que eu precisava para ir mais adiante.

Enterrei-me um pouco mais até que meu pênis fosse completamente engolido por sua boceta.

— Abra os olhos, amor. Quero que olhe para mim.

Ela obedeceu e a chama em seu olhar me incendiou. Imprimi um pouco de ritmo ao movimento. F entendeu como um sinal de que estávamos bem e me acompanhou.

Num balé de erotismo, eu parava e deixava que ele comandasse, estocando-a de baixo para cima com mais vigor, enquanto eu me deliciava com a expressão de extremo prazer nos olhos de V. E quando ele parava, eu reiniciava o movimento, entrando e saindo de sua boceta apertada, embalado pelo som dos gemidos que ela emitia embaixo de mim.

Se ele impunha mais ritmo, eu o acompanhava. Quando eu imprimia mais voracidade, ele fazia o mesmo. E no meio de nós havia V, completamente dominada pelo êxtase, cravando as unhas ora em meus braços, ora em suas próprias pernas, agarrando os seios com sofreguidão, gemendo e gozando, encharcando meu pênis com seu orgasmo, enquanto nós nos desfazíamos dentro dela, inundando-a com ejaculações quase simultâneas.

Capítulo 52

Senhor P

Na manhã seguinte...

V se virou novamente e aconchegou-se ao meu corpo. O movimento me despertou. Sua mão deslizou preguiçosamente por meu abdômen até alcançar meu pênis. Abri os olhos ao sentir que ela o envolvia em seus dedos. Vislumbrei seu rosto e constatei que ela ainda dormia, o que não impediu que meu pênis reagisse ao seu toque.

Aquilo, sim, era uma novidade em minha vida. Raramente dormia com uma mulher depois do sexo, a não ser que não pudesse evitar.

Ela também parecia estranhar, pois passou a noite toda se virando na cama entre eu e F, tentando se adequar à nova situação. E, ao contrário dele, que dormia um sono profundo, cada vez que ela repetia o movimento, eu acordava.

Estendi o braço e ela se refugiou em meu peito. Envolvi-a em um abraço e voltei a fechar os olhos, na intenção de dormir mais um pouco, mas meus planos se frustraram quando ela começou a mover a mão delicadamente.

Olhei de novo para ela, duvidando que aquilo fosse real. Mas era. V estava me masturbando enquanto dormia, placidamente, deitada em meu peito.

Meu pênis intumesceu e pulsou, ansioso, desejando mais do que um simples carinho.

— Se continuar fazendo isso, vai acordar com ele dentro de você, amor — sussurrei, acariciando seu cabelo, mas ela não deu nenhum sinal de despertar.

Num ato puramente instintivo, apertou-o ainda mais, como se quisesse impedir que eu a separasse dele, e voltou a massageá-lo.

Deixei escapar um gemido e me rendi por alguns instantes, até perceber que já havia chegado ao ponto de onde não dava mais para recuar.

— Eu avisei, amor — falei, girando seu corpo e pairando sobre ela.

Abri suas pernas e levei a mão à sua boceta. Estava úmida.

V abriu os olhos, soltando um gritinho abafado, no exato momento em que mergulhei dentro dela. O movimento de nossos corpos acordou F.

— Quanta animação logo cedo — ele resmungou em protesto, virando-se para nós.

— Essa safadinha sonâmbula estava me masturbando — expliquei, dando algumas estocadas mais vigorosas em V.

Ela riu.

— Desculpa! — falou, tentando conter o riso. — Prometo me comportar melhor da próxima vez.

Mas sua expressão nem de longe lembrava arrependimento.

— Então, esse é o motivo — F disse, sem muito entusiasmo. — Vá se acostumando, ela costuma fazer isso.

— Vou ensiná-la a respeitar o sono de um homem exausto.

V deu uma gargalhada.

— Você está rindo enquanto eu a como, mulher? — repreendi-a, fingindo indignação.

— Está se comportando muito mal, querida — F disse e ela voltou a rir.

Ele se ajoelhou na cama, de costas para mim e se posicionou sobre a cabeça de V.

— Desse jeito, não me deixa escolha.

E dizendo isso, tomou sua cabeça entre as mãos, forçando-a a engolir seu pau, o que ela fez de bom grado.

Os risinhos pararam e foram substituídos pelos primeiros espasmos em seu corpo, que faziam com que ela apertasse a boceta ao redor de meu pênis.

— Assim está bem melhor — declarei, imprimindo mais vigor aos movimentos.

V cravou as unhas nas costas de F, à minha frente, e eu sabia que essa era uma reação às minhas estocadas. Rosnei e a comi com mais vontade ainda.

Ela levou as mãos até as nádegas dele, seus dedos bem próximos ao ânus. Por um momento, pensei que fosse penetrá-lo, mas não o fez. Ao invés disso, ela o puxou para si e F grunhiu, soltando sua cabeça e espalmando as mãos na parede à nossa frente.

Seja lá o que ela tenha feito, o pegou de surpresa e deve ter sido muito bom.

— Caralho! — ele vociferou. — Sua boca é mágica, minha diabinha — completou, reassumindo o controle.

F saiu de cima dela e V passou a língua nos lábios, usando a ponta do dedo para limpar o esperma que escorria no canto de sua boca. Produziu cada gesto com lentidão e os olhos fixos nos meus.

Em resposta, ergui seus pés até meus ombros e enterrei o pênis ainda mais fundo em sua boceta. Ela suportou a pressão sem desviar o olhar.

Ajoelhado ao seu lado, F acariciou seus seios, brincou com seus mamilos e estendeu uma das mãos em direção ao seu clitóris. Segurei os tornozelos de V e garanti que suas pernas ficassem bem abertas para lhe facilitar o acesso. Ele espalmou a mão e esticou a pele rosada e intumescida, exibindo-a para mim.

— Já viu algo mais lindo?

— Nunca — respondi, diminuindo o ritmo e afastando um pouco o quadril. F se inclinou e sugou o clitóris de V, que gemeu e apertou ainda mais a boceta, comprimindo meu pau.

Ao se erguer, ele tocou em meu ombro, o gesto deixando claro o que queria. Retirei meu pênis de dentro dela e lhe cedi o lugar.

Sentei-me na cama, as costas apoiadas à cabeceira. F girou o corpo de V, colocando-a de quatro com a cabeça em meu colo. Ela tomou meu pênis para si e o chupou magistralmente, enquanto ele se chocava contra suas nádegas, fazendo seu corpo oscilar entre nós.

Quando senti que estava prestes a gozar, fiquei de joelhos. Afastei seu cabelo para o lado e o mantive ali, desnudando seu rosto para apreciar melhor o movimento de seus lábios deslizando em meu pau.

— Acho que ela está merecendo um banho de leite — comentei, malicioso.

— Só se for agora, porque estou no limite aqui — F respondeu.

— Você ouviu o homem, gatinha — falei, retirando o pau de sua boca.

F soltou seu quadril e V se deitou, os mamilos rígidos apontando para nós. Chegamos mais perto, ladeando seu corpo e a brindamos com os jatos mornos de nosso gozo, que ela logo tratou de espalhar sobre o abdômen e os seios.

— Pronto! Agora ela precisa de um banho de verdade — ele declarou.

— E nós também — concordei rindo, sentindo o corpo pegajoso de suor.

Abri a ducha e o jato me atingiu. Colocamos V no centro e enquanto eu ensaboava seu cabelo, F cuidava de seu corpo. Depois de nos certificarmos de que ela estava totalmente limpa, nos revezamos embaixo da água morna, lavando-nos também.

— Precisamos ir — ele anunciou quando a enxugávamos fora do Box.

De pé, sobre o tapete felpudo do banheiro, V protestou.

— Não podemos ficar só mais um pouco? — insistiu, afastando do rosto as pontas da toalha que eu usava para secar seu cabelo e dirigindo a F um olhar de súplica.

— Ele tem razão, amor. Já é tarde. Dormimos demais — intercedi.

— A essa hora Jessy já deve estar preocupada e não queremos que ela faça um alarde — ele disse, tentando convencê-la. E se dirigindo a mim, completou: — Não temos o hábito de dormir fora de casa sem avisá-la.

V se deu por vencida.

— Quando vamos nos encontrar de novo? — ela quis saber.

Por mim, passaria todas as noites com ela, mas sabia que não era tão simples assim. Olhei para F, esperando que ele tivesse uma resposta para aquela pergunta.

— Esse fim de semana Cris não estará em casa. É o acampamento da escola, lembra-se?

— É verdade! — V exclamou, animada.

— Se todos estiverem de acordo, podemos sair de barco no sábado pela manhã e só retornar no domingo à tarde. O que me diz? — F me direcionou a pergunta.

— Fechado! — Assenti. — Está vendo, amor? Não vai demorar muito. Só alguns dias e estaremos juntos outra vez.

V nos brindou com um sorriso radiante.

— Venha, vamos nos vestir — F a chamou, conduzindo-a de volta ao quarto.

— Obrigado pela hospitalidade! — F agradeceu, apertando minha mão.

— Nós nos vemos sábado pela manhã — reforcei nosso compromisso, despedindo-me.

V se aproximou e envolveu os braços em meu pescoço, puxando-me para um beijo. Segurei sua cintura, colando meu corpo ao seu e retribuí, mergulhando a língua em sua boca, tentando não imaginar o vazio que reinaria em minha cama pelos próximos dias, agora que eu sabia como era dormir e acordar ao seu lado.

Ao findar o beijo, ela se afastou e aceitou a mão que F estendeu em sua direção.

— Espere! — pedi, lembrando-me repentinamente de algo importante. — Volto em um minuto.

Retornei ao interior do apartamento e peguei o pequeno objeto que havia deixado propositalmente sobre o aparador, voltando ao *hall* em seguida.

— Pegue! — Depositei-o na mão de V. — Quero que fique com ela. — V baixou o olhar para a chave. — Não precisa esperar por um convite. Pode vir sempre que quiser. Agora, aqui também é sua casa, lembra-se? Não quero que fique esperando lá embaixo, caso chegue e eu não esteja.

— Eu... — ela titubeou. — Não sei se é uma boa ideia. Quer dizer... Não quero tirar sua privacidade, chegando de surpresa.

— Ligue antes, se isso a fará se sentir melhor, e avise-me que está vindo. Quando chegar, use o elevador exclusivo. Vou deixar autorizado.

Ela buscou F com o olhar. Parecia insegura sobre aceitar ou não minha oferta.

— Aceite, querida — ele a encorajou. — Infelizmente, as viagens à Boston serão frequentes. Não tenho como evitar e me sentirei melhor sabendo que você estará aqui.

Os olhos de V se voltaram em minha direção e ela sorriu.

— Está bem! Vou ficar com ela, mas não virei sem falar com você antes.

— Faça como preferir — reforcei. — Será bem-vinda de qualquer jeito.

— Esperamos você no sábado — F disse, entrando no elevador e levando V com ele.

— Estarei lá — respondi, enquanto a porta se fechava lentamente.

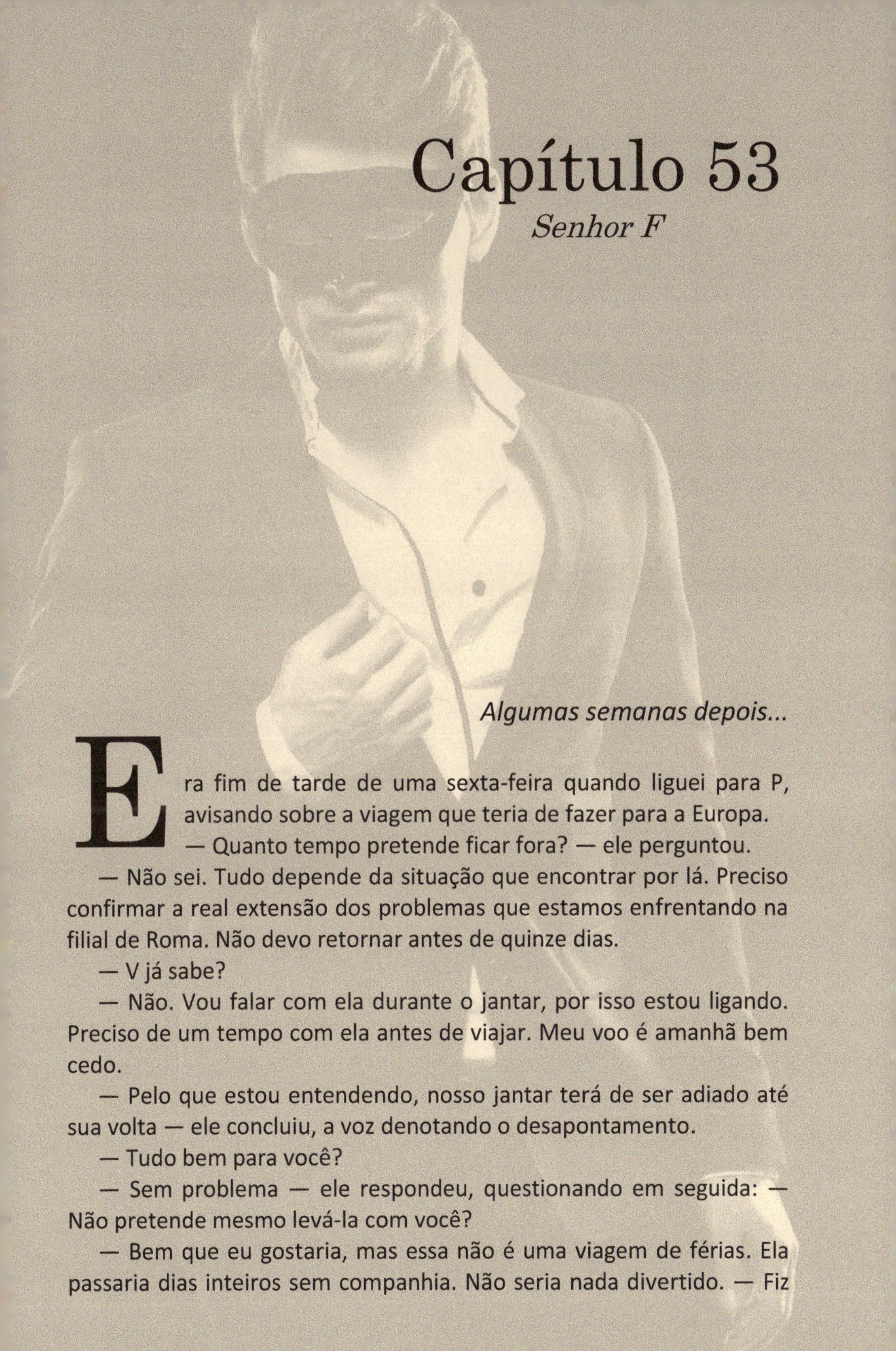

Capítulo 53

Senhor F

Algumas semanas depois...

Era fim de tarde de uma sexta-feira quando liguei para P, avisando sobre a viagem que teria de fazer para a Europa.

— Quanto tempo pretende ficar fora? — ele perguntou.

— Não sei. Tudo depende da situação que encontrar por lá. Preciso confirmar a real extensão dos problemas que estamos enfrentando na filial de Roma. Não devo retornar antes de quinze dias.

— V já sabe?

— Não. Vou falar com ela durante o jantar, por isso estou ligando. Preciso de um tempo com ela antes de viajar. Meu voo é amanhã bem cedo.

— Pelo que estou entendendo, nosso jantar terá de ser adiado até sua volta — ele concluiu, a voz denotando o desapontamento.

— Tudo bem para você?

— Sem problema — ele respondeu, questionando em seguida: — Não pretende mesmo levá-la com você?

— Bem que eu gostaria, mas essa não é uma viagem de férias. Ela passaria dias inteiros sem companhia. Não seria nada divertido. — Fiz uma pausa antes de entrar no assunto que realmente me inquietava. — Preciso que me faça um favor. V ficará sozinha esse fim de semana. É a folga de Jessy e ela costuma viajar para visitar a família, que mora fora da cidade. E no próximo final de semana, Cris virá para casa. Preciso que cuide deles por mim.

— Fique tranquilo! — ele assentiu. — Vou pensar em alguma coisa.

Encerrei a chamada, ponderando sobre o que havia feito.

Talvez, ainda não fosse hora de permitir uma aproximação maior entre Cris e P. A prudência me alertava para aguardar mais um pouco, até me certificar de que nossa relação, tão incomum, não estava fadada ao fracasso repentino. Mas algo me dizia que P estava mesmo disposto a torná-la duradoura.

Capítulo 54

Senhor P

F desligou e fui acometido pela frustração. Essa era para ser nossa noite juntos e agora eu a passaria sozinho.

De repente, já não tinha mais interesse em voltar logo para o apartamento. Talvez, esperasse a casa noturna abrir e recebesse pessoalmente os primeiros clientes. Havia algum tempo que não fazia isso e os Vips sempre se sentiam mais Vips quando eu lhes dava alguma atenção.

Por outro lado, aquela viagem repentina me proporcionaria quinze longos e prazerosos dias a sós com V.

Um sorriso involuntário brotou em meu rosto.

A noite acabou rendendo algumas doses além do que eu havia programado e quando acordei já passava de dez da manhã. Àquela hora, F provavelmente já estaria a caminho da Itália.

Pensei em V sozinha naquela casa enorme durante o fim de semana e pelos dias que se seguiriam, sem a presença dele ou do filho. A imagem era muito solitária. F tinha razão em se preocupar. Também não me agradava a ideia de que ela passasse tanto tempo sem companhia. O melhor a fazer era trazê-la para cá.

Decidido, saí da cama, tomei uma ducha rápida e trinta minutos depois, estava de volta à casa noturna.

Pedi que preparassem meu café da manhã — suco de laranja, um sanduíche de queijo quente, ovos e bacon — e fui para o escritório.

Enquanto aguardava, liguei para V.

— Ele já embarcou? — perguntei, após cumprimentá-la carinhosamente.

— Já, sim. Saiu bem cedo.

— E você, amor? Fez planos para hoje?

— Nada especial. Vou até a academia, como alguma coisa por lá mesmo e depois, pensei em aproveitar a tarde para colocar a leitura em dia.

— Tenho uma ideia melhor. Quando voltar da academia, separe algumas roupas para usar durante o fim de semana e vá para o apartamento. Eu preciso resolver algumas coisas aqui, mas não ficarei no escritório até tarde.

— Talvez seja melhor eu esperar até que você retorne. Posso ir à noite.

— Amor, já passamos dessa fase — falei, relembrando tudo que fizemos, desde o fim de semana juntos no barco. — Além disso, prometi ao F que cuidaria de você e de Cris enquanto ele estiver ausente. — E antes que ela tivesse chance de contestar novamente, perguntei: — Está com sua chave?

— Sim, está comigo.

— Ótimo! Então, vamos fazer assim: arrume suas coisas, vá para a academia e me avise quando chegar ao apartamento. Vou resolver tudo por aqui o mais rápido possível e prometo chegar logo depois de você.

Encerrei a ligação e tratei de adiantar o trabalho, parando apenas quando o novo funcionário da cozinha entrou, trazendo a comida que eu havia pedido.

Por volta de três horas da tarde V ligou.

— Já está no apartamento?

— Estou chegando.

— Ok! Dê-me meia hora e estarei com você.

Capítulo 55

Senhor P

Encontrei V sentada no chão do *closet*, descalça, retirando as últimas peças de uma pequena sacola de viagem e acomodando, cuidadosamente, em uma gaveta. Para ser mais exato, na minha gaveta de cuecas, que agora exibia também algumas peças delicadas de renda e seda, de cores diversas.

— Separei um espaço no cantinho para as minhas lingeries — ela disse, levantando o rosto para me olhar. — Espero que não se importe.

— De forma alguma. Na verdade — falei, pegando uma das calcinhas, meticulosamente dobradas, e abrindo-a para admirá-la —, a gaveta ficou até mais bonita.

Ela riu e se levantou.

— Não seja bobo! — disse, tirando a peça da minha mão.

Aproveitei a proximidade e a agarrei, colando meu corpo ao seu e beijando-a demoradamente.

— Hum... Vamos ver o que mais temos aqui — falei ao soltá-la e voltei a mexer na gaveta. — Gostei desse. Vai usá-lo para mim essa noite? — perguntei, exibindo o *baby-doll* preto, que pelo tamanho do tecido, mal deveria alcançar sua bunda.

— Talvez — ela respondeu, rindo —, se você for um bom rapaz.

— Se eu fosse um bom rapaz, você não estaria aqui — declarei, envolvendo-a novamente em meus braços. — E, certamente, não usaria algo assim — completei, enfiando a mão por dentro de sua blusa. — Mas, como eu não sou um bom rapaz — apalpei seus seios e me detive em um mamilo — você vai usá-lo, porque eu quero comê-la vestida com ele.

Levantei sua blusa e abocanhei o mamilo já rígido em meus dedos. Suguei-o, intercalando com mordidas levemente dolorosas, enquanto baixava a outra mão por seu ventre.

V deixou escapar um gemido quando enfiei a mão por dentro de seu jeans e acariciei sua boceta sob o tecido da calcinha.

— Já está molhada para mim, amor?

Em resposta, ela buscou o fecho da minha calça, tentando abri-lo para tocar meu pênis.

— Nada disso! — a impedi antes que lograsse seu intuito. — Hoje vai ser diferente.

— E no que está pensando? Posso saber? — ela perguntou, rindo.

— Shhh! Primeira regra: tem que ficar quieta. Sem perguntas. Vai apenas obedecer e me deixar fazer tudo que *eu* quiser, do jeito que *eu* quiser, pelo tempo que *eu* desejar. E sem reclamar.

— Isso não é justo! — ela protestou.

—Ah! Ah! Ah! O que eu disse sobre reclamações?

Estiquei seus braços para cima e retirei sua blusa.

— Pensando bem, acho que vou estipular um castigo para você — abri o botão de seu jeans e fiz com que a calça descesse por suas pernas. — Levante os pés. — Ela obedeceu, erguendo um por vez.

Livrei-a do jeans e, em seguida, da calcinha.

Peguei o *baby-doll* e o vesti nela. E como havia imaginado, a barra do tecido pairava exatamente na metade de suas nádegas, proporcionando uma bela visão de parte de sua bunda.

Fui até uma das prateleiras do closet e peguei uma pequena caixa forrada de couro preto. Voltei para junto de V e coloquei a caixa em sua mão.

— Abra — ela obedeceu, seus olhos brilhando de curiosidade. — Sabe o que são? — perguntei, enquanto ela admirava os círculos prateados, reluzindo dentro da caixa.

— Não faço a mínima ideia.

Retirei uma das argolas e a encaixei em seu mamilo, ajustando a pressão. Ela fez uma careta.

— Isso deveria doer? — perguntou.

— Só um pouco — respondi, pegando outro e exibindo diante de seus olhos. — Elas servem para castigar garotas desobedientes. — Eu podia ver claramente o brilho de excitação em seus olhos. — Cada vez que você me desobedecer, vou colocar uma dessas em seu corpo. Entendeu?

— Entendi — V respondeu, nitidamente ansiosa com a brincadeira.

— Agora, leve a caixa para a cama com você e me espere lá.

— O que vai fazer?

— Você fez uma pergunta?!

— Desculpa! Eu só...

Puxei-a de volta para junto de mim e retirei outra argola da caixa. Afastei o tecido do *baby-doll* e suguei o outro mamilo até senti-lo rígido em minha boca. Então, ajustei a argola nele e coloquei o *baby-doll* no lugar novamente.

V gemeu, mas dessa vez não protestou. Conduzi-a para fora do *closet* e fiz com que se deitasse no meio da cama. Sua expressão era um misto de surpresa, excitação e dúvida.

Quando retirei o vidro de óleo do bolso da calça, ela entreabriu os lábios como se fosse dizer alguma coisa, mas mudou de ideia.

Abri o vidro e derramei algumas gotas do líquido em sua virilha. Eu sabia que ela não tinha notado quando peguei o vidro no *closet* e, àquela altura, estava louca para perguntar o que eu faria com ele, mas fazia o possível para se conter.

Deixei o vidro de lado e, com ambas as mãos, comecei a espalhar o óleo, massageando toda a área em torno de sua boceta.

— Ah! Isso é muito bom! — ela exclamou, a voz pouco mais do que um sussurro. Mesmo assim, repreendi-a.

— Se não ficar quieta, o próximo lugar a ganhar uma argola será seu clitóris — e acompanhei a palavra, pressionando-o.

Ela estremeceu, mas não voltou a falar.

Abri suas pernas o máximo possível, deixando sua boceta totalmente exposta e fiz com que mais algumas gotas de óleo caíssem sobre os grandes lábios. Espalhei-o por toda a superfície, deixando, de vez em quando, meus dedos escorregarem para dentro dela e os retirando logo em seguida para retomar a massagem.

V se contorcia na cama, seu corpo estremecia e eu sabia que ela já estava pronta para ser comida, mas a brincadeira estava apenas começando.

Posicionei meus dedos em volta de seu clitóris e estiquei a pele, expondo-o. Com a outra mão, o massageei lenta e demoradamente, deixando-o ainda mais túrgido.

Por instinto, ela ameaçou fechar as pernas, mas a alertei sobre o castigo e ela voltou a abri-las.

Inclinei-me sobre ela e passei a língua por toda a extensão de sua boceta. Em seguida, usei a língua para penetrá-la fundo. Uma, duas, várias vezes. Afastei o rosto e mergulhei alguns dedos dentro dela num vai e vem gostoso, até que ela soltou um profundo gemido e agarrou o lençol, contraindo a boceta, tomada por um espasmo de prazer intenso.

Retirei meus dedos de sua cavidade molhada e voltei a me dedicar ao seu clitóris rosado e lindo. O tomei em minha boca, mordiscando-o e chupando-o avidamente. Sabia que ela estava prestes a explodir em gozo.

Alucinada, V agarrou fortemente minha cabeça, rebolando na minha cara. Sem dar trégua, continuei castigando seu clitóris já inchado, chupando-o freneticamente. Até que ela foi tomada por um violento orgasmo e despejou todo seu líquido em meu rosto.

— Ah, safada! Você gozou na minha cara — falei em tom de ameaça, levantando-me e pegando a caixa de argolas. — Sabe o que vai acontecer agora?

— Desculpa, amor! — ela pediu, rindo.

— Está achando engraçado? — Retirei outra argola da caixa. — Vamos ver se você vai achar isso engraçado também.

Estiquei seu clitóris algumas vezes, movendo-o para os lados e o prendi com a argola, ajustando a pressão para que a sensação fosse semelhante à de uma mordida.

— Agora, vou deixá-lo aí e ai de você se ele não estiver no lugar quando eu voltar.

Ela tentou fazer uma cara de assustada, mas o sorrisinho ainda estava presente em seu rosto.

Levantei e fui até o *closet*, retornando com um par de algemas, um lenço e um vibrador. Prendi as algemas em seu punho e usei o lenço para manter as algemas junto à guarda da cama. Liguei o vibrador, esfreguei-o na entrada de sua boceta molhada pelo orgasmo, e o inseri completamente. Movi algumas vezes o aparelho e ela começou a gemer. Então, deixei-o ligado dentro dela e fui para o banheiro.

— Aonde vai? Não pode me deixar aqui assim! — ela protestou. Dava para perceber o tom de desespero em sua voz.

— Passei o dia no escritório — respondi, displicentemente. — Preciso de um banho. — E abri a ducha, deixando que o barulho da água abafasse seus protestos.

Depois de um banho, propositalmente demorado, retornei nu para o quarto. A essa altura, V havia molhado todo o lençol com seus orgasmos e me direcionou um olhar furioso quando me aproximei da cama.

Passei a mão no lençol abaixo de seu quadril e movi a cabeça em negativa.

— Você encharcou nossa cama. Que coisa feia!

— Eu juro que vou matá-lo se não tirar essa coisa de mim! — ela ameaçou.

— Isso? — perguntei, tocando na argola em seu clitóris.

— Não se faça de desentendido. Estou falando desse vibrador do inferno que você enfiou em mim. — E, quase implorando, completou: — Por favor, amor! Não aguento mais gozar.

— Ah, o vibrador — falei, retirando-o lentamente.

Afastei o tecido do *baby-doll* e livrei seus mamilos das argolas, fazendo o mesmo com seu clitóris. Soltei o lenço que a prendia na cama e retirei as algemas.

— Agora, seja uma boa menina e me dê uma chupada bem gostosa, porque eu quero comer você.

Ela obedeceu prontamente e não demorou muito, meu pênis pulsava rígido como uma rocha em sua boca. Retirei-o e girei seu corpo, colocando-a de quatro. Posicionei-o na entrada de sua boceta e mergulhei fundo, agarrando-a pelo cabelo.

V deixou escapar um gemido e logo nas primeiras estocadas, senti meu pau ser encharcado por mais um de seus orgasmos.

— Isso, amor! Deixe-o bem molhado para eu enfiar gostoso no seu cuzinho.

Ela estremeceu e deixou o corpo tombar na cama.

Virei-a novamente de frente para mim e ergui suas pernas.

— Quero ver seu rosto enquanto a como — declarei, separando suas nádegas com as mãos e expondo seu botão rosado.

Como um animal faminto, cravei meu pênis em sua bunda, mergulhando-o por inteiro. V agarrou os seios, gemendo alucinada, enquanto eu me saciava, entrando e saindo do seu cu. Ela levou uma das mãos ao clitóris e o esfregou com voracidade, o que só serviu para me deixar ainda mais louco.

Fiz com que girasse um pouco o quadril e ficasse de lado, e voltei a castigá-la com ímpeto, até me saciar por completo, liberando meu gozo dentro dela.

Exausto, desabei sobre a cama e permanecemos em silêncio. Grudei-me nas costas de V, aconchegando nossos corpos, que se encaixaram perfeitamente. Passei meu braço ao seu redor e enrosquei minha perna nas pernas dela. E assim ficamos, confortavelmente envolvidos no calor que o corpo de um proporcionava ao outro, numa conexão afetiva de segurança mútua.

— Eu amo você.

A declaração não passou de um murmúrio. Sua voz soou tão baixa que cheguei a pensar que não era para eu ouvir, como se ela ainda receasse que o sentimento não fosse recíproco. Só então, dei-me conta de que nunca havia dito isso a ela.

— Eu também amo você, mais do que imagina — repliquei, estreitando ainda mais nossos corpos e afundando meu rosto em suas mechas douradas.

Capítulo 56

Senhor P

Não me lembro de ter adormecido, mas ao abrir os olhos, V não estava mais na cama. Apurei os ouvidos, tentando identificar algum som que denunciasse sua presença, mas o apartamento parecia imerso no mais completo silêncio.

Procurei o relógio, o visor marcava 19h40. Havia anoitecido e eu nem percebi.

Fui até o banheiro, joguei um pouco de água no rosto e sem me preocupar em vestir alguma coisa, saí do quarto à procura de V. Encontrei-a na cozinha, ainda vestida com o *baby-doll* preto. Estava de pé, junto à bancada e ao que tudo indicava, tinha acabado de preparar um suco.

Encostei-me à parede e fiquei observando, em silêncio.

Ela abriu o armário, na parte superior da parede à sua frente, e se afastou um pouco, olhando para o interior. Até que se aproximou novamente e esticou o braço, tentando alcançar algum objeto lá dentro.

O movimento fez o minúsculo *baby-doll* subir, o que deixou sua bunda totalmente visível. Na mesma hora, meu pênis reagiu.

Caminhei até ela e a abracei por trás. Roçando o pênis em seu quadril, estendi o braço sobre sua cabeça.

— É isso que está procurando? — perguntei, retirando a jarra de vidro de dentro do armário.

— É sim, obrigada! — ela respondeu, virando-se de frente para mim.

Coloquei a jarra sobre a bancada e a estreitei em um abraço, cobrindo sua boca com a minha num beijo prolongado. E, sem pressa, deixei que minhas mãos passeassem por seu corpo.

— Posso levá-la para jantar em um daqueles restaurantes aconchegantes na beira do rio. Ou, se preferir, podemos pedir que tragam comida para nós e escolhemos um filme para assistirmos depois — falei, ao encerrar o beijo.

— Um filme na TV e nós dois juntinhos no sofá?

— Uhum — confirmei.

— Essa ideia me parece tentadora.

E assim, o sábado tornou-se domingo e o domingo deu lugar à segunda-feira.

Na manhã de terça-feira, V aproveitou enquanto eu trabalhava e foi até sua casa, mas apenas para instruir Jessy sobre os preparativos para a chegada de Cris, que voltaria da escola na sexta-feira à tarde, e para avisar que passaria o restante da semana fora.

Cada hora que eu passava no escritório parecia durar o dobro do tempo e quando a tarde chegava, eu mal podia me conter para retornar ao apartamento e passar a noite fazendo amor com ela.

Na quinta-feira, pela manhã, acompanhei-a até o hospital para a última revisão após a cirurgia.

— Sua recuperação foi perfeita — o médico declarou. — Se quiser, podemos marcar o procedimento reparatório para a remoção da marca. Não posso garantir que vá desaparecer por completo. Mas, certamente, ficará menos evidente.

— Obrigada, doutor! Mas não pretendo tirá-la. Ela não me incomoda — V anunciou, surpreendendo-nos. — Quero permanecer com ela para me lembrar do dia que mudou a minha vida.

— Nunca tive um caso de uma paciente que quisesse manter uma cicatriz. Geralmente, é ao contrário. Mas, a decisão é sua — o médico confidenciou, sem entender sua motivação. Mas eu sabia ao que ela se referia e a admirei ainda mais. — Se mudar de ideia, é só me procurar — ele concluiu, dando a consulta por encerrada.

Quando a sexta-feira chegou, V retornou para casa. À noite, liguei para saber se Cris havia chegado bem.

— Ele está um pouco triste por não poder passar algum tempo com o pai. O colégio só o libera um fim de semana a cada quinzena, e quando F retornar da Itália, ele não estará aqui para recebê-lo.

— Vamos dar um jeito nisso. Lembra-se do que combinamos?

— Sim. Amanhã à tarde, no shopping.

— Ficarei bem à vista.

Despedimo-nos e fui para a cama que, de repente, parecia muito maior do que eu me lembrava.

Capítulo 57

Senhora V

— Tio P! — O grito estridente de Cris chamou a atenção de P. — Olha, mãe! É o tio P.

Ele olhou para trás e nos avistou na fila, uma dezena de pessoas nos separando. Observei, enquanto ele pedia licença e vinha se juntar a nós.

— Como está? — P me cumprimentou com um aperto de mão.

Minha vontade era me jogar em seus braços e beijá-lo, mas contive o impulso.

— Bem, obrigada! — respondi, demorando-me um pouco além do necessário para retirar a mão.

— E você, garoto, como vai o colégio?

— Estou indo bem. A coordenadora disse que se as minhas notas continuarem assim, serei dispensado das provas finais e poderei voltar mais cedo para casa nas férias de Natal.

— Isso é verdade, querido? — perguntei, surpresa.

— É sim, mãe.

— E quando pretendia me contar, mocinho?

— Desculpe! Eu ia contar, mas você começou a falar sobre a viagem do papai... Eu esqueci.

— F não veio com vocês? — P interpelou, como se não soubesse da viagem.

— Não, ele precisou se ausentar por alguns dias. Somos só eu e Cris.

— Bem, se quiserem companhia para o cinema...

— Que filme vai assistir, tio P? — Cris se adiantou, animado com a ideia da companhia masculina.

— Na verdade, ainda não me decidi. Estou entre o novo de super-heróis e aquele da série de espionagem. E vocês?

Novamente, Cris se antecipou para responder.

— Se deixasse por conta da mamãe, veríamos um daqueles filmes chatos, em que as garotas saem chorando do cinema. Mas, eu a convenci a ver o de super-heróis.

— Então, vou assistir com vocês. Se não se importar, é claro — P completou, dirigindo-se a mim.

— De forma alguma! Será bom termos companhia.

Após o cinema, levamos Cris para lanchar em um *fast-food* e deixei que ele se esbaldasse com hambúrgueres, batatas-fritas e milk-shake. Normalmente não permitia, mas aquela era uma ocasião especial.

Depois do lanche, P nos acompanhou até o estacionamento do shopping e deu um jeito de me reter por alguns instantes do lado de fora do carro, certificando-se que Cris, que estava sentado no banco do carona, podia ver apenas parte dos nossos corpos através da janela do motorista.

— Ele é um ótimo menino — falou, aproximando seu rosto do meu — e você é uma mãe maravilhosa! — Os lábios de P roçaram os meus brevemente, em um beijo suave. — Ligue-me à noite, depois que ele dormir — ele sussurrou.

Entrei no carro e dei a partida. E pelo retrovisor vi que P permaneceu no mesmo lugar, observando o veículo se afastar.

Capítulo 58

Senhor F

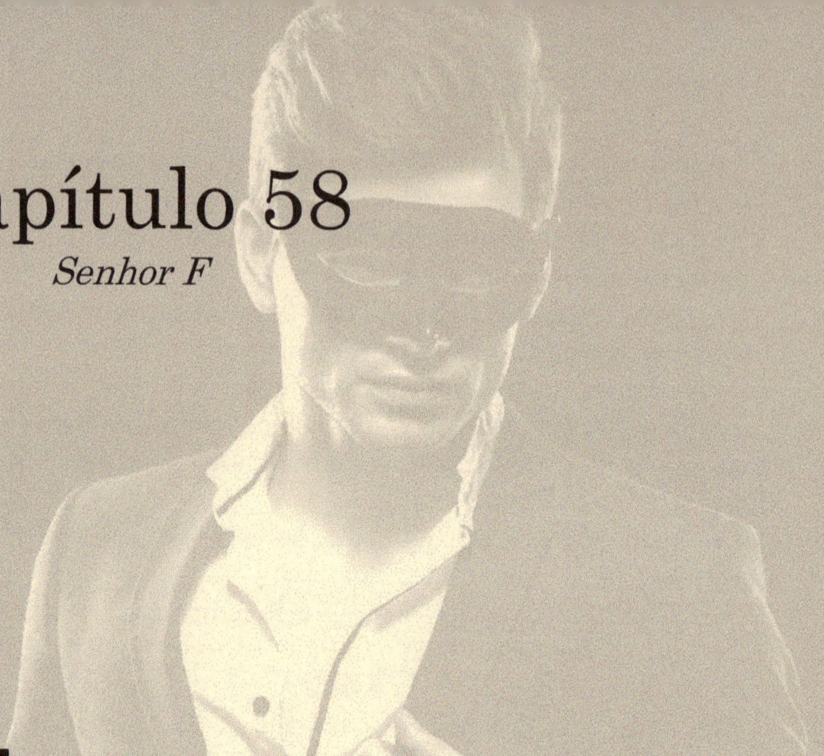

Terminei o jantar, que fora servido no quarto do hotel, e consultei o relógio, calculando o fuso horário. Apesar de ser quase dez da noite em Roma, o sol ainda brilhava no céu da Carolina do Norte. Peguei o telefone e fiz uma nova tentativa de ligar para V, e mais uma vez tudo que consegui foi ouvir a mensagem da caixa postal.

Decidido, disquei o número de P, torcendo para que ela estivesse com ele.

— Como estão as coisas por aí, parceiro? — ele perguntou ao reconhecer minha voz.

— Melhores do que eu esperava, meu amigo! Resolvemos tudo antes do prazo programado e consegui antecipar meu retorno. Embarco amanhã em um voo para Atlanta e de lá, faço a conexão para New Bern. À noite estarei em casa.

— Que bom! — ele exclamou e pareceu sincero. — V vai ficar feliz com a notícia. Já falou com ela?

— Estou tentando, mas o telefone dela está desligado. Por isso, preciso da sua ajuda. Já é tarde aqui e tenho de levantar cedo amanhã. Provavelmente, quando deixar o hotel a caminho do aeroporto ela ainda estará dormindo. Acho que só vamos conseguir nos falar no fim da tarde, quando eu já estiver em Atlanta. Avise a ela que estou voltando.

A chamada ficou silenciosa por alguns segundos e então P anunciou:

— Tive uma ideia melhor.

— O que está tramando? — perguntei curioso e ele explicou.

— Precisaremos ajustar o plano ao horário do seu voo, mas se der certo, V terá uma surpresa e tanto.

— Acho que pode funcionar, se eu conseguir me lembrar de agir de um modo diferente — concordei, rindo. — Enviarei uma mensagem para você assim que embarcar no voo de Atlanta para New Bern.

Capítulo 59

Senhor P

Naquela noite, ocultei de V a notícia sobre o retorno de F. Deixei-a acreditar que ele só voltaria dali a três dias, conforme estava programado.

No dia seguinte, fiquei no escritório até mais tarde. Ao retornar ao apartamento, levei a comida preparada por Donald, usando a desculpa de que estava cansado demais para sair para jantar. V não estranhou.

Após o jantar, abrimos uma garrafa de vinho e nos sentamos em frente à TV para assistir ao filme que ela havia escolhido. Por volta de 19h40 meu celular vibrou, avisando que havia uma nova mensagem.

F: Já estou no avião. Chego em duas horas.

Perfeito! Pensei. Era o tempo de terminar o filme e levar V para o quarto.

P: Faça como combinamos. A porta estará destrancada.

Digitei a resposta para F e deixei o celular de lado, ocupando-me em manter a taça de V sempre cheia.

Quando o filme acabou, a garrafa de vinho já estava vazia e V um tanto alegre por conta da bebida. Fomos para o quarto e liguei o som, ajustando o volume um pouco mais alto do que o habitual.

Ajudei V a se despir, deixando-a apenas de calcinha e a abracei, unindo nossas bocas num beijo incendiário.

— Hoje quero experimentar uma coisa nova com você — falei ao seu ouvido.

— O que quer fazer? — ela perguntou, os olhos brilhando de curiosidade.

— Espere aqui — pedi e fui até o *closet*, retornando em seguida com uma venda e dois pares de algemas de tecido felpudo. Ao ver aos objetos ela deu um risinho.

— Vai me prender de novo?

— Vou — confirmei, olhando-a intensamente — e também vou vendá-la. Tenho uma surpresa para você. É algo que vai gostar muito, mas precisa confiar em mim.

Ela concordou e deitou-se no centro da cama. Prendi suas mãos às algemas e as fixei nas laterais da cabeceira, colocando a venda em seus olhos e me certificando de que ela não conseguia ver nada.

— Agora, fique quietinha. Eu já volto.

Afastei-me da cama e aumentei um pouco mais o volume da música para abafar os ruídos produzidos pela chegada de F.

Fiz um gesto ao vê-lo junto à porta do quarto, indicando que podia entrar.

— Caralho! Ela está linda — ele sussurrou ao vê-la. E ela estava mesmo.

Atada com os braços abertos sobre a cama, os seios firmes e empinados, as mechas douradas esparramadas sobre seus ombros, usando apenas a minúscula calcinha branca, que contrastava com o vermelho intenso da venda e das algemas em seus pulsos, V era uma visão, um quadro perfeito de erotismo e sensualidade.

F entrou no banheiro, fechando a porta devagar atrás de si para abafar o barulho da ducha e eu voltei para junto dela na cama. Cobri sua boca com a minha e comecei a acariciar seu corpo, sem pressa.

Detive-me nos seios, beijando-os, apalpando-os e deixando que meus dedos brincassem com seus mamilos. Abaixei a cabeça e colhi um deles em minha boca, arrancando de V os primeiros gemidos da noite, que prometia ser longa. Mordisquei-o algumas vezes e o suguei, enquanto mantinha o outro preso entre meus dedos.

A porta do banheiro foi aberta e F se juntou a nós.

Aproximando-se da cama, ele tomou o pé de V em suas mãos e o ergueu. Sem fazer ideia de quem estava conosco, ela estremeceu diante do contato inesperado e puxou a perna.

Fiz um sinal para ele e acariciei o cabelo de V, falando baixinho:

— Relaxe, amor! Confie em mim e aproveite. Eu estarei ao seu lado o tempo todo.

Ela relaxou a perna e ele ergueu novamente seu pé, levando-o aos lábios e começou a lamber seus dedos.

Despi a calça de tecido leve que ainda usava e me ajoelhei ao lado dela na cama, guiando meu pênis até sua boca. Ela entreabriu os lábios para recebê-lo, enquanto a voz potente de Amy Winehouse reverberava pelo quarto.

Olhei para F, que agora percorria as pernas de V de alto a baixo com a boca, ora lambendo, ora mordiscando, ou simplesmente roçando a barba ainda por fazer na pele alva e macia de suas pernas.

Afaguei a cabeça de V e acelerei o movimento de vai e vem em sua boca, deixando que ela me chupasse um pouco mais. F afastou suas pernas e passou a acariciar sua boceta. Primeiro, massageou seu clitóris suavemente. Depois, sem deixar de acariciá-lo, enfiou dois dedos dentro dela, sincronizando os movimentos, metendo e tirando até que o corpo de V fosse sacudido pelos primeiros espasmos.

Ele abandonou seu clitóris e fez um gesto me chamando, mas manteve os dedos em movimento dentro dela. Tirei o pênis da boca de V e fui até lá, já prevendo qual seria sua intenção.

Espalmei a mão sobre seu baixo ventre e admirei seu clitóris por um instante. Vermelho e inchado, após ser friccionado pelos dedos de F, ele era um convite tentador demais para dispensar. Abocanhei-o e comecei a sugá-lo avidamente, enquanto F aproveitava a mão livre para enterrar um dedo no ânus de V.

Ela deixou escapar um som gutural, que soou como música em meus ouvidos. E no momento seguinte fomos brindados com seu orgasmo.

Ergui a cabeça, buscando F, que assentiu e se afastou.

Posicionei-me entre as pernas de V, erguendo-as até que seus pés se encaixassem em meus ombros e deliciando-me com a visão de seus seios sendo apalpados por F, a penetrei, mergulhando fundo em sua boceta.

Comi V com vontade, prolongando ao máximo o prazer de senti-la apertar meu pau em sua vagina cada vez que seu corpo era assolado por uma nova convulsão.

Eu sabia que após tantos dias ausente, F estava doido para ocupar meu lugar e não podia deixar que V o chupasse ou ela logo o identificaria. Não fosse a barba que ele deixou crescida propositalmente e ela já o teria feito.

Mas, àquela altura, ela já estava totalmente fora de si, dominada pelas sensações devastadoras de prazer, mescladas aos efeitos do vinho que havia tomado, e contávamos com isso para prolongar um pouco mais nosso segredo.

Retirei os pés de V de meus ombros e fiz sinal para que F trocasse de lugar comigo. Enquanto ele aplacava a fome arremetendo em sua boceta, fui até o *closet*, peguei o vibrador e o óleo, e voltei para a cama.

Eu conhecia muito bem as preferências de meu amigo e depois daquele período fora, em que tive V só para mim, achei que ele merecia um presentinho de boas-vindas.

Com um toque em seu ombro, sinalizei para que desse um tempo. Ele entendeu e retirou o pau de dentro dela, masturbando-se para não perder o ritmo.

Ajoelhei-me novamente na cama e suspendi o quadril de V até a altura de meu peito. Peguei o óleo e o despejei sobre ela, espalhando-o por toda sua bunda. Em seguida, liguei o vibrador e o introduzi fundo em sua boceta, sob o olhar atento de F, que acompanhava cada gesto, deixando claro o quanto estava faminto. Movi algumas vezes o vibrador dentro dela, mantendo seu quadril suspenso, enquanto V gemia e se contorcia em meus braços.

— É para você, meu amigo — sussurrei abaixo do volume da música para que só ele ouvisse.

Mantive V apoiada em meu peito, sustentando o peso de seu corpo e deixei que F se divertisse um pouco, antes que a entregasse novamente a ele.

F manuseou o vibrador, metendo-o e tirando-o da boceta de V algumas vezes, usou os dedos para penetrar seu cu lambuzado de óleo e abaixou várias vezes a cabeça para sugar seu clitóris ou meter a língua em seu ânus.

V rebolava alucinada e dificultava um pouco as coisas para mim, mas a mantive firme na posição. F parecia ter se esquecido por completo de que tinha um pau, enquanto o meu latejava diante daquela cena.

Para tentar aplacar minha própria fome, permiti-me dar algumas lambidas nela também, metendo e tirando a língua de seu cu, enquanto ele se dedicava a manter o vibrador em constante movimento.

Perdi a noção de quanto tempo passamos ali, revezando-nos em chupá-la ou mergulhando nossas línguas dentro dela.

V gritava palavrões que eu nunca a tinha ouvido pronunciar, agarrava-se ao lençol, arranhava minhas pernas desesperadamente, e gozava, gozava e gozava diante de nossos olhos.

Esfomeado e decidido a levá-la ao delírio, F retirou o vibrador da boceta de V e o enterrou em seu cu, usando-o para fodê-la. Depois, deixou-o ligado dentro dela, ajoelhou-se à minha frente com as pernas abertas sobre o corpo de V, que a essa altura parecia ser feito de geleia, amolecido por tantos orgasmos, e mergulhou a cara em sua boceta, sugando seu clitóris sem piedade, enquanto usava vários dedos para fodê-la.

Não demorou muito para que ela o brindasse com jatos de uma ejaculação fenomenal, que foram acompanhados de um sonoro grito e múltiplas convulsões.

Só então ele saiu de cima dela e eu a entreguei para ele, sentindo os músculos de meus braços queimarem por conta do tempo que sustentei o peso de seu corpo e seus tremores alucinados.

F posicionou-se onde antes eu estava, retirou o vibrador do cu de V e o jogando sobre a cama, enterrou o pau em seu lugar, comendo-a vigorosamente.

Ajoelhei-me sobre o rosto dela no momento exato em que a voz dele soou alta no quarto, acima da música.

— Rebola esse rabo gostoso que eu quero gozar no seu cu, amor.

Surpresa, ela gritou seu nome, mas tratei de calá-la com meu pênis. Tomei sua cabeça em minhas mãos, fazendo com que o engolisse inteiro e fodi sua boca com o mesmo vigor com que F a comia.

Senti meu pau pulsar e enterrei-me ainda mais fundo em sua garganta. Ele bradou um palavrão atrás de mim e o corpo de V foi novamente sacudido por espasmos.

Agarrei sua cabeça firmemente e liberei meu gozo, sem dar-lhe outra opção a não ser beber de meu pau.

Urrei quando ela me sugou ao fim da ejaculação, arrancando minhas últimas gotas, deixando-me seco. E então, entendi porque F tinha ficado fora de si na noite em que o vi gozar na boca de V. Era exatamente assim que eu me sentia agora.

Soltei sua cabeça, mas custei um pouco a remover meu pênis, ainda abalado pela sensação do gozo. E me deparei com V sorrindo, com aquela cara de diabinha má que sabia muito bem o que tinha feito.

— Ele tem razão — falei, acariciando seu rosto ainda entre minhas pernas —, você faz uma mágica deliciosa com essa sua boquinha linda, amor.

Retirei a venda de seus olhos e F me ajudou a libertar suas mãos das algemas. Acomodamos nossa mulher entre nós e abraçados ao seu corpo, colocamos a conversa em dia.

F contou sobre a viagem e revelou que havia um presente para ela na mala e outro para Cris. V falou sobre os dias que passamos juntos no apartamento e sobre a última consulta ao médico. Contei a ele sobre nossa ida ao cinema e como Cris se entristeceu por não encontrá-lo em casa no fim de semana.

— Vou fazer uma visita à escola nos próximos dias, preciso ver meu filho. — Ele fez uma pausa, bocejando. — Pode ligar para lá amanhã cedo e marcar com a diretora, querida? — V fez que sim. — Estou exausto! Tenho que me recuperar do fuso horário.

Continuamos conversando por mais algum tempo, até que ele apagou e V se refugiou em meu peito, dando-lhe espaço para dormir em uma posição mais confortável.

Capítulo 60

Senhora V

No dia seguinte, pela manhã, liguei para a escola de Cris e solicitei a permissão para a visita do pai, que ficou agendada para dali a dois dias.

F só acordou por volta da hora do almoço.

Fizemos a refeição juntos e enquanto F ajudava a arrumar minhas coisas para voltar para casa, P tirava a mesa e cuidava da louça.

— Lamento deixá-lo sozinho, parceiro, mas preciso de um tempo com ela em casa. Duas semanas fora... — F se desculpou ao nos despedirmos.

— Sem problema — P acompanhou as palavras com um tapinha amistoso nas costas de F —, desde que a traga de volta no sábado à noite.

— Sábado estaremos aqui.

P envolveu os braços na minha cintura e colei meu corpo ao seu, beijando sua boca demoradamente.

— Eu te amo! — falei ao findar o beijo. Dessa vez, em alto e bom som.

— Também amo você — ele respondeu, antes de me entregar à F, que acariciou meu rosto por um instante, dando-nos mais alguns segundos, durante os quais permanecemos unidos pelo olhar.

E então, deixamos o apartamento.

Capítulo 61

Senhora V

Dois meses depois...

— Você vem, não é? — perguntei, praticamente o intimando a comparecer à festa. — Por favor, diga que virá!

— Amor, você sabe que nada me agradaria mais do que deixar o Réveillon da casa noturna aos cuidados da minha equipe e passar a virada do ano com vocês — P retrucou —, mas será uma festa familiar.

— Exatamente! E é por isso que você precisa vir. *Você* é parte da família.

— Ela tem razão — F intercedeu no viva-voz.

— Sabe o que eu penso sobre isso, meu amigo. Já fomos vistos juntos tantas vezes que minha presença em sua casa, na noite de Réveillon, seria o mesmo que assumir nossa relação publicamente.

— Você é quem sabe. Mas pela carinha triste que eu estou vendo aqui, acho que ficará em apuros se não comparecer — F declarou, rindo.

— Não faz sentido darmos uma festa de fim de ano se você não pode estar nela — protestei, inconformada.

— Você ouviu, parceiro. Ela não aceitará um *não* como resposta.

— Amor, pense bem — P argumentou uma vez mais, tentando me dissuadir da ideia. — Não haveria problema se fosse apenas por mim, mas estou pensando em você.

— Por que não vem acompanhado? — F sugeriu. — Convide uma amiga. Dessa forma, passaríamos a virada juntos sem nos preocuparmos com os comentários.

— Isso a deixaria feliz, amor?

— Sim, é uma boa ideia — concordei, agradecendo a F com um sorriso, pela sugestão.

— Tem certeza de que não vai se incomodar se eu chegar acompanhado?

— Se for para tê-lo conosco, não.

— Ok — ele respondeu, dando-se por vencido. — Vou pensar em alguém.

— Então, você vem? — perguntei, eufórica.

— Vou, amor. Se isso vai deixá-la feliz, eu vou.

Capítulo 62

Senhor P

Eram quase dez horas da noite quando cheguei à casa de F acompanhado de Ivy, uma morena de corpo escultural e rosto de boneca. V nos recebeu com um sorriso e seus olhos brilharam ao se deparar com os meus.

Ela estava linda! Usava um vestido vermelho ajustado ao corpo que, apesar das mangas longas, tinha um decote generoso.

Entreguei-lhe meu sobretudo e ajudei a tirar o de minha acompanhante, e eles foram levados por Jessy para algum lugar destinado a acomodar os agasalhos dos convidados.

F surgiu atrás de V e nos cumprimentamos com um aperto de mãos. Aproveitei para fazer as apresentações.

Estava receoso que V se sentisse enciumada, mas ela recebeu Ivy muito bem e logo as duas se afastaram, conversando sobre a decoração que V havia preparado para a festa, ou algo assim.

Aceitei o copo de uísque que F me entregou e não pude deixar de notar seu olhar perscrutador, analisando a bunda de Ivy, que conversava animadamente com V e outras mulheres do outro lado da sala.

— Você demorou — ele comentou, bebericando o uísque. — Ela já estava ficando ansiosa. Achou que tinha mudado de ideia.

— Tive de atravessar metade da cidade para buscá-la — falei, direcionando meu olhar para Ivy — e você sabe como elas demoram a se arrumar, especialmente em dia de festa.

— Eu diria que valeu a pena a espera — F retrucou com um sorrisinho malicioso —, mas o importante é que você está aqui e V está exultante por isso. — Ele encostou seu copo no meu em um brinde. — À nossa linda mulher!

— À nossa V! — acompanhei-o e bebemos de uma só vez o restante do líquido em nossos copos.

— Tio P! Você veio — Cris exclamou ao entrar na sala e me ver. — Mamãe achou que não viria mais. — F trocou um olhar de cumplicidade comigo. — Obrigado pelo presente de Natal! Papai disse que o senhor mandou vir de Nova Iorque porque aqui não tinha. É verdade? — o garoto perguntou, impressionado.

— É verdade sim, mas não foi tão complicado quanto parece. — Pisquei para ele, num entendimento jovial.

— Se quiser, podemos jogar mais tarde, depois dos fogos.

— Fogos?! — perguntei, surpreso.

— V fez questão — F explicou e, voltando-se para Cris, alertou: — Não vá se animando muito, rapazinho! Duvido que sua mãe deixe você ficar acordado até de madrugada.

— Mas, pai... É ano novo.

— É. E por isso você poderá ficar para ver os fogos.

Pela cara de decepção que Cris exibiu, parecia ter sido condenado ao pior dos castigos, mas o drama logo cedeu lugar quando outros garotos o chamaram e ele deixou a sala tão alegre quanto estava quando entrou.

— Venha, vamos circular por aí e ver se encontramos nossa mulher — F falou e só então percebi que V também havia deixado a sala.

Circulei pela casa, interagi com alguns convidados — na maioria, vizinhos com seus filhos ou amigos da empresa de F acompanhados das esposas —, dei um pouco de atenção à Ivy e até me servi de alguns aperitivos na farta mesa que V havia providenciado, mas o que eu queria mesmo era encontrar uma maneira de ficar a sós com ela, nem que fosse apenas por alguns instantes.

Ao entrar na cozinha, deparei-me com F, ocupado em retirar algumas garrafas de uísque das caixas.

— Jessy me avisou que as bebidas estão acabando. Pode me dar uma força aqui, parceiro?

— Claro! Do que precisa?

— V desceu para buscar mais *champagne* e, certamente, vai precisar de ajuda para trazê-las para cima — ele respondeu, apontando para a porta que levava à adega subterrânea.

— Às vezes, acho que você tem algum dom sobrenatural, sabia? — F me olhou sem entender. — Deixa para lá!

Desci a escada e encontrei V entre as prateleiras, escolhendo as bebidas.

— Deixe que eu faço isso, amor — falei, retirando as duas garrafas de sua mão e depositando-as sobre uma mesa.

Puxei-a em minha direção e dei-lhe um beijo arrebatador.

— Estava louco para fazer isso a noite toda. Onde você se meteu? — e a beijei novamente, sem aguardar pela resposta.

— Também senti sua falta — ela disse, quando afastei nossas bocas.

— Mentirosa! Você se aproveitou que estou acompanhado para ficar saracoteando, solta pela festa — e a beijei novamente, dessa vez acariciando seu corpo por cima do vestido. — Preciso aproveitar, já que não poderei beijá-la à meia noite, como manda a tradição — justifiquei-me ao interromper o beijo.

— Aliás, sua amiga é muito bonita. Eu notei como vocês a olhavam lá na sala. Pretende dormir com ela? — V perguntou, demonstrando insegurança.

— Ivy é mesmo muito bonita e, provavelmente, gostosa também, mas nós temos um trato, lembra-se? E eu costumo cumprir os acordos que faço.

— Foi uma pergunta boba — ela disse, sorrindo. — Esqueça que eu a fiz.

— Eu entendo sua preocupação, amor, mas aquele tempo ficou para trás — e para acabar de vez com seu receio, completei, estreitando-a ainda mais ao meu corpo para que sentisse minha ereção: — A única mulher com quem pretendo terminar essa noite está bem aqui nos meus braços.

À meia-noite, saímos para o jardim para apreciar a queima de fogos que F havia contratado. Os convidados se espalharam ao redor da piscina, erguendo as taças em brindes, trocando beijos e desejos de prosperidade.

Quando a euforia passou, nos refugiamos novamente dentro da casa, deixando o vento gelado para trás. V se certificou de que Cris havia subido para o quarto e ficamos por lá mais um tempo, embalando a conversa com bebidas e sorrisos alegres.

Por volta de duas horas da manhã, quando os últimos convidados se retiraram, ela dispensou Jessy e foi até o quarto do garoto para ver como ele estava. Permaneci na sala com F e Ivy, aguardando até que ela voltasse.

— Cris está dormindo e do jeito que se divertiu essa noite, não vai acordar tão cedo — V anunciou.

Com a desculpa de buscar gelo para uma última dose de uísque, arrastei F até a cozinha.

— Preciso deixar Ivy em casa, antes de voltar ao apartamento.

— Vá tranquilo! Nós esperamos por você lá.

Deixei a casa de F com Ivy ao meu lado no banco do carona. Durante o trajeto ela puxou assunto, mostrando-se disposta a esticar a noite e, quando estacionei em frente à sua casa, apoiou a mão em minha perna, acariciando-me.

— Que tal se você entrar e nós terminamos a comemoração de um jeito mais íntimo?

— Em outra ocasião eu não recusaria seu convite — falei, retirando sua mão de minha perna e a retendo, por um breve instante, entre as minhas —, mas agora é diferente. Meu coração está ocupado.

— Que pena! — ela retorquiu, fazendo uma carinha de decepção. — Mas eu entendo.

Dei um beijo em sua mão, liberando-a e ela desceu do carro. Aguardei que entrasse e acionei o motor.

Fiz o percurso de volta ao apartamento em menos de vinte minutos e ao chegar, F e V já estavam lá.

Passamos o restante da madrugada juntos, revezando-nos em jogos sexuais que começaram na cama e se estenderam até a banheira.

Acordei no meio da manhã, constatando que F dormia como uma pedra ao nosso lado. V esfregou os olhos, preguiçosamente, quando me movi para sair da cama.

— Durma um pouco mais, amor — falei, dando-lhe um beijo antes de deixar o quarto.

Fui até a cozinha providenciar café. Depois do tanto que bebemos durante a noite, imaginei que todos nós precisaríamos.

— O que está fazendo, amor? — V perguntou alguns minutos depois, entrando na cozinha.

— Acabei de preparar o café — respondi, abraçando-a e levando a xícara com o líquido fumegante até seus lábios. — Quer que eu sirva uma para você?

Ela não respondeu. Ao invés disso, desvencilhou-se do abraço e saiu correndo em direção ao quarto.

Provei o café, mas não havia nada de errado. Então, fui atrás dela e a encontrei no banheiro, ajoelhada junto ao sanitário, vomitando.

Fiquei apavorado!

— O que houve, amor? — perguntei, segurando seu cabelo e tentando controlar meu nervosismo para não assustá-la.

Ela levantou a cabeça e achei que ia dizer alguma coisa, mas então, voltou a enfiar o rosto no sanitário e vomitou novamente.

Cada minuto parecia durar uma eternidade e fui ficando preocupado com seu estado.

— Deve ter sido o *champagne* — comentei, quando ela ergueu a cabeça outra vez, parecendo um pouco melhor.

— O que está acontecendo aqui? — A voz de F soou atrás de nós. — Você está pálida! Está se sentindo mal, querida?

— Foi só um enjoo. Já passou — V respondeu, levantando-se e a apoiei em meu peito.

— Pensei que tinha alguma coisa errada com o café, mas acho que foi o excesso de bebida da festa — expliquei e F me dirigiu um olhar desconfiado.

— Café?! Que café?

— Eu fiz café para nós. Ela bebeu um gole e correu para cá.

F se aproximou e fez um carinho na cabeça de V.

— Está se sentindo melhor?

— Um pouco, mas vou me deitar de novo, se vocês não se importam.

Ergui seu corpo em meus braços e ela afundou o rosto em meu peito. Nunca a tinha visto tão frágil. Levei-a até a cama, acomodei alguns travesseiros sob sua cabeça e me sentei ao seu lado. F veio logo atrás de nós.

— Posso estar enganado, mas a única vez que a vi assim foi quando engravidou de Cris — ele sentenciou.

Pego de surpresa, custei a reagir às suas palavras.

Gravidez?!

— Não — V contestou —, você está enganado.

— Você disse que deu café para ela, não foi?

— Foi, mas... O que o café tem a ver com isso? — questionei, sem entender onde ele queria chegar.

— Lembra-se de como você ficava, querida? Ela não podia nem sentir o cheiro do café pela manhã que corria para o banheiro. Foi assim durante os primeiros meses. Chegamos a abolir o café por um tempo. Eu lembro bem, porque passei a tomar o meu na empresa — ele concluiu com um sorriso idiota no rosto.

— Grávida? Você está grávida, amor?

Foi a minha vez de estampar um sorriso bobo.

— Eu não estou grávida!

— Eu acho que está, querida — F a contestou.

— Vamos ter um bebê, amor? — perguntei, colocando a mão sobre sua barriga. — Por que não nos disse antes?

— Vocês ficaram loucos? Eu já falei que não estou grávida.

— Eu acho que está — F insistiu.

— Não tem gravidez nenhuma! — ela sentenciou, revirando os olhos. — Parem com isso!

— Só há uma maneira de saber — F me dirigiu um olhar cúmplice. — Precisamos fazer o teste.

— Claro! Você cuida dela até eu voltar.

Ansioso, vesti a primeira roupa que encontrei pela frente e em poucos minutos estava tirando o carro da garagem. Tive que rodar um pouco para achar uma farmácia aberta àquela hora, no primeiro dia do ano. Quando finalmente consegui, fui direto até o balcão e anunciei:

— Preciso de um teste de gravidez.

A atendente se afastou, voltando logo em seguida com várias caixas e as colocou sobre o balcão à minha frente.

— Qual marca prefere, senhor?

Olhei para elas sem ter a menor noção do que responder. Algumas tinham fotos de bebês fofinhos, outras traziam a imagem de uma mulher sorridente e tinha até uma com o desenho de uma cegonha, mas aos meus olhos pareciam todas iguais, caixas retangulares que podiam revelar o precioso segredo.

— Vou levar todas — declarei, disposto a não perder mais tempo.

A mulher tentou disfarçar o riso, enquanto se ocupava em colocar as caixas em uma sacola. Paguei e voltei o mais rápido que pude para o apartamento, espalhando todas as caixas sobre a cama.

F me olhou perplexo.

— Não precisava comprar a farmácia inteira. Bastava um.

V pegou uma das caixinhas, retirou o aparelho de seu interior e se trancou no banheiro, deixando-nos de fora.

Esperamos por vários minutos e achei que ela não sairia mais de lá. Até que a porta foi aberta e ela caminhou lentamente até nós.

— E então? — Frank foi o primeiro a perguntar.

Vivian colocou o aparelho na mão dele.

— O que diz aí? — questionei, sem poder conter por mais tempo minha ansiedade.

Ele passou o braço sobre meus ombros e virou o aparelho na minha direção, exibindo o resultado. Ficamos admirando aqueles dois tracinhos cor-de-rosa, tão pequenos e tão significativos.

— Espero que esteja preparado para ser pai, porque vamos ter um bebê, Patrick — ele disse.

Puxei Vivian para junto de nós, sentindo algumas lágrimas traiçoeiras escorrerem de meus olhos.

— Você está mesmo grávida, amor!

Frank cobriu seu rosto de beijos, acariciando suas mechas douradas, dividindo espaço com minhas mãos em sua barriga.

— Agora seremos uma família de verdade — ela disse, sorrindo e suas lágrimas se misturaram às minhas quando tomei sua boca em um beijo.

Capítulo 63

Patrick

Um ano depois...

Ergui a cabeça e apurei o ouvido para confirmar a origem do som, apoiando as mãos sobre a pele macia das coxas de Vivian. No mesmo instante, deparei-me com o olhar atento de Frank.

— Ela está chorando — Vivian anunciou, ameaçando deixar a cama.

— Pode deixar que eu vou — Frank declarou, pulando rapidamente da cama, mas o impedi antes que tivesse chance de deixar o quarto.

— Não! Eu vou. Fique com Vivian.

Frank amarrou a cara.

Ignorei seu protesto silencioso e atravessei sua frente.

— Não precisa, pode continuar o que estava fazendo — ele insistiu, segurando meu braço.

— Eu não acredito que vocês estão brigando outra vez para decidir quem vai correr até o quarto de Victoria! Podiam ao menos tentar disfarçar!

Parei junto à porta e olhei para a cama. Vivian continuava na mesma posição. A expressão furiosa em seu rosto não ocultava sua incredulidade.

— Amor, não estamos brigando. Não é mesmo, Frank?

Frank ensaiou uma tosse, tentando disfarçar o riso e me olhou com cinismo, como quem diz: *Bem feito!*

Foi minha vez de amarrar a cara para ele.

— Já que vocês estão decididos a agir como dois idiotas, discutindo para ver quem vai mimar nossa bebê — Vivian disse, pondo-se de pé e pisando firme em direção ao banheiro —, podem ir e não precisam se preocupar em voltar.

Vivian bateu a porta com força, deixando-nos atônitos.

— Viu o que você fez? Devia ter me deixado ir — declarei, acusando-o.

— Eu?! Não era eu que estava com a cara enterrada na boceta dela e parei de chupá-la para ver a bebê.

O choro recomeçou, interrompendo a discussão.

— Fique aqui e tente acalmá-la, quando ela sair daquele banheiro.

Sem esperar mais, vesti o roupão e apressei o passo até meu antigo escritório, que agora era o quarto de Victoria.

Empurrei a porta, que havíamos deixado entreaberta, e entrei. A luz suave, proporcionada pelo abajur de unicórnio cor-de-rosa, refletia e fazia com que pequenos desenhos bailassem nas paredes.

— Por que a minha princesinha está chorando? — perguntei, higienizando as mãos com álcool gel.

Inclinei-me sobre o berço e afaguei seu rostinho. No mesmo momento, Victoria parou de chorar e abriu um sorriso, aquele sorriso que tinha o poder de derreter meu coração.

— Pronto! Papai está aqui e não vai mais deixar a princesa sozinha.

Victoria estendeu o bracinho, tentando alcançar minha mão.

— Quer dormir no colo do papai? É isso que você quer?

Retirei meu pedacinho de gente do berço e a aconcheguei em meu peito. O cheirinho gostoso, de bebê limpinho, que ela emanava era como um carinho em minhas narinas.

Acomodei-me na poltrona que Vivian usava para amamentar e cobri nossa pequena Vic com a manta bordada de flores delicadas que encontrei apoiada sobre o braço da poltrona, e comecei a conversar com a bebê.

— Acho que sua mãe está com ciúmes, mas nós vamos dar um jeito nisso, não vamos? — pronunciei as palavras baixinho, como sempre fazia quando falava com ela. E claro, com aquele sorriso que nunca deixava meu rosto na sua presença.

Victoria retribuía às minhas palavras, presenteando-me com seu riso lindo e seus sons indecifráveis. E eu sentia meu coração inflar no peito.

— Sabia que você é a princesa mais linda do mundo? É sim. E quando você crescer mais um pouco, papai vai comprar uma casa bem grande, igual a um castelo, para você ter espaço para brincar. E vai encher a casa com um monte de coisas lindas.

Capítulo 64

Frank

— Está mais calma, querida? — perguntei quando Vivian retornou ao quarto, após o banho.

Tentei me aproximar, acariciando seu cabelo, mas ela rechaçou o contato.

— Que Patrick esteja se comportando como um bobo nos últimos meses, eu até consigo entender. Afinal, é a primeira vez para ele. Mas você, Frank?! Sinceramente... Como espera que eduquemos nossa pequena Victoria com vocês agindo dessa forma?

— Você está exagerando, querida. Ela só tem cinco meses.

— Exatamente! Só cinco meses e vocês já conseguiram estragá-la. Sabia que ela quer passar os dias inteiros no colo e eu não consigo fazer mais nada quando vocês não estão presentes? E quem será que a acostumou assim?

Baixei o olhar para o tapete felpudo sob meus pés. Não tinha argumento contra aquilo.

— E agora ela não quer mais mamar no peito — Vivian prosseguiu, desfiando suas queixas. — Claro! Para que mamar no peito, quando vocês proporcionam horas de brincadeiras, contando histórias, fazendo a mamadeira falar e até dançar para fazê-la mamar?

— Eu não faço essas coisas com a mamadeira — defendi-me como se fosse uma criança, sendo repreendida pela mãe.

— Faz sim, que eu já vi. E ele também — Vivian retrucou, apontando na direção do quarto de Victoria, onde Patrick se refugiara. — Aposto que agora mesmo ele a está mimando, colocando-a para dormir no colo. Desse jeito ela nunca vai se acostumar com o berço. Isso sem falar nas coisas absurdas que Patrick não para de comprar.

— Sobre isso já conversamos — declarei seriamente, dando algum crédito às suas reclamações. — Ele entendeu e me garantiu que não vai mais se deixar levar pelo impulso.

— É mesmo? — Seu tom irônico não deixava dúvidas quanto à sua indignação. — E o que aquele aquário enorme está fazendo no meio da sala? Ah, sim! Lembrei. Victoria gostou de observar os peixinhos quando os viu pela primeira vez no shopping.

— O homem está feliz — tentei defender meu parceiro. — Nunca foi pai. Deixe-o curtir o momento, querida? Que mal há nisso?

— Eu sei que vocês têm as melhores intenções e que amam Victoria profundamente, mas desde que ela nasceu vocês não têm facilitado minha vida. Na verdade, estão dificultando meu trabalho — Vivian se lamentou, amenizando o tom de voz. — Precisa me ajudar, Frank. Do contrário, isso não vai dar certo.

Passei o braço em seus ombros e a puxei para um abraço, aproveitando que ela baixou a guarda, demonstrando os primeiros sinais de fragilidade na discussão.

— Eu sei! Eu sei, amor! Prometo que vamos nos comportar melhor daqui para frente.

— Eu acho bom! Porque se vocês continuarem assim, serei obrigada a fugir com a nossa bebê e me refugiar na casa da minha mãe até vocês voltarem a agir como dois adultos — ela retrucou, desvencilhando-se do abraço.

Observei, enquanto ela deixava o quarto. Apesar do teor das palavras, eu sabia que Vivian já estava mais calma e que ela jamais cumpriria a ameaça.

Epílogo

Vivian

Depois que Victoria nasceu, Patrick ficava triste e abatido cada vez que eu e Frank voltávamos para casa, levando a bebê conosco. Então, praticamente nos mudamos para o apartamento, regressando para nossa casa apenas nos fins de semana em que Cris não estava na escola.

Esse arranjo seria perfeito, se não me obrigasse a lutar diariamente contra dois pais babões e não apenas um.

Nunca fizemos o exame para confirmar, mas nenhum de nós tinha dúvida quanto à paternidade de Victoria. Bastava olhar para seu cabelinho castanho, quase louro, e os olhinhos verdes, para saber que ela era filha de Patrick. Apesar disso, Frank a mimava com o mesmo carinho e atenção que Patrick dedicava a ela, como se fosse sua filha.

Entrei no quarto de Victoria e encontrei Patrick sentado na poltrona com nossa filha nos braços, observando-a, extasiado, enquanto ela dormia, chupando o dedo dele.

Meneei a cabeça em negativa, mas foi impossível não me render àquela cena e sorrir.

— Meu amor, quantas vezes já pedi para você não fazer isso? — sussurrei para não acordá-la, aproximando-me da poltrona e retirando seu dedo da boca de Vic.

— Ela estava agitada. O pediatra disse que ela fica assim porque a gengiva coça — ele argumentou, justificando-se. — São os dentinhos que vão nascer, esqueceu?

— Eu sei, amor, Mas não pode dar o seu dedo para ela. Para isso compramos os mordedores.

Peguei Victoria em meus braços e acalentei um pouquinho minha princesa, antes de colocá-la no berço. Patrick se aproximou e envolveu minha cintura, fazendo com que eu ficasse de frente para ele.

— Desculpe! Fui rude, deixando-a daquela forma lá no quarto. Tenho sido um idiota, não é mesmo?

— Um pouco, mas você não é um caso totalmente perdido — retruquei, dando um selinho em seus lábios. — Ainda há esperança. Só precisa parar de tratar nossa bebê como se ela fosse uma boneca.

Ele riu e me puxou para um beijo mais intenso.

— Está me pedindo algo impossível. Sabe disso — Patrick declarou, rindo ao findar o beijo.

— Estou falando sério, amor. Não pode mimá-la o tempo todo. Desse jeito ela vai crescer e se tornar uma tirana esnobe. É isso que você quer?

— Não. Você sabe que não — ele respondeu e se voltou para o berço, admirando nossa bebê adormecida —, mas é tão difícil resistir...

— Está tudo bem por aqui? — Frank perguntou, nos surpreendendo. Não havíamos percebido sua entrada no quarto.

Estendi a mão para ele, que a segurou e se uniu a nós junto ao berço de Victoria.

— Está tudo ótimo, meu amigo! — Patrick respondeu. — O mundo não poderia ser mais perfeito.

Agradecimentos

Antes de qualquer coisa, agradeço às minhas queridas amigas e leitoras *Betas*, as autoras Kel Costa e Halice FRS, que tanto me ajudaram na preparação dessa obra, e Daniella Rosa, por sua preciosa ajuda na revisão.

Ao meu marido, pelo amor e paciência com as intermináveis noites que passei em claro, em frente ao computador.

E, por fim, e muito especialmente, a cada uma das leitoras e leitores, responsáveis pelos milhares de leituras que levaram ao sucesso da série na versão em ebook. Foi para vocês que eu escrevi esta e tantas outras histórias, e pretendo escrever muitas mais, com todo carinho e cuidado que vocês merecem. Vocês são a razão de tudo.

Muito obrigada!

Siga as páginas oficiais da Ler Editorial e da autora.

www.lereditorial.com

twitter@Ler_Editorial

www.facebook.com/lereditorial

www.instagram.com/lereditorial

pinterest.com/lereditorial/

www.facebook.com/CatiaMouraoOficial/